대화로 배우는 한국어

русский язык(러시아어)
переведённое издание(번역판)

• 대화 **(имя существительное) : разговор; беседа**
Словесный обмен между кем-либо. Или содержание подобного обмена.

• 로 : **нет эквивалента**
Частица, указывающая на способ или метод для выполнения какой-либо работы.

• 배우다 **(глагол) : выучить**
Завладеть или обрести новые знания.

• -는 : **нет эквивалента**
Окончание, которое указывает на действие или событие в настоящем, преобразуя впередистоящее слово, словосочетание или придаточное предложение в определение.

• 한국어 **(имя существительное) : корейский язык**
Язык, который используют в Республике Корея.

※ 이 책의 폰트는 '함초롬 바탕체'를 사용하였습니다.

< 저자(автор) >

㈜한글2119연구소

- 연구개발전담부서
- ISO 9001 : 품질경영시스템 인증
- ISO 14001 : 환경경영시스템 인증
- 이메일(электронная почта) : gjh0675@naver.com

< 동영상(видео) 자료(материал) >

HANPUK_русский язык(перевод)
https://www.youtube.com/@HANPUK_Russian

HANPUK

제 2024153361 호

연구개발전담부서 인정서

1. 전담부서명: 연구개발전담부서

 [소속기업명: (주)한글2119연구소]

2. 소　재　지: 인천광역시 부평구 마장로264번길 33
 상가동 제지하층 제2호 (산곡동, 뉴서울아파트)

3. 신고 연월일: 2024년 05월 02일

과학기술정보통신부

「기초연구진흥 및 기술개발지원에 관한 법률」 제14조의 2제1항 및 같은 법 시행령 제27조제1항에 따라 위와 같이 기업의 연구개발전담부서로 인정합니다.

2024년 5월 13일

한국산업기술진흥협회장

G-CERTI *certificate*

hereby certifies that

Hangul 2119 Research Institute Co., Ltd.

Rm. 2, Lower level, Sangga-dong, 33, Majang-ro 264beon-gil,
Bupyeong-gu, Incheon, Korea

meets the Standard Requirements & Scope as following

ISO 9001:2015
Quality Management Systems

Creation of Media Content, Publication
of Korean Paper and Electronic Textbooks, Production
and Release of Albums for Korean Language Education

Certificate No: GIS-6934-QC
Initial Date : 2024-05-21
Expiry Date : 2027-05-20

Code : 08, 39
Issue Date : 2024-05-21
Valid Period : 2024-05-21 ~ 2027-05-20

Signed for and on behalf of GCERTI
President I.K.Cho

G-CERTI *Certificate*

hereby certifies that

Hangul 2119 Research Institute Co., Ltd.

Rm. 2, Lower level, Sangga-dong, 33, Majang-ro 264beon-gil,
Bupyeong-gu, Incheon, Korea

meets the Standard Requirements & Scope as following

ISO 14001:2015
Environmental Management Systems

Creation of Media Content, Publication
of Korean Paper and Electronic Textbooks, Production and
Release of Albums for Korean Language Education

Certificate No:	**GIS-6934-EC**	**Code**	**: 08, 39**
Initial Date	**: 2024-05-21**	**Issue Date**	**: 2024-05-21**
Expiry Date	**: 2027-05-20**	**Valid Period**	**: 2024-05-21 ~ 2027-05-20**

Signed for and on behalf of GCERTI
President I.K.Cho

< 목차(оглавление) >

< 대화(разговор) > - 1

배고플 텐데 왜 밥을 많이 남겼어?
배고플 텐데 왜 바블 마니 남겨써?
baegopeul tende wae babeul mani namgyeosseo?

사실은 조금 전에 간식으로 빵을 먹었거든요.
사시른 조금 저네 간시그로 빵을 머걷꺼드뇨.
sasireun jogeum jeone gansigeuro ppangeul meogeotgeodeunyo.

< 설명(объяснение) / 번역(перевод) >

배고프+[ㄹ 텐데] 왜 밥+을 많이 남기+었+어?
배고플 텐데 남겼어

• **배고프다 (имя прилагательное)** : 배 속이 빈 것을 느껴 음식이 먹고 싶다.
голодный
Испытывающий острую потребность в пище, сильное желание есть.

• -ㄹ 텐데 : 앞에 오는 말에 대하여 말하는 사람의 강한 추측을 나타내면서 그와 관련되는 내용을 이어 말할 때 쓰는 표현.
нет эквивалента
Выражение, употребляемое для передачи догадки или предположения говорящего, за которым следует связанное с этим суждение.

• **왜 (наречие)** : 무슨 이유로. 또는 어째서.
почему; зачем
По какой причине.

• **밥 (имя существительное)** : 쌀과 다른 곡식에 물을 붓고 물이 없어질 때까지 끓여서 익힌 음식.
варёный рис или любая другая крупа; каша
Сваренное на воде кушанье из риса или другой крупы.

• 을 : 동작이 직접적으로 영향을 미치는 대상을 나타내는 조사.
нет эквивалента
Частица, указывающая на объект, на который действие оказывает непосредственное влияние.

• **많이 (наречие)** : 수나 양, 정도 등이 일정한 기준보다 넘게.
много
Превышая определённую норму (о числе, количестве, степени и т.п.).

• **남기다 (глагол)** : 다 쓰지 않고 나머지가 있게 하다.
оставлять; оставить
Не тратить до конца, оставлять.

• -었- : 어떤 사건이 과거에 완료되었거나 그 사건의 결과가 현재까지 지속되는 상황을 나타내는 어미.
нет эквивалента
Окончание, указывающее на полное завершение какого-либо события в прошлом и сохранения данного результата до настоящего времени.

• -어 : (두루낮춤으로) 어떤 사실을 서술하거나 **물음**, 명령, 권유를 나타내는 종결 어미.
нет эквивалента
(нейтральный стиль) Финитное окончание предиката в повествовательном, вопросительном или побудительном предложении. **<вопрос>**

사실+은 조금 전+에 간식+으로 빵+을 먹+었+거든요.

• **사실 (имя существительное)** : 겉으로 드러나지 않은 일을 솔직하게 말할 때 쓰는 말.
правда; на самом деле; (сказать) по правде
Слово, используемое при высказывании правды, которая изначально скрывалась.

• 은 : 문장 속에서 어떤 대상이 화제임을 나타내는 조사.
нет эквивалента
Частица, показывающая то, что какой-то объект является главной темой в предложении.

• **조금 (имя существительное)** : 짧은 시간 동안.
немного
В течение короткого времени.

• **전 (имя существительное)** : 일정한 때보다 앞.
до
Прежде определённого времени.

• 에 : 앞말이 시간이나 때임을 나타내는 조사.
нет эквивалента
Окончание, указывающее на время или период времени.

• **간식 (имя существительное)** : 식사와 식사 사이에 간단히 먹는 음식.
перекус; лёгкая закуска
Лёгкая еда, употребляемая между основными приёмами пищи.

• 으로 : 신분이나 자격을 나타내는 조사.
нет эквивалента
Частица, указывающая на социальное положение или квалификацию.

• **빵 (имя существительное)** : 밀가루를 반죽하여 발효시켜 찌거나 구운 음식.
хлеб
Пищевой продукт, выпекаемый из теста.

• 을 : 동작이 직접적으로 영향을 미치는 대상을 나타내는 조사.
нет эквивалента
Частица, указывающая на объект, на который действие оказывает непосредственное влияние.

• **먹다 (глагол)** : 음식 등을 입을 통하여 배 속에 들여보내다.
есть; кушать
Принимать пищу во внутрь посредством ротовой полости.

• -었- : 사건이 과거에 일어났음을 나타내는 어미.
нет эквивалента
Окончание прошедшего времени.

• -거든요 : (두루높임으로) 앞의 내용에 대해 말하는 사람이 생각한 이유나 원인, 근거를 나타내는 표현.
нет эквивалента
(нейтрально-вежливый стиль) Финитное окончание, указывающее на причину, фактор, аргумент говорящего, которые касаются содержания, описанного в первой части высказывания.

< 대화(разговор) > - 2

제가 지금 돈이 얼마 없거든요. 회비를 다음에 드려도 될까요?
제가 지금 도니 얼마 업꺼드뇨. 회비를 다으메 드려도 될까요?
jega jigeum doni eolma eopgeodeunyo. hoebireul daeume deuryeodo doelkkayo?

네. 그럼 다음 주 모임에 오실 때 주세요.
네. 그럼 다음 주 모이메 오실 때 주세요.
ne. geureom daeum ju moime osil ttae juseyo.

< 설명(объяснение) / 번역(перевод) >

제+가 지금 돈+이 얼마 없+거든요.

회비+를 다음+에 드리+[어도 되]+ㄹ까요?

드려도 될까요

• **제 (местоимение)** : 말하는 사람이 자신을 낮추어 가리키는 말인 '저'에 조사 '가'가 붙을 때의 형태.
я
Форма, когда к '저' (вежливая форма '나') присоединяется падежное окончание '가'.

• 가 : 어떤 상태나 상황에 놓인 대상이나 동작의 주체를 나타내는 조사.
нет эквивалента
Окончание, указывающее на объект какой-либо ситуации, состояния или на лицо, выполняющее какое-либо действие.

• **지금 (наречие)** : 말을 하고 있는 바로 이때에. 또는 그 즉시에.
сейчас; в это время
В то время, когда говоришь; прямо сейчас.

• **돈 (имя существительное)** : 물건을 사고팔 때나 일한 값으로 주고받는 동전이나 지폐.
деньги
Денежные купюры или монеты, которые являются мерой стоимости при продаже или покупке товара, а также средством выплаты заработной платы.

• 이 : 어떤 상태나 상황의 대상이나 동작의 주체를 나타내는 조사.
нет эквивалента
Частица, показывающая какое-либо состояние, объект ситуации или субъект действия.

• **얼마 (имя существительное)** : 밝힐 필요가 없는 적은 수량, 값, 정도.
немного; чуть-чуть; совсем мало
Небольшое количество, стоимость или степень, о которой нет необходимости говорить.

• **없다 (имя прилагательное)** : 어떤 물건을 가지고 있지 않거나 자격이나 능력 등을 갖추지 않은 상태이다.
не иметь
Состояние неимения какого-либо предмета, квалификации, способности и т.п.

• -거든요 : (두루높임으로) 앞으로 이어질 내용의 전제를 이야기하면서 뒤에 이야기가 계속 이어짐을 나타내는 표현.
нет эквивалента
(нейтрально-вежливый стиль) Финитное окончание, выражающее предпосылку для дальнейшего повествования и указывающее на то, что данная мысль будет продолжена в последующем высказывании.

• **회비 (имя существительное)** : 모임에서 사용하기 위하여 그 모임의 회원들이 내는 돈.
членский взнос; членский сбор
Деньги, которые платят члены какого-либо сообщества или организации с целью их общего использования.

• 를 : 동작이 직접적으로 영향을 미치는 대상을 나타내는 조사.
нет эквивалента
Частица, указывающая на объект, на который непосредственно распространяется влияние действия.

• **다음 (имя существительное)** : 시간이 지난 뒤.
потом
После прохождения периода времени.

• 에 : 앞말이 시간이나 때임을 나타내는 조사.
нет эквивалента
Окончание, указывающее на время или период времени.

• **드리다 (глагол)** : (높임말로) 주다. 무엇을 다른 사람에게 건네어 가지게 하거나 사용하게 하다.
вручать; преподносить
(вежл.) Давать. Передавать что-либо другому человеку для владения или использования.

• -어도 되다 : 어떤 행동에 대한 허락이나 허용을 나타낼 때 쓰는 표현.
нет эквивалента
Выражение, указывающее на согласие или разрешение совершить какое-либо действие.

• -ㄹ까요 : (두루높임으로) 듣는 사람에게 의견을 묻거나 제안함을 나타내는 표현.
нет эквивалента
(нейтрально-вежливый стиль) Выражение, употребляемое, когда говорящий спрашивает мнение слушающего или предлагает сделать что-либо.

네.

그럼 다음 주 모임+에 <u>오+시+[ㄹ 때]</u> 주+세요.
오실 때

• **네 (восклицание)** : 윗사람의 물음이나 명령 등에 긍정하여 대답할 때 쓰는 말.
да
Слово, употребляемое при утвердительном ответе на вопрос, приказ и т.п. старшего по возрасту или положению человека.

• **그럼 (наречие)** : 앞의 내용을 받아들이거나 그 내용을 바탕으로 하여 새로운 주장을 할 때 쓰는 말.
тогда; в таком случае
Выражение, которое используют, когда соглашаются с чем-либо вышеупомянутым или же когда выдвигают новое утверждение, основываясь на вышеупомянутом.

• **다음 (имя существительное)** : 이번 차례의 바로 뒤.
следующий
Идущий сразу за данным.

• **주 (имя существительное)** : 월요일부터 일요일까지의 칠 일 동안.
неделя
Период в течение семи дней с воскресенья до субботы
(с понедельника до воскресенья).

• **모임 (имя существительное)** : 어떤 일을 하기 위하여 여러 사람이 모이는 일.
сбор; собрание; встреча
Собрание нескольких человек для выполнения какого-либо дела.

• 에 : 앞말이 목적지이거나 어떤 행위의 진행 방향임을 나타내는 조사.
нет эквивалента
Окончание, указывающее на направленность какого-либо действия или цели.

• **오다 (глагол)** : 어떤 목적이 있는 모임에 참석하기 위해 다른 곳에 있다가 이곳으로 위치를 옮기다.
приезжать; переезжать; переходить; перебираться
Менять местонахождение с целью участия в каком-либо собрании либо достижения какой-либо цели.

• -시- : 어떤 동작이나 상태의 주체를 높이는 뜻을 나타내는 어미.
нет эквивалента
Гонорифический глагольный суффикс, указывающий на почтительное отношение к субъекту какого-либо состояния или действия.

• -ㄹ 때 : 어떤 행동이나 상황이 일어나는 동안이나 그 시기 또는 그러한 일이 일어난 경우를 나타내는 표현.
нет эквивалента
Выражение, указывающее на момент или период во времени, когда происходит некое событие, либо случай возникновения такого события.

• **주다 (глагол)** : 물건 등을 남에게 건네어 가지거나 쓰게 하다.
давать
Предоставлять что-либо кому-либо для использования.

• -세요 : (두루높임으로) 설명, 의문, 명령, **요청**의 뜻을 나타내는 종결 어미.
нет эквивалента
(нейтрально-вежливый стиль) Финитное окончание предиката в повествовательном, вопросительном или побудительном предложении. **<просьба>**

< 대화(разговор) > - 3

내가 급한 사정이 생겨서 못 가게 된 공연 티켓이 있는데 네가 갈래?
내가 그판 사정이 생겨서 몯 가게 된 공연 티케시 인는데 네가 갈래?
naega geupan sajeongi saenggyeoseo mot gage doen gongyeon tikesi inneunde nega gallae?

정말? 그러면 나야 고맙지.
정말? 그러면 나야 고맙찌.
jeongmal? geureomyeon naya gomapji.

< 설명(объяснение) / 번역(перевод) >

내+가 급하+ㄴ 사정+이 생기+어서 못 가+[게 되]+ㄴ 공연 티켓+이 있+는데
급한 생겨서 가게 된

네+가 가+ㄹ래?
갈래

• **내 (местоимение)** : '나'에 조사 '가'가 붙을 때의 형태.
я
Форма местоимения '나', когда к нему присоединяют окончание '가'.

• 가 : 어떤 상태나 상황에 놓인 대상이나 동작의 주체를 나타내는 조사.
нет эквивалента
Окончание, указывающее на объект какой-либо ситуации, состояния или на лицо, выполняющее какое-либо действие.

• **급하다 (имя прилагательное)** : 사정이나 형편이 빨리 처리해야 할 상태에 있다.
срочный
Находящийся в ситуации, когда необходимо быстро справиться с положением или ситуацией.

• -ㄴ : 앞의 말이 관형어의 기능을 하게 만들고 현재의 상태를 나타내는 어미.
нет эквивалента
Окончание, указывающее на состояние лица или предмета в настоящий момент, при котором впередистоящее слово, словосочетание или придаточное предложение выполняет функцию определения.

• **사정 (имя существительное)** : 일의 형편이나 이유.
обстоятельство
Положение дела или причина.

• 이 : 어떤 상태나 상황의 대상이나 동작의 주체를 나타내는 조사.
нет эквивалента
Частица, показывающая какое-либо состояние, объект ситуации или субъект действия.

• **생기다 (глагол)** : 사고나 일, 문제 등이 일어나다.
происходить; случаться; возникать; появляться
Возникать (об аварии, деле, проблеме и т.п.).

• -어서 : 이유나 근거를 나타내는 연결 어미.
нет эквивалента
Соединительное окончание предиката, указывающее на причину или обоснование чего-либо.

• **못 (наречие)** : 동사가 나타내는 동작을 할 수 없게.
не [мочь]
Без возможности совершать какое-либо действие, выраженное глаголом.

• **가다 (глагол)** : 어떤 목적을 가진 모임에 참석하기 위해 이동하다.
идти; ехать
Принимать участие в каком-либо мероприятии, собрании.

• -게 되다 : 앞의 말이 나타내는 상태나 상황이 됨을 나타내는 표현.
нет эквивалента
Выражение, указывающее на возникновение некой ситуации или достижение какого-либо состояния.

• -ㄴ : 앞의 말이 관형어의 기능을 하게 만들고 사건이나 동작이 완료되어 그 상태가 유지되고 있음을 나타내는 어미.
нет эквивалента
Окончание, которое указывает на завершенное постоянное действие или событие, преобразуя впередистоящее слово, словосочетание или придаточное предложение в определение.

• **공연 (имя существительное)** : 음악, 무용, 연극 등을 많은 사람들 앞에서 보이는 것.
представление; спектакль; выступление; концерт
Показ перед многочисленными зрителями музыки, танцев, спектакля и т.п.

• **티켓 (имя существительное)** : 입장권, 승차권 등의 표.
билет
Входной, проездной и др. билет.

• 이 : 어떤 상태나 상황의 대상이나 동작의 주체를 나타내는 조사.
нет эквивалента
Частица, показывающая какое-либо состояние, объект ситуации или субъект действия.

• **있다 (имя прилагательное)** : 어떤 물건을 가지고 있거나 자격이나 능력 등을 갖춘 상태이다.
нет эквивалента
Иметь, обладать, владеть.

• -는데 : 뒤의 말을 하기 위하여 그 대상과 관련이 있는 상황을 미리 말함을 나타내는 연결 어미.
нет эквивалента
Соединительное окончание, вводящее некую предварительную информацию об объекте, о котором говорится в последующей части предложения.

• **네 (местоимение)** : '너'에 조사 '가'가 붙을 때의 형태.
ты
Морфема, используемая в том случае, когда к корню '너' присоединяется частица '가'.

• 가 : 어떤 상태나 상황에 놓인 대상이나 동작의 주체를 나타내는 조사.
нет эквивалента
Окончание, указывающее на объект какой-либо ситуации, состояния или на лицо, выполняющее какое-либо действие.

• **가다 (глагол)** : 어떤 목적을 가진 모임에 참석하기 위해 이동하다.
идти; ехать
Принимать участие в каком-либо мероприятии, собрании.

• -ㄹ래 : (두루낮춤으로) 앞으로 어떤 일을 하려고 하는 자신의 의사를 나타내거나 그 일에 대하여 듣는 사람의 의사를 물어봄을 나타내는 종결 어미.
нет эквивалента
(нейтральный стиль) Финитное окончание, употребляемое при указании на намерение говорящего совершить какое-либо действие или при обращении к слушающему с вопросом о намерении или желании совершить данное действие.

정말?

그러면 나+야 고맙+지.

• **정말 (наречие)** : 거짓이 없이 진짜로.
действительно; вправду; честно
Правда, без лжи.

• **그러면 (наречие)** : 앞의 내용이 뒤의 내용의 조건이 될 때 쓰는 말.
тогда; то
Выражение, используемое, когда что-либо сказанное в первой части предложения, становится условием для последующего содержания.

• **나 (местоимение)** : 말하는 사람이 친구나 아랫사람에게 자기를 가리키는 말.
я
Выражение, которым называют себя в разговоре с ровесниками или младшими людьми.

• 야 : 강조의 뜻을 나타내는 조사.
нет эквивалента
Окончание, указывающее на значения акцента.

• **고맙다 (имя прилагательное)** : 남이 자신을 위해 무엇을 해주어서 마음이 흐뭇하고 보답하고 싶다.
благодарный
Чувствующий признательность за оказанное ему добро, выражающий признательность.

• -지 : (두루낮춤으로) 말하는 사람이 자신에 대한 이야기나 자신의 생각을 친근하게 말할 때 쓰는 종결 어미.
нет эквивалента
(нейтральный стиль) Финитное окончание предиката, используемое в речи говорящего о самом себе или выражении своей мысли.

< 대화(разговор) > - 4

저녁때 손님이 오신다고 불고기에다가 잡채까지 준비하게요?
저녁때 손니미 오신다고 불고기에다가 잡채까지 준비하게요?
jeonyeokttae sonnimi osindago bulgogiedaga japchaekkaji junbihageyo?

그럼, 그 정도는 준비해야지.
그럼, 그 정도는 준비해야지.
geureom, geu jeongdoneun junbihaeyaji.

< 설명(объяснение) / 번역(перевод) >

저녁때 손님+이 오+시+ㄴ다고 불고기+에다가 잡채+까지 준비하+게요?

오신다고

• **저녁때 (имя существительное)** : 저녁밥을 먹는 때.
за ужином
Во время ужина.

• **손님 (имя существительное)** : (높임말로) 다른 곳에서 찾아온 사람.
гость
(вежл.) Человек, прибывший с другого места.

• 이 : 어떤 상태나 상황의 대상이나 동작의 주체를 나타내는 조사.
нет эквивалента
Частица, показывающая какое-либо состояние, объект ситуации или субъект действия.

• **오다 (глагол)** : 무엇이 다른 곳에서 이곳으로 움직이다.
приходить; приезжать
Передвигаться с одного места в другое.

• -시- : 어떤 동작이나 상태의 주체를 높이는 뜻을 나타내는 어미.
нет эквивалента
Гонорифический глагольный суффикс, указывающий на почтительное отношение к субъекту какого-либо состояния или действия.

• -ㄴ다고 : 어떤 행위의 목적, 의도를 나타내거나 어떤 상황의 이유, 원인을 나타내는 연결 어미.
нет эквивалента
Соединительное окончание, указывающее на намерение, цель какого-либо действия или на причину какой-либо ситуации.

• **불고기 (имя существительное)** : 얇게 썰어 양념한 돼지고기나 쇠고기를 불에 구운 한국 전통 음식.
пульгоги
Корейское традиционное блюдо из тонко нарезанной и приправленной свинины или говядины, поджаренной на огне.

• 에다가 : 더해지는 대상을 나타내는 조사.
в; на; к
Окончание, указывающее на прибавление чего-либо к какому-либо предмету.

• **잡채 (имя существительное)** : 여러 가지 채소와 고기 등을 가늘게 썰어 기름에 볶은 것을 당면과 섞어 만든 음식.
чапчхэ
Блюдо из крахмальной лапши с добавлением в неё различных овощей, мяса и т.п., тонко нарезанных и обжаренных на масле.

• 까지 : 현재의 상태나 정도에서 그 위에 더함을 나타내는 조사.
нет эквивалента
Окончание, указывающее на прибавление чего-либо к настоящему состоянию, степени.

• **준비하다 (глагол)** : 미리 마련하여 갖추다.
готовить; приготовлять
Заблаговременно приготовлять.

• -게요 : (두루높임으로) 앞의 내용이 그러하다면 뒤의 내용은 어떠할 것이라고 추측해 물음을 나타내는 표현.
нет эквивалента
(нейтрально-вежливый стиль) Финитное окончание, обозначающее вопрос, основанный на предположении о чём-либо, исходя из какого-то факта, описанного вначале.

그럼, 그 정도+는 준비하+여야지.
준비해야지

• **그럼 (восклицание)** : 말할 것도 없이 당연하다는 뜻으로 대답할 때 쓰는 말.
конечно; разумеется; несомненно
Слово, используемое при ответе, когда что-либо и без слов само собой разумеется.

- **그 (атрибутивное слово)** : 앞에서 이미 이야기한 대상을 가리킬 때 쓰는 말.
  тот
  Указывает на предмет, который уже был указан ранее.

- **정도 (имя существительное)** : 사물의 성질이나 가치를 좋고 나쁨이나 더하고 덜한 정도로 나타내는 분량이나 수준.
  степень; уровень
  Сравнительная величина или степень, характеризующая размер, интенсивность, качество и т.п. чего-либо.

- 는 : 강조의 뜻을 나타내는 조사.
  нет эквивалента
  Частица, выполняющая функцию акцентирования.

- **준비하다 (глагол)** : 미리 마련하여 갖추다.
  готовить; приготовлять
  Заблаговременно приготовлять.

- -여야지 : (두루낮춤으로) 말하는 사람의 결심이나 의지를 나타내는 종결 어미.
  нет эквивалента
  (нейтральный стиль) Финитное окончание предиката, указывающее на волю или намерение говорящего совершить какое-либо действие.

< 대화(разговор) > - 5

장사가 잘됐으면 제가 그만뒀게요?
장사가 잘돼쓰면 제가 그만뒫께요?
jangsaga jaldwaesseumyeon jega geumandwotgeyo?

요즘은 장사하는 사람들이 다 어렵다고 하더라고요.
요즈믄 장사하는 사람드리 다 어렵따고 하더라고요.
yojeumeun jangsahaneun saramdeuri da eoryeopdago hadeoragoyo.

< 설명(объяснение) / 번역(перевод) >

장사+가 잘되+었으면 제+가 그만두+었+게요?
잘됐으면 **그만뒀게요**

• **장사 (имя существительное)** : 이익을 얻으려고 물건을 사서 팖. 또는 그런 일.
торговля
Купля и продажа товара с целью получения прибыли. Или подобное занятие.

• 가 : 어떤 상태나 상황에 놓인 대상이나 동작의 주체를 나타내는 조사.
нет эквивалента
Окончание, указывающее на объект какой-либо ситуации, состояния или на лицо, выполняющее какое-либо действие.

• **잘되다 (глагол)** : 어떤 일이나 현상이 좋게 이루어지다.
хорошо получиться; удачный исход; положительный результат
Хороший исход какого-либо дела или явления.

• -었으면 : 현재 그렇지 않음을 표현하기 위해 실제 상황과 반대되는 가정을 할 때 쓰는 표현.
нет эквивалента
Выражение, употребляемое при предположении или допущении некой ситуации, противоположной той, что имеет место на самом деле, с целью подчеркнуть тот факт, что в действительности ситуация сложилась иначе.

• **제 (местоимение)** : 말하는 사람이 자신을 낮추어 가리키는 말인 '저'에 조사 '가'가 붙을 때의 형태.
я
Форма, когда к '저' (вежливая форма '나') присоединяется падежное окончание '가'.

• 가 : 어떤 상태나 상황에 놓인 대상이나 동작의 주체를 나타내는 조사.
нет эквивалента
Окончание, указывающее на объект какой-либо ситуации, состояния или на лицо, выполняющее какое-либо действие.

• **그만두다 (глагол)** : 하던 일을 중간에 그치고 하지 않다.
бросить что-либо делать; оставить; перестать; прекратить
Прервать какое-либо дело на середине и больше его не делать.

• -었- : 어떤 사건이 과거에 완료되었거나 그 사건의 결과가 현재까지 지속되는 상황을 나타내는 어미.
нет эквивалента
Окончание, указывающее на полное завершение какого-либо события в прошлом и сохранения данного результата до настоящего времени.

• -게요 : (두루높임으로) 앞의 내용이 사실이라면 당연히 뒤의 내용이 이루어지겠지만 실제로는 그렇지 않음을 나타내는 표현.
нет эквивалента
(нейтрально-вежливый стиль) Выражение, употребляемое в риторических вопросах, указывающее на то, что какая-либо ситуация или событие не является непременным следствием того, о чём говорится в предыдущей части предложения.

요즘+은 장사하+는 사람+들+이 다 어렵+다고 하+더라고요.

• **요즘 (имя существительное)** : 아주 가까운 과거부터 지금까지의 사이.
в последнее время; недавно; на днях
Промежуток от недалёкого прошлого до настоящего времени.

• 은 : 문장 속에서 어떤 대상이 화제임을 나타내는 조사.
нет эквивалента
Частица, показывающая то, что какой-то объект является главной темой в предложении.

• **장사하다 (глагол)** : 이익을 얻으려고 물건을 사서 팔다.
торговать
Производить куплю-продажу товара с целью получения прибыли.

• -는 : 앞의 말이 관형어의 기능을 하게 만들고 사건이나 동작이 현재 일어남을 나타내는 어미.
нет эквивалента
Окончание, которое указывает на действие или событие в настоящем, преобразуя впередистоящее слово, словосочетание или придаточное предложение в определение.

• **사람 (имя существительное)** : 특별히 정해지지 않은 자기 외의 남을 가리키는 말.
люди
Выражение, используеумое при указании или упоминании всех остальных, за исключением себя.

• 들 : '복수'의 뜻을 더하는 접미사.
нет эквивалента
Суффикс со значением множественного числа.

• 이 : 어떤 상태나 상황의 대상이나 동작의 주체를 나타내는 조사.
нет эквивалента
Частица, показывающая какое-либо состояние, объект ситуации или субъект действия.

• **다 (наречие)** : 남거나 빠진 것이 없이 모두.
всё; все
Весь, полный, без изъятия, целиком.

• **어렵다 (имя прилагательное)** : 곤란한 일이나 고난이 많다.
трудный
Содержащий много трудностей, приносящий много страданий.

• -다고 : 다른 사람에게서 들은 내용을 간접적으로 전달하거나 주어의 생각, 의견 등을 나타내는 표현.
нет эквивалента
Выражение, употребляемое для оформления косвенной речи при передачи чужих слов или мыслей.

• **하다 (глагол)** : 무엇에 대해 말하다.
обсуждать
Говорить о чём-либо.

• -더라고요 : (두루높임으로) 과거에 경험하여 새로 알게 된 사실에 대해 지금 상대방에게 옮겨 전할 때 쓰는 표현.
нет эквивалента
(нейтрально-вежливый стиль) Выражение, употребляемое, при сообщении собеседнику о факте или событии в прошлом на основании личного опыта говорящего.

< 대화(разговор) > - 6

우리 가족 중에서 누가 가장 늦게 일어나게요?
우리 가족 중에서 누가 가장 늗께 이러나게요?
uri gajok jungeseo nuga gajang neutge ireonageyo?

보나 마나 너겠지, 뭐.
보나 마나 너겓찌, 뭐.
bona mana neogetji, mwo.

< 설명(объяснение) / 번역(перевод) >

우리 가족 중+에서 누(구)+가 가장 늦+게 일어나+게요?
누가

• **우리 (местоимение)** : 말하는 사람이 자기보다 높지 않은 사람에게 자기와 관련된 것을 친근하게 나타낼 때 쓰는 말.
мы; наш
Слово, используемое для выражения близости в чём-либо, связанном с говорящим и его собеседником, если он не намного старше или выше по социальному статусу.

• **가족 (имя существительное)** : 주로 한 집에 모여 살고 결혼이나 부모, 자식, 형제 등의 관계로 이루어진 사람들의 집단. 또는 그 구성원.
семья
Группа людей, состоящая из супругов или родителей, детей и других близких родственников, обычно живущих вместе, а также все члены данной группы.

• **중 (имя существительное)** : 여럿 가운데.
среди
Между несколькими.

• 에서 : 여럿으로 이루어진 일정한 범위의 안.
нет эквивалента
Среди определённого количества; из числа нескольких.

• **누구 (местоимение)** : 모르는 사람을 가리키는 말.
кто
Выражение, обозначающее кого-либо незнакомого.

• 가 : 어떤 상태나 상황에 놓인 대상이나 동작의 주체를 나타내는 조사.
нет эквивалента
Окончание, указывающее на объект какой-либо ситуации, состояния или на лицо, выполняющее какое-либо действие.

• **가장 (наречие)** : 여럿 가운데에서 제일로.
самый; наиболее
Лучший из определенного множества, превосходящий остальных по определенному признаку.

• **늦다 (имя прилагательное)** : 기준이 되는 때보다 뒤져 있다.
поздний; опоздалый
Совершённый после установленного времени.

• -게 : 앞의 말이 뒤에서 가리키는 일의 목적이나 결과, 방식, 정도 등이 됨을 나타내는 연결 어미.
нет эквивалента
Соединительное окончание предиката, указывающее на то, описанное в первой части предложения действие или состояние является целью, результатом, образом действия, степенью и т.п. того, о чём говорится в последующей главной части предложения.

• **일어나다 (глагол)** : 잠에서 깨어나다.
просыпаться; вставать
Просыпаться после сна.

• -게요 : (두루높임으로) 듣는 사람에게 한 번 추측해서 대답해 보라고 물을 때 쓰는 표현.
нет эквивалента
(нейтрально-вежливый стиль) Выражение, употребляемое при обращении к слушающему с просьбой высказать свою догадку в ответ на вопрос.

보+[나 마나] 너+(이)+겠+지, 뭐.
너겠지

• **보다 (глагол)** : 눈으로 대상의 존재나 겉모습을 알다.
смотреть; осматривать; видеть
Направить взгляд, чтобы узнать о существовании или внешнем виде объекта.

• -나 마나 : 그렇게 하나 그렇게 하지 않으나 다름이 없는 상황임을 나타내는 표현.
нет эквивалента
Выражение, указывающее на равный результат вне зависимости от совершения или не совершения какого-либо действия.

• **너 (местоимение)** : 듣는 사람이 친구나 아랫사람일 때, 그 사람을 가리키는 말.

ты

Употребляется при указании на собеседника, если он является ровесником или человеком, младшим по возрасту или статусу.

• 이다 : 주어가 지시하는 대상의 속성이나 부류를 지정하는 뜻을 나타내는 서술격 조사.

нет эквивалента

Суффикс повествовательного падежа, выражающий смысл наименования свойства или разряда объекта, на который указывает подлежащее.

• -겠- : 미래의 일이나 추측을 나타내는 어미.

нет эквивалента

Суффикс, указывающий на предположение, на действие или состояние в будущем.

• -지 : (두루낮춤으로) 말하는 사람이 자신에 대한 이야기나 자신의 생각을 친근하게 말할 때 쓰는 종결 어미.

нет эквивалента

(нейтральный стиль) Финитное окончание предиката, используемое в речи говорящего о самом себе или выражении своей мысли.

• **뭐 (восклицание)** : 사실을 말할 때, 상대의 생각을 가볍게 반박하거나 새롭게 일깨워 주는 뜻으로 하는 말.

нет эквивалента

Восклицание, выражающее лёгкое противоречие мыслям собеседника, когда говорят о каком-либо факте.

< 대화(разговор) > - 7

저 앞 도로에서 무슨 일이 생겼나 봐요. 길이 이렇게 막히게요.
저 압 도로에서 무슨 이리 생견나 봐요. 기리 이러케 마키게요.
jeo ap doroeseo museun iri saenggyeonna bwayo. giri ireoke makigeyo.

사고라도 난 모양이네.
사고라도 난 모양이네.
sagorado nan moyangine.

< 설명(объяснение) / 번역(перевод) >

저 앞 도로+에서 무슨 일+이 생기+었+[나 보]+아요.
생겼나 봐요

길+이 이렇+게 막히+게요.

• **저 (атрибутивное слово)** : 말하는 사람과 듣는 사람에게서 멀리 떨어져 있는 대상을 가리킬 때 쓰는 말.
вон тот (вон та, вон то)
Выражение, употребляемое для указания на какой-либо объект, находящийся вдалеке от говорящего и слушающего.

• **앞 (имя существительное)** : 향하고 있는 쪽이나 곳.
перед
Сторона или место, напротив которого от лицевой стороны находится кто-либо, что-либо.

• **도로 (имя существительное)** : 사람이나 차가 잘 다닐 수 있도록 만들어 놓은 길.
дорога
Путь сообщения для передвижения людей и транспорта.

• 에서 : 앞말이 행동이 이루어지고 있는 장소임을 나타내는 조사.
в; на
Окончание, указывающее на место, где происходит указанное действие.

• **무슨 (атрибутивное слово)** : 확실하지 않거나 잘 모르는 일, 대상, 물건 등을 물을 때 쓰는 말.
какой; который
Слово, используемое при вопросе относительно каких-либо неопределённых или неизвестных дел, объектов, предметов.

• **일 (имя существительное)** : 어떤 내용을 가진 상황이나 사실.
дело
Ситуация или условия с определённым содержанием.

• 이 : 어떤 상태나 상황의 대상이나 동작의 주체를 나타내는 조사.
нет эквивалента
Частица, показывающая какое-либо состояние, объект ситуации или субъект действия.

• **생기다 (глагол)** : 사고나 일, 문제 등이 일어나다.
происходить; случаться; возникать; появляться
Возникать (об аварии, деле, проблеме и т.п.).

• -었- : 어떤 사건이 과거에 완료되었거나 그 사건의 결과가 현재까지 지속되는 상황을 나타내는 어미.
нет эквивалента
Окончание, указывающее на полное завершение какого-либо события в прошлом и сохранения данного результата до настоящего времени.

• -나 보다 : 앞의 말이 나타내는 사실을 추측함을 나타내는 표현.
наверное; видимо; по-видимому
Выражение, указывающее на предположение о неком действии или состоянии.

• -아요 : (두루높임으로) 어떤 사실을 서술하거나 질문, 명령, 권유함을 나타내는 종결 어미.
нет эквивалента
(нейтрально-вежливый стиль) Финитное окончание предиката в повествовательном, вопросительном или побудительном предложении. **<изложение>**

• **길 (имя существительное)** : 사람이나 차 등이 지나다닐 수 있게 땅 위에 일정한 너비로 길게 이어져 있는 공간.
дорога; путь; тропа
Место на земле, простирающееся вдаль на далёкое расстояние, предназначенное для передвижения людей, машин и т.п.

• 이 : 어떤 상태나 상황의 대상이나 동작의 주체를 나타내는 조사.
нет эквивалента
Частица, показывающая какое-либо состояние, объект ситуации или субъект действия.

• **이렇다 (имя прилагательное)** : 상태, 모양, 성질 등이 이와 같다.
такой
Подобный; следующий (о состоянии, виде, качестве и т.п.).

• -게 : 앞의 말이 뒤에서 가리키는 일의 목적이나 결과, 방식, 정도 등이 됨을 나타내는 연결 어미.
нет эквивалента
Соединительное окончание предиката, указывающее на то, описанное в первой части предложения действие или состояние является целью, результатом, образом действия, степенью и т.п. того, о чём говорится в последующей главной части предложения.

• **막히다 (глагол)** : 길에 차가 많아 차가 제대로 가지 못하게 되다.
создать пробку
Скапливаться на дороге, мешая нормальному движению (о транспортных средствах).

• -게요 : (두루높임으로) 앞 문장의 내용에 대한 근거를 제시할 때 쓰는 표현.
нет эквивалента
(нейтрально-вежливый стиль) Финитное окончание, употребляемое при приведении какого-либо факта или наблюдения в качестве обоснования содержания предшествующего высказывания.

사고+라도 <u>나+[ㄴ 모양이]+네</u>.
난 모양이네

• **사고 (имя существительное)** : 예상하지 못하게 일어난 좋지 않은 일.
авария; происшествие
Неожиданное плохое событие.

• 라도 : 유사한 것을 예로 들어 설명할 때 쓰는 조사.
нет эквивалента
Частица, используемая при объяснении чего-либо на схожем примере.

• **나다 (глагол)** : 어떤 현상이나 사건이 일어나다.
происходить
Появляться (о каких-либо явлениях или событиях).

• -ㄴ 모양이다 : 다른 사실이나 상황으로 보아 현재 어떤 일이 일어났거나 어떤 상태라고 추측함을 나타내는 표현.
видимо
Выражение, указывающее на догадку или предположение о ситуации на данный момент, основанное на реальном наблюдении.

• -네 : (아주낮춤으로) 지금 깨달은 일에 대하여 말함을 나타내는 종결 어미.
нет эквивалента
(простой стиль) Финитное окончание, указывающее на обнаружение или осознание нового факта.

< 대화(разговор) > - 8

다음 달에 적금을 타면 뭐 하게요?
다음 다레 적끄믈 타면 뭐 하게요?
daeum dare jeokgeumeul tamyeon mwo hageyo?

그걸로 딸아이 피아노 사 주려고 해요.
그걸로 따라이 피아노 사 주려고 해요.
geugeollo ttarai piano sa juryeogo haeyo.

< 설명(объяснение) / 번역(перевод) >

다음 달+에 적금+을 타+면 뭐 하+게요?

• **다음 (имя существительное)** : 어떤 차례에서 바로 뒤.
следующий
Наступающий сразу после чего-либо.

• **달 (имя существительное)** : 일 년을 열둘로 나누어 놓은 기간.
месяц
Один из двенадцати промежутков времени, на который разделён один год.

• 에 : 앞말이 시간이나 때임을 나타내는 조사.
нет эквивалента
Окончание, указывающее на время или период времени.

• **적금 (имя существительное)** : 은행에 일정한 돈을 일정한 기간 동안 낸 다음에 찾는 저금.
сбережения
Сумма денег, которая вносится в банк в течение определённого периода и затем забирается обратно.

• 을 : 동작이 직접적으로 영향을 미치는 대상을 나타내는 조사.
нет эквивалента
Частица, указывающая на объект, на который действие оказывает непосредственное влияние.

• **타다 (глагол)** : 몫이나 상으로 주는 돈이나 물건을 받다.
получить; заполучить; выигрывать; приобрести
Получать деньги или предмет как долю или приз.

• -면 : 뒤에 오는 말에 대한 근거나 조건이 됨을 나타내는 연결 어미.
нет эквивалента
Соединительное окончание предиката, присоединяющее придаточное условия, указывающее на то, что является обоснованием или условием того, о чем говорится во второй части предложения.

• **뭐 (местоимение)** : 모르는 사실이나 사물을 가리키는 말.
что
Используется для указания на неизвестный предмет или факт.

• **하다 (глагол)** : 어떤 행동이나 동작, 활동 등을 행하다.
делать
Выполнять какое-либо действие, движение, работу и т.п.

• -게요 : (두루높임으로) 상대의 의도를 물을 때 쓰는 표현.
нет эквивалента
(нейтрально-вежливый стиль) Финитное окончание, употребляемое при обращении к собеседнику с вопросом о желании или намерении совершить что-либо.

그것(그거)+ㄹ로 딸아이 피아노 사+[(아) 주]+[려고 하]+여요.
그걸로 사 주려고 해요

• **그것 (местоимение)** : 앞에서 이미 이야기한 대상을 가리키는 말.
это
Указывает на предмет или факт, который был ранее указан.

• ㄹ로 : 어떤 일의 수단이나 도구를 나타내는 조사.
нет эквивалента
Частица, указывающая на средство или орудие для выполнения какой-либо работы.

• **딸아이 (имя существительное)** : 남에게 자기 딸을 이르는 말.
моя дочь
Употребляется при указании на свою дочь во время разговора с кем-либо.

• **피아노 (имя существительное)** : 검은색과 흰색 건반을 손가락으로 두드리거나 눌러서 소리를 내는 큰 악기.
фортепиано; рояль; пианино
Музыкальный инструмент с клавишами чёрного и белого цвета, при нажатии которых образуется звук.

• **사다 (глагол)** : 돈을 주고 어떤 물건이나 권리 등을 자기 것으로 만들다.
покупать
Приобретать что-либо за деньги.

• -아 주다 : 남을 위해 앞이 말이 나타내는 행동을 함을 나타내는 표현.
нет эквивалента
Выражение, указывающее на то, что описанное действие выполняется в интересах другого лица.

• -려고 하다 : 앞의 말이 나타내는 행동을 할 의도나 의향이 있음을 나타내는 표현.
собираться; намереваться
Выражение, указывающее на стремление или намерение выполнить обозначенное действие.

• -여요 : (두루높임으로) 어떤 사실을 서술하거나 질문, 명령, 권유함을 나타내는 종결 어미.
нет эквивалента
(нейтрально-вежливый стиль) Финитное окончание предиката в повествовательном, вопросительном или побудительном предложении. **<изложение>**

< 대화(разговор) > - 9

누가 책상을 치우라고 시켰어요?
누가 책상을 치우라고 시켜써요?
nuga chaeksangeul chiurago sikyeosseoyo?

제가 영수에게 치우게 했습니다.
제가 영수에게 치우게 핻씀니다.
jega yeongsuege chiuge haetseumnida.

< 설명(объяснение) / 번역(перевод) >

누(구)+가 책상+을 치우+라고 시키+었+어요?
누가 시켰어요

• **누구 (местоимение)** : 모르는 사람을 가리키는 말.
кто
Выражение, обозначающее кого-либо незнакомого.

• 가 : 어떤 상태나 상황에 놓인 대상이나 동작의 주체를 나타내는 조사.
нет эквивалента
Окончание, указывающее на объект какой-либо ситуации, состояния или на лицо, выполняющее какое-либо действие.

• **책상 (имя существительное)** : 책을 읽거나 글을 쓰거나 사무를 볼 때 앞에 놓고 쓰는 상.
стол; письменный стол; рабочий стол
Стол, за которым читают книги, что-либо пишут или работают.

• 을 : 동작이 직접적으로 영향을 미치는 대상을 나타내는 조사.
нет эквивалента
Частица, указывающая на объект, на который действие оказывает непосредственное влияние.

• **치우다 (глагол)** : 물건을 다른 데로 옮기다.
переносить; перемещать
Убирать что-либо с данного места в другое.

• -라고 : 다른 사람에게 들은 명령이나 권유 등의 내용을 간접적으로 전할 때 쓰는 표현.
нет эквивалента
Выражение, употребляемое для передачи приказа или настоятельной рекомендации в форме косвенной речи.

• **시키다 (глагол)** : 어떤 일이나 행동을 하게 하다.
заставлять (позволять); принуждать делать что-либо; велеть кому-либо
Заставлять совершать какие-либо дела или поступки.

• -었- : 사건이 과거에 일어났음을 나타내는 어미.
нет эквивалента
Окончание прошедшего времени.

• -어요 : (두루높임으로) 어떤 사실을 서술하거나 질문, 명령, 권유함을 나타내는 종결 어미.
нет эквивалента
(нейтрально-вежливый стиль) Финитное окончание предиката в повествовательном, вопросительном или побудительном предложении. **<вопрос>**

제+가 영수+에게 치우+[게 하]+였+습니다.
치우게 했습니다

• **제 (местоимение)** : 말하는 사람이 자신을 낮추어 가리키는 말인 '저'에 조사 '가'가 붙을 때의 형태.
я
Форма, когда к '저' (вежливая форма '나') присоединяется падежное окончание '가'.

• 가 : 어떤 상태나 상황에 놓인 대상이나 동작의 주체를 나타내는 조사.
нет эквивалента
Окончание, указывающее на объект какой-либо ситуации, состояния или на лицо, выполняющее какое-либо действие.

• **영수 (имя существительное)** : имя человека

• 에게 : 어떤 행동이 미치는 대상임을 나타내는 조사.
кому-, чему-либо
Окончание, указывающее на предмет, подвергающийся влиянию какого-либо действия.

• **치우다 (глагол)** : 물건을 다른 데로 옮기다.
переносить; перемещать
Убирать что-либо с данного места в другое.

- -게 하다 : 남에게 어떤 행동을 하도록 시키거나 물건이 어떤 작동을 하게 만듦을 나타내는 표현.
  нет эквивалента
  Выражение, обозначающее принуждение кого-либо к действию или приведение в действие какого-либо предмета.

- -였- : 사건이 과거에 일어났음을 나타내는 어미.
  нет эквивалента
  Окончание прошедшего времени.

- -습니다 : (아주높임으로) 현재의 동작이나 상태, 사실을 정중하게 설명함을 나타내는 종결 어미.
  нет эквивалента
  (формально-вежливый стиль) Финитное окончание предиката, употребляемое при описании события, действия или состояния в форме настоящего времени в ситуациях вежливого общения.

< 대화(разговор) > - 10

어머니가 아직도 여행을 못 가게 하셔?
어머니가 아직또 여행을 몯 가게 하셔?
eomeoniga ajikdo yeohaengeul mot gage hasyeo?

응. 끝까지 허락을 안 해 주실 모양이야.
응. 끋까지 허라글 안 해 주실 모양이야.
eung. kkeutkkaji heorageul an hae jusil moyangiya.

< 설명(объяснение) / 번역(перевод) >

어머니+가 아직+도 여행+을 못 가+[게 하]+시+어?
가게 하셔

• **어머니 (имя существительное)** : 자기를 낳아 준 여자를 이르거나 부르는 말.
мать
Слово, употребляемое при обращении к женщине-родительнице или её упоминании.

• 가 : 어떤 상태나 상황에 놓인 대상이나 동작의 주체를 나타내는 조사.
нет эквивалента
Окончание, указывающее на объект какой-либо ситуации, состояния или на лицо, выполняющее какое-либо действие.

• **아직 (наречие)** : 어떤 일이나 상태 또는 어떻게 되기까지 시간이 더 지나야 함을 나타내거나, 어떤 일이나 상태가 끝나지 않고 계속 이어지고 있음을 나타내는 말.
пока что; ещё; пока
Выражение, которое обозначает, что до выполнения чего-либо или до получения какой-либо формы необходимо чтобы прошло определённое время, или же что-либо продолжается и находится в незаконченном состоянии.

• 도 : 놀라움, 감탄, 실망 등의 감정을 강조함을 나타내는 조사.
нет эквивалента
Частица, подчёркивающая такие эмоции, как изумление, восхищение, разочарование и т.п.

• **여행 (имя существительное)** : 집을 떠나 다른 지역이나 외국을 두루 구경하며 다니는 일.
путешествие; поездка
Выезд из дома, осмотр и объезд достопримечательностей в другом районе или стране.

• 을 : 그 행동의 목적이 되는 일을 나타내는 조사.
нет эквивалента
Частица, указывающая на событие, являющееся целью какого-либо действия.

• **못 (наречие)** : 동사가 나타내는 동작을 할 수 없게.
не [мочь]
Без возможности совершать какое-либо действие, выраженное глаголом.

• **가다 (глагол)** : 어떤 목적을 가지고 일정한 곳으로 움직이다.
идти; ехать
Передвигаться в определённое место с какой-либо целью.

• -게 하다 : 다른 사람의 어떤 행동을 허용하거나 허락함을 나타내는 표현.
нет эквивалента
Выражение, указывающее на разрешение, допущение какого-либо действия другого лица.

• -시- : 어떤 동작이나 상태의 주체를 높이는 뜻을 나타내는 어미.
нет эквивалента
Гонорифический глагольный суффикс, указывающий на почтительное отношение к субъекту какого-либо состояния или действия.

• -어 : (두루낮춤으로) 어떤 사실을 서술하거나 물음, 명령, 권유를 나타내는 종결 어미.
нет эквивалента
(нейтральный стиль) Финитное окончание предиката в повествовательном, вопросительном или побудительном предложении. **<вопрос>**

응.

끝+까지 허락+을 안 하+[여 주]+시+[ㄹ 모양이]+야.

해 주실 모양이야

• **응 (восклицание)** : 상대방의 물음이나 명령 등에 긍정하여 대답할 때 쓰는 말.
да
Слово, используемое при положительном ответе на вопрос или приказ собеседника.

• **끝 (имя существительное)** : 시간에서의 마지막 때.
конец
Последний момент чего-либо, протекающего во времени.

• 까지 : 어떤 범위의 끝임을 나타내는 조사.
нет эквивалента
Окончание, указывающее на завершение какой-либо области.

• **허락 (имя существительное)** : 요청하는 일을 하도록 들어줌.
разрешение; согласие
Положительный ответ на просьбу.

• 을 : 동작이 직접적으로 영향을 미치는 대상을 나타내는 조사.
нет эквивалента
Частица, указывающая на объект, на который действие оказывает непосредственное влияние.

• **안 (наречие)** : 부정이나 반대의 뜻을 나타내는 말.
не; нет; ни
Выражение, означающее отрицание или противоположность.

• **하다 (глагол)** : 어떤 행동이나 동작, 활동 등을 행하다.
делать
Выполнять какое-либо действие, движение, работу и т.п.

• -여 주다 : 남을 위해 앞의 말이 나타내는 행동을 함을 나타내는 표현.
нет эквивалента
Выражение, указывающее на то, что описанное действие выполняется в интересах другого лица.

• -시- : 어떤 동작이나 상태의 주체를 높이는 뜻을 나타내는 어미.
нет эквивалента
Гонорифический глагольный суффикс, указывающий на почтительное отношение к субъекту какого-либо состояния или действия.

• -ㄹ 모양이다 : 다른 사실이나 상황으로 보아 앞으로 어떤 일이 일어나거나 어떤 상태일 것이라고 추측함을 나타내는 표현.
нет эквивалента
Выражение, указывающее на предположение о каком-либо событии в будущем, основанное на каком-либо наблюдении или факте.

• -야 : (두루낮춤으로) 어떤 사실에 대하여 서술하거나 물음을 나타내는 종결 어미.
нет эквивалента
(нейтральный стиль) Финитное окончание предиката в повествовательном или вопросительном предложении. **<изложение>**

< 대화(разговор) > - 11

할머니는 집에 계세요?
할머니는 지베 계세요(게세요)?
halmeonineun jibe gyeseyo(geseyo)?

응. 그런데 주무시고 계시니 깨우지 말고 좀 기다려.
응. 그런데 주무시고 계시니(게시니) 깨우지 말고 좀 기다려.
eung. geureonde jumusigo gyesini(gesini) kkaeuji malgo jom gidaryeo.

< 설명(объяснение) / 번역(перевод) >

할머니+는 집+에 계시+어요?
계세요

• **할머니 (имя существительное)** : 아버지의 어머니, 또는 어머니의 어머니를 이르거나 부르는 말.
бабушка
Слово, употребляемое при обращении к матери отца или матери матери или их упоминании.

• 는 : 문장 속에서 어떤 대상이 화제임을 나타내는 조사.
нет эквивалента
Частица, указывающая на то, что какой-либо объект является основной темой в предложении.

• **집 (имя существительное)** : 사람이나 동물이 추위나 더위 등을 막고 그 속에 들어 살기 위해 지은 건물.
дом; жилище
Помещение, защищающее от холода и жары, в котором можно проживать человеку или животному.

• 에 : 앞말이 어떤 장소나 자리임을 나타내는 조사.
нет эквивалента
Окончание, указывающее на какое-либо место или пространство.

• **계시다 (глагол)** : (높임말로) 높은 분이나 어른이 어느 곳에 있다.
находиться; быть
(вежл.) Присутствовать где-либо (о старшем по возрасту или положению человеке).

• -어요 : (두루높임으로) 어떤 사실을 서술하거나 질문, 명령, 권유함을 나타내는 종결 어미.
нет эквивалента
(нейтрально-вежливый стиль) Финитное окончание предиката в повествовательном, вопросительном или побудительном предложении. **<вопрос>**

응.

그런데 주무시+[고 계시]+니 깨우+[지 말]+고 좀 기다리+어.
기다려

• **응 (восклицание)** : 상대방의 물음이나 명령 등에 긍정하여 대답할 때 쓰는 말.
да
Слово, используемое при положительном ответе на вопрос или приказ собеседника.

• **그런데 (наречие)** : 이야기를 앞의 내용과 관련시키면서 다른 방향으로 바꿀 때 쓰는 말.
а
Слово, используемое для установления связи с содержанием предыдущего разговора и смены темы разговора.

• **주무시다 (глагол)** : (높임말로) 자다.
спать; ночевать
(вежл.) Спать.

• -고 계시다 : (높임말로) 앞의 말이 나타내는 행동이 계속 진행됨을 나타내는 표현.
нет эквивалента
(вежл.) Выражение, указывающее на длительность действия.

• -니 : 뒤에 오는 말에 대하여 앞에 오는 말이 원인이나 근거, 전제가 됨을 나타내는 연결 어미.
нет эквивалента
Соединительное окончание, указывающее на то, что содержание первой части предложения является причиной, обоснованием, предпосылкой того, о чём говорится во второй части предложения.

• **깨우다 (глагол)** : 잠들거나 취한 상태 등에서 벗어나 온전한 정신 상태로 돌아오게 하다.
будить
Возвращать в состояние полного рассудка, выгоняя из состояния сна, опьянения и т.п.

• -지 말다 : 앞의 말이 나타내는 행동을 하지 못하게 함을 나타내는 표현.
нет эквивалента
Выражение со значением "препятствовать совершению чего-либо, не давать сделать что-либо".

• -고 : 앞의 말과 뒤의 말이 차례대로 일어남을 나타내는 연결 어미.
нет эквивалента
Соединительное окончание предиката, указывающее на последовательность действий.

• **좀 (наречие)** : 시간이 짧게.
немного; недолго
Незначительное время.

• **기다리다 (глагол)** : 사람, 때가 오거나 어떤 일이 이루어질 때까지 시간을 보내다.
ждать; ожидать; подождать
Проводить время до прихода какого-либо человека, наступления определённого времени или завершения какого-либо дела.

• -어 : (두루낮춤으로) 어떤 사실을 서술하거나 물음, 명령, 권유를 나타내는 종결 어미.
нет эквивалента
(нейтральный стиль) Финитное окончание предиката в повествовательном, вопросительном или побудительном предложении. **<приказ>**

< 대화(разговор) > - 12

여기서 산 가방을 환불하고 싶은데 어떻게 하면 되나요?
여기서 산 가방을 환불하고 시픈데 어떠케 하면 되나요?
yeogiseo san gabangeul hwanbulhago sipeunde eotteoke hamyeon doenayo?

네, 손님. 영수증은 가지고 계신가요?
네, 손님. 영수증은 가지고 계신가요(게신가요)?
ne, sonnim. yeongsujeungeun gajigo gyesingayo(gesingayo)?

< 설명(объяснение) / 번역(перевод) >

여기+서 사+ㄴ 가방+을 환불하+[고 싶]+은데 어떻게 하+[면 되]+나요?
산

• **여기 (местоимение)** : 말하는 사람에게 가까운 곳을 가리키는 말.
здесь; тут; в этом месте
Слово, указывающее на место, близкое к говорящему.

• 서 : 앞말이 행동이 이루어지고 있는 장소임을 나타내는 조사.
в; там; на; где
Окончание, указывающее на место действия впередистоящего слова.

• **사다 (глагол)** : 돈을 주고 어떤 물건이나 권리 등을 자기 것으로 만들다.
покупать
Приобретать что-либо за деньги.

• -ㄴ : 앞의 말이 관형어의 기능을 하게 만들고 사건이나 동작이 과거에 일어났음을 나타내는 어미.
нет эквивалента
Окончание, которое указывает на действие или событие в прошлом, преобразуя впередистоящее слово, словосочетание или придаточное предложение в определение.

• **가방 (имя существительное)** : 물건을 넣어 손에 들거나 어깨에 멜 수 있게 만든 것.
сумка
Изделие, в которое кладут вещи и носят в руке или на плече.

• 을 : 동작이 직접적으로 영향을 미치는 대상을 나타내는 조사.
нет эквивалента
Частица, указывающая на объект, на который действие оказывает непосредственное влияние.

• **환불하다 (глагол)** : 이미 낸 돈을 되돌려주다.
возвращать; возмещать
Возвращать уже уплаченные деньги.

• -고 싶다 : 앞의 말이 나타내는 행동을 하기를 원함을 나타내는 표현.
хотеть (что-либо делать)
Выражение, указывающее на желание говорящего совершить какое-либо действие.

• -은데 : 뒤의 말을 하기 위하여 그 대상과 관련이 있는 상황을 미리 말함을 나타내는 연결 어미.
нет эквивалента
Соединительное окончание, вводящее некую предварительную информацию об объекте, о котором говорится в последующей части предложения.

• **어떻게 (наречие)** : 어떤 방법으로. 또는 어떤 방식으로.
как
Каким способом. Или каким образом.

• **하다 (глагол)** : 어떤 방식으로 행위를 이루다.
поступать
Делать что-либо каким-либо образом.

• -면 되다 : 조건이 되는 어떤 행동을 하거나 어떤 상태만 갖추어지면 문제가 없거나 충분함을 나타내는 표현.
нет эквивалента
Выражение с условной конструкцией, обозначающее, что некое действие или событие, о котором говорится в придаточном условия, является достаточным, допустимым, удовлетворительным.

• -나요 : (두루높임으로) 앞의 내용에 대해 상대방에게 물어볼 때 쓰는 표현.
нет эквивалента
(нейтрально-вежливый стиль) Выражение, употребляемое при обращении с вопросом к собеседнику.

네, 손님.

영수증+은 가지+[고 계시]+ㄴ가요?

가지고 계신가요

• **네 (восклицание)** : 윗사람의 물음이나 명령 등에 긍정하여 대답할 때 쓰는 말.
да
Слово, употребляемое при утвердительном ответе на вопрос, приказ и т.п. старшего по возрасту или положению человека.

• **손님 (имя существительное)** : (높임말로) 여관이나 음식점 등의 가게에 찾아온 사람.
клиент
(вежл.) Человек, посетивший какую-либо гостиницу или ресторан.

• **영수증 (имя существительное)** : 돈이나 물건을 주고받은 사실이 적힌 종이.
квитанция; кассовый чек
Документ, подтверждающий факт получения или выдачи денег, товара и т.п.

• 은 : 문장 속에서 어떤 대상이 화제임을 나타내는 조사.
нет эквивалента
Частица, показывающая то, что какой-то объект является главной темой в предложении.

• **가지다 (глагол)** : 무엇을 손에 쥐거나 몸에 지니다.
иметь; держать (в руках); нести
Взять что-либо рукой или иметь в себе.

• -고 계시다 : (높임말로) 앞의 말이 나타내는 행동의 결과가 계속됨을 나타내는 표현.
нет эквивалента
(вежл.) Выражение, указывающее на продолжительность результата действия.

• -ㄴ가요 : (두루높임으로) 현재의 사실에 대한 물음을 나타내는 종결 어미.
нет эквивалента
(нейтрально-вежливый стиль) Финитное окончание, выражающее вопрос в настоящем времени.

< 대화(разговор) > - 13

숙제는 다 하고 나서 놀아라.
숙쩨는 다 하고 나서 노라라.
sukjeneun da hago naseo norara.

벌써 다 했어요. 저 놀다 올게요.
벌써 다 해써요. 저 놀다 올께요.
beolsseo da haesseoyo. jeo nolda olgeyo.

< 설명(объяснение) / 번역(перевод) >

숙제+는 다 하+[고 나]+(아)서 놀+아라.
하고 나서

• **숙제 (имя существительное)** : 학생들에게 복습이나 예습을 위하여 수업 후에 하도록 내 주는 과제.
домашнее задание
Задание, которое даётся школьникам для выполнения после занятий с целью повторения пройденного или изучения нового материала.

• 는 : 문장 속에서 어떤 대상이 화제임을 나타내는 조사.
нет эквивалента
Частица, указывающая на то, что какой-либо объект является основной темой в предложении.

• **다 (наречие)** : 남거나 빠진 것이 없이 모두.
всё; все
Весь, полный, без изъятия, целиком.

• **하다 (глагол)** : 어떤 행동이나 동작, 활동 등을 행하다.
делать
Выполнять какое-либо действие, движение, работу и т.п.

• -고 나다 : 앞에 오는 말이 나타내는 행동이 끝났음을 나타내는 표현.
нет эквивалента
Выражение, указывающее на завершённость указанного действия.

• -아서 : 앞의 말과 뒤의 말이 순차적으로 일어남을 나타내는 연결 어미.
нет эквивалента
Соединительное окончание предиката, указывающее на последовательность действий.

• **놀다 (глагол)** : 놀이 등을 하면서 재미있고 즐겁게 지내다.
играть; гулять; отдыхать
Интересно и весело проводить время за игрой и т.п.

• -아라 : (아주낮춤으로) 명령을 나타내는 종결 어미.
нет эквивалента
(простой стиль) Финитное окончание предиката, выражающее повеление.

벌써 다 하+였+어요.
했어요

저 놀+다 오+ㄹ게요.
올게요

• **벌써 (наречие)** : 이미 오래전에.
уже
Задолго до данного момента.

• **다 (наречие)** : 남거나 빠진 것이 없이 모두.
всё; все
Весь, полный, без изъятия, целиком.

• **하다 (глагол)** : 어떤 행동이나 동작, 활동 등을 행하다.
делать
Выполнять какое-либо действие, движение, работу и т.п.

• -였- : 어떤 사건이 과거에 완료되었거나 그 사건의 결과가 현재까지 지속되는 상황을 나타내는 어미.
нет эквивалента
Окончание, указывающее на полное завершение какого-либо события в прошлом и сохранения данного результата до настоящего времени.

• -어요 : (두루높임으로) 어떤 사실을 서술하거나 질문, 명령, 권유함을 나타내는 종결 어미.
нет эквивалента
(нейтрально-вежливый стиль) Финитное окончание предиката в повествовательном, вопросительном или побудительном предложении. **<изложение>**

• **저 (местоимение)** : 말하는 사람이 듣는 사람에게 자신을 낮추어 가리키는 말.
я
Употребляется для обозначения говорящим самого себя, принижая себя перед слушающим.

• **놀다 (глагол)** : 놀이 등을 하면서 재미있고 즐겁게 지내다.
играть; гулять; отдыхать
Интересно и весело проводить время за игрой и т.п.

• -다 : 어떤 행동이나 상태 등이 중단되고 다른 행동이나 상태로 바뀜을 나타내는 연결 어미.
нет эквивалента
Соединительное окончание предиката, указывающее на прекращение действия или состояния, которое сменяется другим действием или состоянием.

• **오다 (глагол)** : 무엇이 다른 곳에서 이곳으로 움직이다.
приходить; приезжать
Передвигаться с одного места в другое.

• -ㄹ게요 : (두루높임으로) 말하는 사람이 어떤 행동을 할 것을 듣는 사람에게 약속하거나 의지를 나타내는 표현.
нет эквивалента
(нейтрально-вежливый стиль) Выражение, употребляемое, когда говорящий обещает сделать что-либо или сообщает слушателю о своих будущих действиях.

< 대화(разговор) > - 14

이번 달리기 대회에서 시우가 일 등 할 줄 알았는데.
이번 달리기 대회에서 시우가 일 등 할 쭐 아란는데.
ibeon dalligi daehoeeseo siuga il deung hal jul aranneunde.

그러게, 너무 욕심을 부리다 넘어지고 만 거지.
그러게, 너무 욕씨믈 부리다 너머지고 만 거지.
geureoge, neomu yoksimeul burida neomeojigo man geoji.

< 설명(объяснение) / 번역(перевод) >

이번 달리기 대회+에서 시우+가 일 등 하+[ㄹ 줄] 알+았+는데.
할 줄

• **이번 (имя существительное)** : 곧 돌아올 차례. 또는 막 지나간 차례.
этот (раз)
Порядок, который скоро настанет или только что миновал.

• **달리기 (имя существительное)** : 일정한 거리를 누가 빨리 뛰는지 겨루는 경기.
бег
Спортивное состязание на скорость передвижения.

• **대회 (имя существительное)** : 여러 사람이 실력이나 기술을 겨루는 행사.
соревнование; состязание; игры
Мероприятие, на котором несколько людей соревнуются, показывая свои способности или навыки.

• 에서 : 앞말이 행동이 이루어지고 있는 장소임을 나타내는 조사.
в; на
Окончание, указывающее на место, где происходит указанное действие.

• **시우 (имя существительное)** : имя человека

• 가 : 어떤 상태나 상황에 놓인 대상이나 동작의 주체를 나타내는 조사.
нет эквивалента
Окончание, указывающее на объект какой-либо ситуации, состояния или на лицо, выполняющее какое-либо действие.

• **일 (атрибутивное слово)** : 첫 번째의.
нет эквивалента
Первый

• **등 (имя существительное)** : 등급이나 등수를 나타내는 단위.
степень; ступень; разряд; место
Уровень или положение, занимаемое кем-либо или чем-либо.

• **하다 (глагол)** : 어떠한 결과를 이루어 내다.
выполнять; создавать
Получать какой-либо результат.

• -ㄹ 줄 : 어떤 사실이나 상태에 대해 알고 있거나 모르고 있음을 나타내는 표현.
нет эквивалента
Выражение, указывающее на какое-либо состояние или факт.

• **알다 (глагол)** : 어떤 사실을 그러하다고 여기거나 생각하다.
принимать за; считать за
Думать о чём-либо подобным образом.

• -았- : 사건이 과거에 일어났음을 나타내는 어미.
нет эквивалента
Окончание прошедшего времени.

• -는데 : (두루낮춤으로) 듣는 사람의 반응을 기대하며 어떤 일에 대해 감탄함을 나타내는 종결 어미.
нет эквивалента
(нейтральный стиль) Окончание, передающее восклицание или удивление в ожидании отклика слушающего.

그러게, 너무 욕심+을 부리+다 넘어지+[고 말(마)]+[ㄴ 것(거)]+(이)+지.
넘어지고 만 거지

• **그러게 (восклицание)** : 상대방의 말에 찬성하거나 동의하는 뜻을 나타낼 때 쓰는 말.
и не говори; да
Выражение, употребляемое при поддержке или полном согласии со словами собеседника.

• **너무 (наречие)** : 일정한 정도나 한계를 훨씬 넘어선 상태로.
очень; чересчур
Состояние чрезмерного превышения определенного уровня или рубежа.

• **욕심 (имя существительное)** : 무엇을 지나치게 탐내거나 가지고 싶어 하는 마음.
эгоизм; жадность; корысть
Состояние души при сильном желании иметь что-либо или владеть чем-либо.

• 을 : 동작이 직접적으로 영향을 미치는 대상을 나타내는 조사.
нет эквивалента
Частица, указывающая на объект, на который действие оказывает непосредственное влияние.

• **부리다 (глагол)** : 바람직하지 못한 행동이나 성질을 계속 드러내거나 보이다.
выставлять на показ; выказывать
Постоянно выказывать свои негативные поступки или характер.

• -다 : 앞에 오는 말이 뒤에 오는 말의 원인이나 근거가 됨을 나타내는 연결 어미.
нет эквивалента
Соединительное окончание предиката, указывающее на причину или обоснование того, о чём говорится во второй части предложения.

• **넘어지다 (глагол)** : 서 있던 사람이나 물체가 중심을 잃고 한쪽으로 기울어지며 쓰러지다.
падать; валиться
Наклониться в одну сторону и упасть, потеряв равновесие
(о стоявшем человеке или предмете).

• -고 말다 : 앞에 오는 말이 가리키는 행동이 안타깝게도 끝내 일어났음을 나타내는 표현.
нет эквивалента
Выражение, указывающее на то, что какое-либо действие, к сожалению, завершилось нежелательным образом.

• -ㄴ 것 : 명사가 아닌 것을 문장에서 명사처럼 쓰이게 하거나 '이다' 앞에 쓰일 수 있게 할 때 쓰는 표현.
нет эквивалента
Выражение, позволяющее использовать в качестве существительного слово неименной части речи, которое также может употребляться перед глаголом-связкой '이다'.

• 이다 : 주어가 지시하는 대상의 속성이나 부류를 지정하는 뜻을 나타내는 서술격 조사.
нет эквивалента
Суффикс повествовательного падежа, выражающий смысл наименования свойства или разряда объекта, на который указывает подлежащее.

• -지 : (두루낮춤으로) 말하는 사람이 자신에 대한 이야기나 자신의 생각을 친근하게 말할 때 쓰는 종결 어미.
нет эквивалента
(нейтральный стиль) Финитное окончание предиката, используемое в речи говорящего о самом себе или выражении своей мысли.

< 대화(разговор) > - 15

감독님, 저희 모두가 마지막 경기에 거는 기대가 큽니다.
감동님, 저히 모두가 마지막 경기에 거는 기대가 큼니다.
gamdongnim, jeohi moduga majimak gyeonggie geoneun gidaega keumnida.

네. 마지막 경기는 꼭 승리하고 말겠습니다.
네. 마지막 경기는 꼭 승니하고 말겐씀니다.
ne. majimak gyeonggineun kkok seungnihago malgetseumnida.

< 설명(объяснение) / 번역(перевод) >

감독+님, 저희 모두+가 마지막 경기+에 걸(거)+는 기대+가 크+ㅂ니다.
거는 큽니다

• **감독 (имя существительное)** : 공연, 영화, 운동 경기 등에서 일의 전체를 지휘하며 책임지는 사람.
режиссёр; директор; тренер
Тот, кто руководит работой в театре, на съёмочной площадке, на спортивных состязаниях.

• 님 : '높임'의 뜻을 더하는 접미사.
нет эквивалента
Суффикс, передающий уважительное отношение при обращении к людям.

• **저희 (местоимение)** : 말하는 사람이 자기보다 높은 사람에게 자기를 포함한 여러 사람들을 가리키는 말.
я; мы
Выражение, употребляемое при указании нескольких людей, включая себя, в присутствии людей, старших или вышестоящих по отношению к говорящему.

• **모두 (имя существительное)** : 남거나 빠진 것이 없는 전체.
все
Те, кто или что есть, в полном составе, без исключения.

• 가 : 어떤 상태나 상황에 놓인 대상이나 동작의 주체를 나타내는 조사.
нет эквивалента
Окончание, указывающее на объект какой-либо ситуации, состояния или на лицо, выполняющее какое-либо действие.

• **마지막 (имя существительное)** : 시간이나 순서의 맨 끝.
последнее; конец; последний; конечный; окончательный; заключительный
Последний момент чего-либо протекающего во времени или завершающий этап какого-либо действия, дела, занятия.

• **경기 (имя существительное)** : 운동이나 기술 등의 능력을 서로 겨룸.
состязание; соревнование; матч; игра; спорт
Соперничество друг с другом, сравнение способностей в спорте или технике и т.п.

• 에 : 앞말이 어떤 행위나 감정 등의 대상임을 나타내는 조사.
нет эквивалента
Окончание, указывающее на объект какого-либо действия, чувства и т.п.

• **걸다 (глагол)** : 앞으로의 일에 대한 희망 등을 품거나 기대하다.
возлагать
Возлагать надежду, ожидание и т.п. на какого-либо человека или дело.

• -는 : 앞의 말이 관형어의 기능을 하게 만들고 사건이나 동작이 현재 일어남을 나타내는 어미.
нет эквивалента
Окончание, которое указывает на действие или событие в настоящем, преобразуя впередистоящее слово, словосочетание или придаточное предложение в определение.

• **기대 (имя существительное)** : 어떤 일이 이루어지기를 바라며 기다림.
упование; надежда; ожидание
Желание и ожидание осуществления какого-либо дела.

• 가 : 어떤 상태나 상황에 놓인 대상이나 동작의 주체를 나타내는 조사.
нет эквивалента
Окончание, указывающее на объект какой-либо ситуации, состояния или на лицо, выполняющее какое-либо действие.

• **크다 (имя прилагательное)** : 어떤 일의 규모, 범위, 정도, 힘 등이 보통 수준을 넘다.
большой
Значительный (о масштабах, области, степени, силе и т.п.).

• -ㅂ니다 : (아주높임으로) 현재의 동작이나 상태, 사실을 정중하게 설명함을 나타내는 종결 어미.
нет эквивалента
(формально-вежливый стиль) Финитное окончание предиката, употребляемое при описании событий, действий или состояний в форме настоящего времени в ситуациях вежливого общения.

네.

마지막 경기+는 꼭 승리하+[고 말]+겠+습니다.

• **네 (восклицание)** : 윗사람의 물음이나 명령 등에 긍정하여 대답할 때 쓰는 말.
да
Слово, употребляемое при утвердительном ответе на вопрос, приказ и т.п. старшего по возрасту или положению человека.

• **마지막 (имя существительное)** : 시간이나 순서의 맨 끝.
последнее; конец; последний; конечный; окончательный; заключительный
Последний момент чего-либо протекающего во времени или завершающий этап какого-либо действия, дела, занятия.

• **경기 (имя существительное)** : 운동이나 기술 등의 능력을 서로 겨룸.
состязание; соревнование; матч; игра; спорт
Соперничество друг с другом, сравнение способностей в спорте или технике и т.п.

• 는 : 문장 속에서 어떤 대상이 화제임을 나타내는 조사.
нет эквивалента
Частица, указывающая на то, что какой-либо объект является основной темой в предложении.

• **꼭 (наречие)** : 어떤 일이 있어도 반드시.
обязательно
Во что бы то ни стало.

• **승리하다 (глагол)** : 전쟁이나 경기 등에서 이기다.
победить
Одержать победу в соревновании, состязании; выиграть бой, войну.

• -고 말다 : 앞에 오는 말이 가리키는 일을 이루고자 하는 말하는 사람의 강한 의지를 나타내는 표현.
нет эквивалента
Выражение, используемое для передачи сильной воли и решимости говорящего совершить какое-либо действие.

• -겠- : 말하는 사람의 의지를 나타내는 어미.
нет эквивалента
Суффикс, указывающий на волю или намерение говорящего.

• -습니다 : (아주높임으로) 현재의 동작이나 상태, 사실을 정중하게 설명함을 나타내는 종결 어미.
нет эквивалента
(формально-вежливый стиль) Финитное окончание предиката, употребляемое при описании события, действия или состояния в форме настоящего времени в ситуациях вежливого общения.

< 대화(разговор) > - 16

시간이 지나고 보니 모든 순간이 다 소중한 것 같아.
시가니 지나고 보니 모든 순가니 다 소중한 걷 가타.
sigani jinago boni modeun sungani da sojunghan geot gata.

무슨 일 있어? 갑자기 왜 그런 말을 해?
무슨 일 이써? 갑짜기 왜 그런 마를 해?
museun il isseo? gapjagi wae geureon mareul hae?

< 설명(объяснение) / 번역(перевод) >

시간+이 지나+[고 보]+니 모든 순간+이 다 소중하+[ㄴ 것 같]+아.

소중한 것 같아

• **시간 (имя существительное)** : 자연히 지나가는 세월.
пора; время
Естественно проходящее время.

• 이 : 어떤 상태나 상황의 대상이나 동작의 주체를 나타내는 조사.
нет эквивалента
Частица, показывающая какое-либо состояние, объект ситуации или субъект действия.

• **지나다 (глагол)** : 시간이 흘러 그 시기에서 벗어나다.
проходить; протекать
Миновать (о времени).

• -고 보다 : 앞의 말이 나타내는 행동을 하고 난 후에 뒤의 말이 나타내는 사실을 새로 깨달음을 나타내는 표현.
нет эквивалента
Выражение, указывающее на обнаружение какого-либо факта по завершении действия, описанного в первой части предложения.

• -니 : 앞에서 이야기한 내용과 관련된 다른 사실을 이어서 설명할 때 쓰는 연결 어미.
нет эквивалента
Соединительное окончание, употребляемое при объяснении какого-либо факта в продолжение того, чём говорится в предшествующей части предложения.

• **모든 (атрибутивное слово)** : 빠지거나 남는 것 없이 전부인.
все; весь; вся; всё
Всё полностью без остатка.

• **순간 (имя существительное)** : 아주 짧은 시간 동안.
мгновение; миг; секунда; момент
Очень короткий промежуток времени.

• 이 : 어떤 상태나 상황의 대상이나 동작의 주체를 나타내는 조사.
нет эквивалента
Частица, показывающая какое-либо состояние, объект ситуации или субъект действия.

• **다 (наречие)** : 남거나 빠진 것이 없이 모두.
всё; все
Весь, полный, без изъятия, целиком.

• **소중하다 (имя прилагательное)** : 매우 귀중하다.
дорогой; драгоценный
Очень дорогой (важный).

• -ㄴ 것 같다 : 추측을 나타내는 표현.
кажется, что …; вероятно; похоже
Выражение предположения.

• -아 : (두루낮춤으로) 어떤 사실을 서술하거나 물음, 명령, 권유를 나타내는 종결 어미.
нет эквивалента
(нейтральный стиль) Финитное окончание предиката в повествовательном, вопросительном или побудительном предложении. **<изложение>**

무슨 일 있+어?

갑자기 왜 그런 말+을 하+여?
해

• **무슨 (атрибутивное слово)** : 확실하지 않거나 잘 모르는 일, 대상, 물건 등을 물을 때 쓰는 말.
какой; который
Слово, используемое при вопросе относительно каких-либо неопределённых или неизвестных дел, объектов, предметов.

• **일 (имя существительное)** : 해결하거나 처리해야 할 문제나 사항.
дело; инцидент
Проблема или задача, которую необходимо разрешить.

• **있다 (имя прилагательное)** : 어떤 사람에게 무슨 일이 생긴 상태이다.
нет эквивалента
Случиться.

• -어 : (두루낮춤으로) 어떤 사실을 서술하거나 물음, 명령, 권유를 나타내는 종결 어미.
нет эквивалента
(нейтральный стиль) Финитное окончание предиката в повествовательном, вопросительном или побудительном предложении. **<вопрос>**

• **갑자기 (наречие)** : 미처 생각할 틈도 없이 빨리.
внезапно; вдруг
Настолько быстро и неожиданно, что даже не успел подумать.

• **왜 (наречие)** : 무슨 이유로. 또는 어째서.
почему; зачем
По какой причине.

• **그런 (атрибутивное слово)** : 상태, 모양, 성질 등이 그러한.
тот; такой
Имеющий подобную форму, внешний вид, черту характера и т.п.

• **말 (имя существительное)** : 생각이나 느낌을 표현하고 전달하는 사람의 소리.
голос
Звук воспроизводимый голосовыми связками при выражении мыслей, чувств и т.п.

• 을 : 동작이 직접적으로 영향을 미치는 대상을 나타내는 조사.
нет эквивалента
Частица, указывающая на объект, на который действие оказывает непосредственное влияние.

• **하다 (глагол)** : 어떤 행동이나 동작, 활동 등을 행하다.
делать
Выполнять какое-либо действие, движение, работу и т.п.

• -여 : (두루낮춤으로) 어떤 사실을 서술하거나 물음, 명령, 권유를 나타내는 종결 어미.
нет эквивалента
(нейтральный стиль) Финитное окончание предиката в повествовательном, вопросительном или побудительном предложении. **<вопрос>**

< 대화(разговор) > - 17

날씨가 추우니까 따뜻한 게 먹고 싶네.
날씨가 추우니까 따뜨탄 게 먹꼬 심네.
nalssiga chuunikka ttatteutan ge meokgo simne.

그럼 오늘 점심은 삼계탕을 먹으러 갈까?
그럼 오늘 점시믄 삼계탕을(삼게탕을) 머그러 갈까?
geureom oneul jeomsimeun samgyetangeul(samgetangeul) meogeureo galkka?

< 설명(объяснение) / 번역(перевод) >

날씨+가 춥(추우)+니까 따뜻하+[ㄴ 것(거)]+이 먹+[고 싶]+네.
추우니까 따뜻한 게

• **날씨 (имя существительное)** : 그날그날의 기온이나 공기 중에 비, 구름, 바람, 안개 등이 나타나는 상태.
погода
Общее состояние атмосферы, включающее такие характеристики, как облачность, влажность, осадки, температура воздуха и т.п.

• 가 : 어떤 상태나 상황에 놓인 대상이나 동작의 주체를 나타내는 조사.
нет эквивалента
Окончание, указывающее на объект какой-либо ситуации, состояния или на лицо, выполняющее какое-либо действие.

• **춥다 (имя прилагательное)** : 대기의 온도가 낮다.
холодный
Низкая температура атмосферы, воздуха.

• -니까 : 뒤에 오는 말에 대하여 앞에 오는 말이 원인이나 근거, 전제가 됨을 강조하여 나타내는 연결 어미.
нет эквивалента
Соединительное окончание, указывающее на то, что содержание первой части предложения является причиной, обоснованием, предпосылкой того, о чём говорится во второй части предложения.

• **따뜻하다 (имя прилагательное)** : 아주 덥지 않고 기분이 좋은 정도로 온도가 알맞게 높다.
тёплый
Имеющий умеренную температуру.

• -ㄴ 것 : 명사가 아닌 것을 문장에서 명사처럼 쓰이게 하거나 '이다' 앞에 쓰일 수 있게 할 때 쓰는 표현.
нет эквивалента
Выражение, позволяющее использовать в качестве существительного слово неименной части речи, которое также может употребляться перед глаголом-связкой '이다'.

• 이 : 어떤 상태나 상황의 대상이나 동작의 주체를 나타내는 조사.
нет эквивалента
Частица, показывающая какое-либо состояние, объект ситуации или субъект действия.

• **먹다 (глагол)** : 음식 등을 입을 통하여 배 속에 들여보내다.
есть; кушать
Принимать пищу во внутрь посредством ротовой полости.

• -고 싶다 : 앞의 말이 나타내는 행동을 하기를 원함을 나타내는 표현.
хотеть (что-либо делать)
Выражение, указывающее на желание говорящего совершить какое-либо действие.

• -네 : (예사 낮춤으로) 단순한 서술을 나타내는 종결 어미.
нет эквивалента
(фамильярный стиль) Финитное окончание, указывающее на простое повествование.

그럼 오늘 점심+은 삼계탕+을 먹+으러 가+ㄹ까?
갈까

• **그럼 (наречие)** : 앞의 내용을 받아들이거나 그 내용을 바탕으로 하여 새로운 주장을 할 때 쓰는 말.
тогда; в таком случае
Выражение, которое используют, когда соглашаются с чем-либо вышеупомянутым или же когда выдвигают новое утверждение, основываясь на вышеупомянутом.

• **오늘 (имя существительное)** : 지금 지나가고 있는 이날.
сегодня
Этот текущий день.

• **점심 (имя существительное)** : 아침과 저녁 식사 중간에, 낮에 하는 식사.
обед
Приём пищи в середине дня между завтраком и ужином; дневной приём пищи.

• 은 : 문장 속에서 어떤 대상이 화제임을 나타내는 조사.
нет эквивалента
Частица, показывающая то, что какой-то объект является главной темой в предложении.

• **삼계탕 (имя существительное)** : 어린 닭에 인삼, 찹쌀, 대추 등을 넣고 푹 삶은 음식.
самгетхан
Блюдо из цыплёнка, хорошо отваренной с корнем женьшеня, клейким рисом, плодами жужубы и другими продуктами.

• 을 : 동작이 직접적으로 영향을 미치는 대상을 나타내는 조사.
нет эквивалента
Частица, указывающая на объект, на который действие оказывает непосредственное влияние.

• **먹다 (глагол)** : 음식 등을 입을 통하여 배 속에 들여보내다.
есть; кушать
Принимать пищу во внутрь посредством ротовой полости.

• -으러 : 가거나 오거나 하는 동작의 목적을 나타내는 연결 어미.
нет эквивалента
Соединительное окончание предиката, указывающее на цель движения.

• **가다 (глагол)** : 어떤 목적을 가지고 일정한 곳으로 움직이다.
идти; ехать
Передвигаться в определённое место с какой-либо целью.

• -ㄹ까 : (두루낮춤으로) 듣는 사람의 의사를 물을 때 쓰는 종결 어미.
нет эквивалента
(нейтральный стиль) Финитное окончание, употребляемое при выражении мыслей или предположения говорящего или при обращении к слушающему с вопросом о намерении и желании совершить что-то.

< 대화(разговор) > - 18

아들이 자꾸 컴퓨터를 새로 사 달라고 해요.
아드리 자꾸 컴퓨터를 새로 사 달라고 해요.
adeuri jakku keompyuteoreul saero sa dallago haeyo.

그렇게 갖고 싶어 하는데 하나 사 줘요.
그러케 갇꼬 시퍼 하는데 하나 사 줘요.
geureoke gatgo sipeo haneunde hana sa jwoyo.

< 설명(объяснение) / 번역(перевод) >

아들+이 자꾸 컴퓨터+를 새로 사+[(아) 달]+라고 하+여요.
사 달라고 해요

• **아들 (имя существительное)** : 남자인 자식.
сын
Ребёнок мужского пола.

• 이 : 어떤 상태나 상황의 대상이나 동작의 주체를 나타내는 조사.
нет эквивалента
Частица, показывающая какое-либо состояние, объект ситуации или субъект действия.

• **자꾸 (наречие)** : 여러 번 계속하여.
всё время
Непрерывно несколько раз.

• **컴퓨터 (имя существительное)** : 전자 회로를 이용하여 문서, 사진, 영상 등의 대량의 데이터를 빠르고 정확하게 처리하는 기계.
компьютер
Прибор, обычно применяемый для быстрой и точной обработки документов, фотографий, видео и прочих данных крупных размеров, а также для работы в электронной сети.

• 를 : 동작이 직접적으로 영향을 미치는 대상을 나타내는 조사.
нет эквивалента
Частица, указывающая на объект, на который непосредственно распространяется влияние действия.

• **새로 (наречие)** : 전과 달리 새롭게. 또는 새것으로.
заново; снова; вновь; на новое; по-новому
Заново, в отличии от того, что было прежде. На что-либо новое.

• **사다 (глагол)** : 돈을 주고 어떤 물건이나 권리 등을 자기 것으로 만들다.
покупать
Приобретать что-либо за деньги.

• -아 달다 : 앞의 말이 나타내는 행동을 해 줄 것을 요구함을 나타내는 표현.
нет эквивалента
Выражение, указывающее на требование, просьбу говорящего к слушающему совершить какое-либо действие.

• -라고 : 다른 사람에게 들은 명령이나 권유 등의 내용을 간접적으로 전할 때 쓰는 표현.
нет эквивалента
Выражение, употребляемое для передачи приказа или настоятельной рекомендации в форме косвенной речи.

• **하다 (глагол)** : 무엇에 대해 말하다.
обсуждать
Говорить о чём-либо.

• -여요 : (두루높임으로) 어떤 사실을 서술하거나 질문, 명령, 권유함을 나타내는 종결 어미.
нет эквивалента
(нейтрально-вежливый стиль) Финитное окончание предиката в повествовательном, вопросительном или побудительном предложении. **<изложение>**

그렇+게 갖+[고 싶어 하]+는데 하나 사+[(아) 주]+어요.

사 줘요

• **그렇다 (имя прилагательное)** : 상태, 모양, 성질 등이 그와 같다.
такой
Имеющий подобное состояние, вид, свойства и т.п.

• -게 : 앞의 말이 뒤에서 가리키는 일의 목적이나 결과, 방식, 정도 등이 됨을 나타내는 연결 어미.
нет эквивалента
Соединительное окончание предиката, указывающее на то, описанное в первой части предложения действие или состояние является целью, результатом, образом действия, степенью и т.п. того, о чём говорится в последующей главной части предложения.

• **갖다 (глагол)** : 자기 것으로 하다.
владеть; приобретать; обладать
Присваивать что-либо.

• -고 싶어 하다 : 앞의 말이 나타내는 행동을 하기를 바라거나 그렇게 되기를 원함을 나타내는 표현.
хотеть; желать
Выражение, указывающее на желание говорящего или третьего лица совершить какое-либо действие.

• -는데 : 뒤의 말을 하기 위하여 그 대상과 관련이 있는 상황을 미리 말함을 나타내는 연결 어미.
нет эквивалента
Соединительное окончание, вводящее некую предварительную информацию об объекте, о котором говорится в последующей части предложения.

• **하나 (имя числительное)** : 숫자를 셀 때 맨 처음의 수.
один
Самое первое число при подсчёте цифр.

• **사다 (глагол)** : 돈을 주고 어떤 물건이나 권리 등을 자기 것으로 만들다.
покупать
Приобретать что-либо за деньги.

• -아 주다 : 남을 위해 앞의 말이 나타내는 행동을 함을 나타내는 표현.
нет эквивалента
Выражение, указывающее на то, что описанное действие выполняется в интересах другого лица.

• -어요 : (두루높임으로) 어떤 사실을 서술하거나 질문, 명령, 권유함을 나타내는 종결 어미.
нет эквивалента
(нейтрально-вежливый стиль) Финитное окончание предиката в повествовательном, вопросительном или побудительном предложении. **<приказ>**

< 대화(разговор) > - 19

출발했니? 언제쯤 도착할 것 같아?
출발핸니? 언제쯤 도차칼 껃 가타?
chulbalhaenni? eonjejjeum dochakal geot gata?

지금 가고 있으니까 십 분쯤 뒤에 도착할 거야.
지금 가고 이쓰니까 십 분쯤 뒤에 도차칼 꺼야.
jigeum gago isseunikka sip bunjjeum dwie dochakal geoya.

< 설명(объяснение) / 번역(перевод) >

출발하+였+니?
  출발했니

언제+쯤 도착하+[ㄹ 것 같]+아?
  도착할 것 같아

• **출발하다 (глагол)** : 어떤 곳을 향하여 길을 떠나다.
отправляться
Направляться куда-либо.

• -였- : 어떤 사건이 과거에 완료되었거나 그 사건의 결과가 현재까지 지속되는 상황을 나타내는 어미.
нет эквивалента
Окончание, указывающее на полное завершение какого-либо события в прошлом и сохранения данного результата до настоящего времени.

• -니 : (아주낮춤으로) 물음을 나타내는 종결 어미.
нет эквивалента
(простой стиль) Финитное окончание предиката, указывающее на вопрос.

• **언제 (местоимение)** : 알지 못하는 어느 때.
когда
В какое-либо время, которое невозможно узнать.

• 쯤 : '정도'의 뜻을 더하는 접미사.
около; примерно; настолько
Суффикс со значением "приблизительно, примерно" (о мере, степени, количестве).

• **도착하다 (глагол)** : 목적지에 다다르다.
прибывать; приезжать; прилетать; приходить
Достигать пункта назначения.

• -ㄹ 것 같다 : 추측을 나타내는 표현.
кажется
Выражение предположения.

• -아 : (두루낮춤으로) 어떤 사실을 서술하거나 물음, 명령, 권유를 나타내는 종결 어미.
нет эквивалента
(нейтральный стиль) Финитное окончание предиката в повествовательном, вопросительном или побудительном предложении. **<вопрос>**

지금 가+[고 있]+으니까 십 분+쯤 뒤+에 도착하+[ㄹ 것(거)]+(이)+야.
도착할 거야

• **지금 (наречие)** : 말을 하고 있는 바로 이때에. 또는 그 즉시에.
сейчас; в это время
В то время, когда говоришь; прямо сейчас.

• **가다 (глагол)** : 한 곳에서 다른 곳으로 장소를 이동하다.
ходить; уходить; идти
Передвигаться с одного места на другое.

• -고 있다 : 앞의 말이 나타내는 행동이 계속 진행됨을 나타내는 표현.
нет эквивалента
Выражение, указывающее на длительность действия.

• -으니까 : 뒤에 오는 말에 대하여 앞에 오는 말이 원인이나 근거, 전제가 됨을 강조하여 나타내는 연결 어미.
нет эквивалента
Соединительное окончание, указывающее на то, что содержание первой части предложения является причиной, обоснованием, предпосылкой того, о чём говорится во второй части предложения.

• **십 (атрибутивное слово)** : 열의.
нет эквивалента
Десять.

• **분 (имя существительное)** : 한 시간의 60분의 1을 나타내는 시간의 단위.
минута
Единица измерения времени, равная 1/60 часа.

• 쯤 : '정도'의 뜻을 더하는 접미사.
около; примерно; настолько
Суффикс со значением "приблизительно, примерно" (о мере, степени, количестве).

• **뒤 (имя существительное)** : 시간이나 순서상으로 다음이나 나중.
затем; потом; после; впоследствии
Следующее по времени или порядку.

• 에 : 앞말이 시간이나 때임을 나타내는 조사.
нет эквивалента
Окончание, указывающее на время или период времени.

• **도착하다 (глагол)** : 목적지에 다다르다.
прибывать; приезжать; прилетать; приходить
Достигать пункта назначения.

• -ㄹ 것 : 명사가 아닌 것을 문장에서 명사처럼 쓰이게 하거나 '이다' 앞에 쓰일 수 있게 할 때 쓰는 표현.
нет эквивалента
Выражение, субстантивирующее предшествующее слово неименной части речи или группу слов, которое также может употребляться с глаголом-связкой '이다'.

• 이다 : 주어가 지시하는 대상의 속성이나 부류를 지정하는 뜻을 나타내는 서술격 조사.
нет эквивалента
Суффикс повествовательного падежа, выражающий смысл наименования свойства или разряда объекта, на который указывает подлежащее.

• -야 : (두루낮춤으로) 어떤 사실에 대하여 서술하거나 물음을 나타내는 종결 어미.
нет эквивалента
(нейтральный стиль) Финитное окончание предиката в повествовательном или вопросительном предложении. **<изложение>**

< 대화(разговор) > - 20

넌 안경을 쓰고 있을 때 더 멋있어 보인다.
넌 안경을 쓰고 이쓸 때 더 머시써 보인다.
neon angyeongeul sseugo isseul ttae deo meosisseo boinda.

그래? 이제부터 계속 쓰고 다닐까 봐.
그래? 이제부터 계속(게속) 쓰고 다닐까 봐.
geurae? ijebuteo gyesok(gesok) sseugo danilkka bwa.

< 설명(объяснение) / 번역(перевод) >

너+는 안경+을 쓰+[고 있]+[을 때] 더 멋있+[어 보이]+ㄴ다.
넌 멋있어 보인다

• **너 (местоимение)** : 듣는 사람이 친구나 아랫사람일 때, 그 사람을 가리키는 말.
ты
Употребляется при указании на собеседника, если он является ровесником или человеком, младшим по возрасту или статусу.

• 는 : 문장 속에서 어떤 대상이 화제임을 나타내는 조사.
нет эквивалента
Частица, указывающая на то, что какой-либо объект является основной темой в предложении.

• **안경 (имя существительное)** : 눈을 보호하거나 시력이 좋지 않은 사람이 잘 볼 수 있도록 눈에 쓰는 물건.
очки
Оптический прибор для исправления недостатков зрения или защиты глаз от повреждений.

• 을 : 동작이 직접적으로 영향을 미치는 대상을 나타내는 조사.
нет эквивалента
Частица, указывающая на объект, на который действие оказывает непосредственное влияние.

• **쓰다 (глагол)** : 얼굴에 어떤 물건을 걸거나 덮어쓰다.
надевать; носить
Вешать или покрывать лицо какой-либо вещью.

• -고 있다 : 앞의 말이 나타내는 행동이 결과가 계속됨을 나타내는 표현.
нет эквивалента
Выражение, указывающее на продолжительность результата действия.

• -을 때 : 어떤 행동이나 상황이 일어나는 동안이나 그 시기 또는 그러한 일이 일어난 경우를 나타내는 표현.
когда
Выражение, указывающее на момент или период во времени, когда происходит некое событие, либо случай возникновения такого события.

• **더 (наречие)** : 비교의 대상이나 어떤 기준보다 정도가 크게, 그 이상으로.
более; больше
В большей степени, чем определённый уровень или сравниваемый объект.

• **멋있다 (имя прилагательное)** : 매우 좋거나 훌륭하다.
привлекательный; прелестный; замечательный
Очень хороший, выдающийся.

• -어 보이다 : 겉으로 볼 때 앞의 말이 나타내는 것처럼 느껴지거나 추측됨을 나타내는 표현.
выглядеть
Выражение, указывающее на предположение, догадку о чём-либо на основании внешних признаков ситуации.

• -ㄴ다 : (아주낮춤으로) 현재 사건이나 사실을 서술함을 나타내는 종결 어미.
нет эквивалента
(простой стиль) Финитное окончание, выражающее изложение события или факта в настоящем времени.

그래?

이제+부터 계속 쓰+고 다니+[ㄹ까 보]+아.
다닐까 봐

• **그래 (восклицание)** : 상대편의 말에 대한 감탄이나 가벼운 놀라움을 나타낼 때 쓰는 말.
так ли; разве; да неужели
Восклицание, выражающее восторг или лёгкое удивление по поводу слов собеседника.

• **이제 (имя существительное)** : 말하고 있는 바로 이때.
теперь; сейчас; только что
Прямо во время разговора.

• 부터 : 어떤 일의 시작이나 처음을 나타내는 조사.
нет эквивалента
Окончание, указывающее на начало какой-либо области или какого-либо события.

• **계속 (наречие)** : 끊이지 않고 잇따라.
непрерывно; постоянно
Без перерыва, не прекращая.

• **쓰다 (глагол)** : 얼굴에 어떤 물건을 걸거나 덮어쓰다.
надевать; носить
Вешать или покрывать лицо какой-либо вещью.

• -고 : 앞의 말이 나타내는 행동이나 그 결과가 뒤에 오는 행동이 일어나는 동안에 그대로 지속됨을 나타내는 연결 어미.
нет эквивалента
Соединительное окончание предиката, указывающее на продолжение действия, описанного в первой части предложения, или на сохранение результата данного действия в течение времени выполнения действия, описанного во второй части предложения.

• **다니다 (глагол)** : 이리저리 오고 가다.
ходить; посещать; курсировать; ездить
Ходить туда-сюда.

• -ㄹ까 보다 : 앞에 오는 말이 나타내는 행동을 할 의도가 있음을 나타내는 표현.
думать, не сделать ли
Выражение, указывающее на наличие намерения совершить действие, описанное в предшествующей части высказывания.

• -아 : (두루낮춤으로) 어떤 사실을 서술하거나 물음, 명령, 권유를 나타내는 종결 어미.
нет эквивалента
(нейтральный стиль) Финитное окончание предиката в повествовательном, вопросительном или побудительном предложении. **<изложение>**

< 대화(разговор) > - 21

이건 어렸을 때 찍은 제 가족 사진이에요.
이건 어려쓸 때 찌근 제 가족 사지니에요.
igeon eoryeosseul ttae jjigeun je gajok sajinieyo.

시우 씨 어렸을 때는 키가 작고 통통했군요.
시우 씨 어려쓸 때는 키가 작꼬 통통핻꾸뇨.
siu ssi eoryeosseul ttaeneun kiga jakgo tongtonghaetgunyo.

< 설명(объяснение) / 번역(перевод) >

이것(이거)+은 어리+었+[을 때] 찍+은 저+의 가족 사진+이+에요.
이건 어렸을 때 제

• **이것 (местоимение)** : 말하는 사람에게 가까이 있거나 말하는 사람이 생각하고 있는 것을 가리키는 말.

это

Указывает на то, что находится в непосредственной близости от говорящего или на то, о чём думает говорящий.

• 은 : 문장 속에서 어떤 대상이 화제임을 나타내는 조사.

нет эквивалента

Частица, показывающая то, что какой-то объект является главной темой в предложении.

• **어리다 (имя прилагательное)** : 나이가 적다.

маленький; малолетний

Имеющий мало лет от роду.

• -었- : 사건이 과거에 일어났음을 나타내는 어미.

нет эквивалента

Окончание прошедшего времени.

• -을 때 : 어떤 행동이나 상황이 일어나는 동안이나 그 시기 또는 그러한 일이 일어난 경우를 나타내는 표현.

когда

Выражение, указывающее на момент или период во времени, когда происходит некое событие, либо случай возникновения такого события.

• **찍다 (глагол)** : 어떤 대상을 카메라로 비추어 그 모양을 필름에 옮기다.
фотографировать; делать фотографии
Снимать на плёнку что-либо с помощью фотокамеры.

• -은 : 앞의 말이 관형어의 기능을 하게 만들고 사건이나 동작이 과거에 일어났음을 나타내는 어미.
нет эквивалента
Окончание, которое указывает на действие, совершенное в прошлом, преобразуя впередистоящее слово, словосочетание или придаточное предложение в определение.

• **저 (местоимение)** : 말하는 사람이 듣는 사람에게 자신을 낮추어 가리키는 말.
я
Употребляется для обозначения говорящим самого себя, принижая себя перед слушающим.

• 의 : 앞의 말이 뒤의 말에 대하여 소유, 소속, 소재, 관계, 기원, 주체의 관계를 가짐을 나타내는 조사.
нет эквивалента
Частица, указывающая на то, что в предыдущем слове содержится значение собственности, принадлежности, сырья, источника, основы в отношении последующего.

• **가족 (имя существительное)** : 주로 한 집에 모여 살고 결혼이나 부모, 자식, 형제 등의 관계로 이루어진 사람들의 집단. 또는 그 구성원.
семья
Группа людей, состоящая из супругов или родителей, детей и других близких родственников, обычно живущих вместе, а также все члены данной группы.

• **사진 (имя существительное)** : 사물의 모습을 오래 보존할 수 있도록 사진기로 찍어 종이나 컴퓨터 등에 나타낸 영상.
фотография
Оптическое изображение, проявленное на бумаге или экране монитора и т.п., запечатлённое фотоаппаратом.

• 이다 : 주어가 지시하는 대상의 속성이나 부류를 지정하는 뜻을 나타내는 서술격 조사.
нет эквивалента
Суффикс повествовательного падежа, выражающий смысл наименования свойства или разряда объекта, на который указывает подлежащее.

• -에요 : (두루높임으로) 어떤 사실을 서술하거나 질문함을 나타내는 종결 어미.
нет эквивалента
(нейтрально-вежливый стиль) Финитное окончание предиката в повествовательном или вопросительном предложении. **<изложение>**

시우 씨 어리+었+[을 때]+는 키+가 작+고 통통하+였+군요.
어렸을 때는 **통통했군요**

• **시우 (имя существительное)** : имя человека

• **씨 (имя существительное)** : 그 사람을 높여 부르거나 이르는 말.
господин; госпожа
Слово, приписываемое к имени или фамилии в знак уважения.

• **어리다 (имя прилагательное)** : 나이가 적다.
маленький; малолетний
Имеющий мало лет от роду.

• -었- : 사건이 과거에 일어났음을 나타내는 어미.
нет эквивалента
Окончание прошедшего времени.

• -을 때 : 어떤 행동이나 상황이 일어나는 동안이나 그 시기 또는 그러한 일이 일어난 경우를 나타내는 표현.
когда
Выражение, указывающее на момент или период во времени, когда происходит некое событие, либо случай возникновения такого события.

• 는 : 어떤 대상이 다른 것과 대조됨을 나타내는 조사.
нет эквивалента
Частица, указывающая на то, что какой-либо объект сравнивают с другим.

• **키 (имя существительное)** : 사람이나 동물이 바로 섰을 때의 발에서부터 머리까지의 몸의 길이.
рост
Длина тела человека или животного от ног до головы в положении прямо.

• 가 : 어떤 상태나 상황에 놓인 대상이나 동작의 주체를 나타내는 조사.
нет эквивалента
Окончание, указывающее на объект какой-либо ситуации, состояния или на лицо, выполняющее какое-либо действие.

• **작다 (имя прилагательное)** : 길이, 넓이, 부피 등이 다른 것이나 보통보다 덜하다.
маленький
Менее длинный, широкий, большой по сравнению с другими.

• -고 : 두 가지 이상의 대등한 사실을 나열할 때 쓰는 연결 어미.
нет эквивалента
Соединительное окончание предиката, используемое при перечислении двух и более равноправных фактов.

• **통통하다 (имя прилагательное)** : 키가 작고 살이 쪄서 몸이 옆으로 퍼져 있다.
полный
О толстом человеке невысокого роста с животом.

• -였- : 사건이 과거에 일어났음을 나타내는 어미.
нет эквивалента
Окончание прошедшего времени.

• -군요 : (두루높임으로) 새롭게 알게 된 사실에 주목하거나 감탄함을 나타내는 표현.
нет эквивалента
(нейтрально-вежливый стиль) Финитное окончание, выражающее восклицание при обнаружении или осознание нового факта.

< 대화(разговор) > - 22

꼼꼼한 지우 씨도 어제 큰 실수를 했나 봐요.
꼼꼼한 지우 씨도 어제 큰 실쑤를 핸나 봐요.
kkomkkomhan jiu ssido eoje keun silsureul haenna bwayo.

아무리 꼼꼼한 사람이라도 서두르면 실수하기 쉽지요.
아무리 꼼꼼한 사라미라도 서두르면 실쑤하기 쉽찌요.
amuri kkomkkomhan saramirado seodureumyeon silsuhagi swipjiyo.

< 설명(объяснение) / 번역(перевод) >

꼼꼼하+ㄴ 지우 씨+도 어제 크+ㄴ 실수+를 하+였+[나 보]+아요.
꼼꼼한 큰 했나 봐요

• **꼼꼼하다 (имя прилагательное)** : 빈틈이 없이 자세하고 차분하다.
тщательный; щепетильный; скрупулёзный; подробный; детальный
Совершаемый со вниманием ко всем подробностям, мелочам; точный до мелочей.

• -ㄴ : 앞의 말이 관형어의 기능을 하게 만들고 현재의 상태를 나타내는 어미.
нет эквивалента
Окончание, указывающее на состояние лица или предмета в настоящий момент, при котором впередистоящее слово, словосочетание или придаточное предложение выполняет функцию определения.

• **지우 (имя существительное)** : имя человека

• **씨 (имя существительное)** : 그 사람을 높여 부르거나 이르는 말.
господин; госпожа
Слово, приписываемое к имени или фамилии в знак уважения.

• 도 : 이미 있는 어떤 것에 다른 것을 더하거나 포함함을 나타내는 조사.
нет эквивалента
Частица, указывающая на прибавление или включение чего-либо во что-либо уже имеющееся.

• **어제 (наречие)** : 오늘의 하루 전날에.
вчера
За день до сегодня.

• **크다 (имя прилагательное)** : 어떤 일의 규모, 범위, 정도, 힘 등이 보통 수준을 넘다.
большой
Значительный (о масштабах, области, степени, силе и т.п.).

• -ㄴ : 앞의 말이 관형어의 기능을 하게 만들고 현재의 상태를 나타내는 어미.
нет эквивалента
Окончание, указывающее на состояние лица или предмета в настоящий момент, при котором впередистоящее слово, словосочетание или придаточное предложение выполняет функцию определения.

• **실수 (имя существительное)** : 잘 알지 못하거나 조심하지 않아서 저지르는 잘못.
ошибка; оплошность; казус; заблуждение; ляпсус
Что-либо, совершённое неверно из-за незнания, неумения или по неосторожности.

• 를 : 동작이 직접적으로 영향을 미치는 대상을 나타내는 조사.
нет эквивалента
Частица, указывающая на объект, на который непосредственно распространяется влияние действия.

• **하다 (глагол)** : 어떤 행동이나 동작, 활동 등을 행하다.
делать
Выполнять какое-либо действие, движение, работу и т.п.

• -였- : 사건이 과거에 일어났음을 나타내는 어미.
нет эквивалента
Окончание прошедшего времени.

• -나 보다 : 앞의 말이 나타내는 사실을 추측함을 나타내는 표현.
наверное; видимо; по-видимому
Выражение, указывающее на предположение о неком действии или состоянии.

• -아요 : (두루높임으로) 어떤 사실을 서술하거나 질문, 명령, 권유함을 나타내는 종결 어미.
нет эквивалента
(нейтрально-вежливый стиль) Финитное окончание предиката в повествовательном, вопросительном или побудительном предложении. **<изложение>**

아무리 꼼꼼하+ㄴ 사람+이라도 서두르+면 실수하+[기가 쉽]+지요.
꼼꼼한

• **아무리 (наречие)** : 정도가 매우 심하게.
как бы ни; какой бы ни
Состояние весьма усиленное.

- **꼼꼼하다 (имя прилагательное)** : 빈틈이 없이 자세하고 차분하다
тщательный; щепетильный; скрупулёзный; подробный; детальный
Совершаемый со вниманием ко всем подробностям, мелочам; точный до мелочей.

- -ㄴ : 앞의 말이 관형어의 기능을 하게 만들고 현재의 상태를 나타내는 어미.
нет эквивалента
Окончание, указывающее на состояние лица или предмета в настоящий момент, при котором впередистоящее слово, словосочетание или придаточное предложение выполняет функцию определения.

- **사람 (имя существительное)** : 생각할 수 있으며 언어와 도구를 만들어 사용하고 사회를 이루어 사는 존재.
человек
Живое существо, образующее общество и обладающее способностью мыслить, производить и использовать язык и орудия труда.

- 이라도 : 다른 경우들과 마찬가지임을 나타내는 조사.
нет эквивалента
Частица, показывающая аналогичность с другими случаями.

- **서두르다 (глагол)** : 일을 빨리하려고 침착하지 못하고 급하게 행동하다.
торопиться; спешить
Быть неспокойным и поспешно действовать, чтобы сделать работу быстро.

- -면 : 뒤에 오는 말에 대한 근거나 조건이 됨을 나타내는 연결 어미.
нет эквивалента
Соединительное окончание предиката, присоединяющее придаточное условия, указывающее на то, что является обоснованием или условием того, о чем говорится во второй части предложения.

- **실수하다 (глагол)** : 잘 알지 못하거나 조심하지 않아서 잘못을 저지르다.
ошибаться
Допускать ошибку из-за невнимательности или незнания.

- -기가 쉽다 : 앞의 말이 나타내는 행위를 하거나 그런 상태가 될 가능성이 많음을 나타내는 표현.
нет эквивалента
Выражение, указывающее на высокую вероятность какого-либо действия или состояния.

- -지요 : (두루높임으로) 말하는 사람이 자신에 대한 이야기나 자신의 생각을 친근하게 말할 때 쓰는 종결 어미.
нет эквивалента
(нейтрально-вежливый стиль) Финитное окончание предиката, используемое в речи говорящего о самом себе или выражении своей мысли.

< 대화(разговор) > - 23

방이 되게 좁은 줄 알았는데 이렇게 보니 괜찮네.
방이 되게 조븐 줄 아란는데 이러케 보니 괜찬네.
bangi doege jobeun jul aranneunde ireoke boni gwaenchanne.

좁은 공간도 꾸미기 나름이야.
조븐 공간도 꾸미기 나르미야.
jobeun gonggando kkumigi nareumiya.

< 설명(объяснение) / 번역(перевод) >

방+이 되게 좁+[은 줄] 알+았+는데 이렇+게 보+니 괜찮+네.

• **방 (имя существительное)** : 사람이 살거나 일을 하기 위해 벽을 둘러서 막은 공간
комната; помещение
Закрытое пространство, огороженное стенами для того, чтобы там мог жить или работать человек.

• 이 : 어떤 상태나 상황의 대상이나 동작의 주체를 나타내는 조사.
нет эквивалента
Частица, показывающая какое-либо состояние, объект ситуации или субъект действия.

• **되게 (наречие)** : 아주 몹시.
очень
Сильно, в высокой степени.

• **좁다 (имя прилагательное)** : 면이나 바닥 등의 면적이 작다.
тесный
Имеющий маленькую площадь (о поверхности, поле и т.п.).

• -은 줄 : 어떤 사실이나 상태에 대해 알고 있거나 모르고 있음을 나타내는 표현.
нет эквивалента
Выражение, указывающее на наличие или отсутствие какого-либо знания или умения.

• **알다 (глагол)** : 어떤 사실을 그러하다고 여기거나 생각하다.
принимать за; считать за
Думать о чём-либо подобным образом.

• -았- : 시전이 과거에 일어났음을 나타내는 어미.
нет эквивалента
Окончание прошедшего времени.

• -는데 : 뒤의 말을 하기 위하여 그 대상과 관련이 있는 상황을 미리 말함을 나타내는 연결 어미.
нет эквивалента
Соединительное окончание, вводящее некую предварительную информацию об объекте, о котором говорится в последующей части предложения.

• **이렇다 (имя прилагательное)** : 상태, 모양, 성질 등이 이와 같다.
такой
Подобный; следующий (о состоянии, виде, качестве и т.п.).

• -게 : 앞의 말이 뒤에서 가리키는 일의 목적이나 결과, 방식, 정도 등이 됨을 나타내는 연결 어미.
нет эквивалента
Соединительное окончание предиката, указывающее на то, описанное в первой части предложения действие или состояние является целью, результатом, образом действия, степенью и т.п. того, о чём говорится в последующей главной части предложения.

• **보다 (глагол)** : 대상의 내용이나 상태를 알기 위하여 살피다.
осматривать
Тщательно просматривать какой-либо объект с целью узнать его состояние или содержание.

• -니 : 뒤에 오는 말에 대하여 앞에 오는 말이 원인이나 근거, 전제가 됨을 나타내는 연결 어미.
нет эквивалента
Соединительное окончание, указывающее на то, что содержание первой части предложения является причиной, обоснованием, предпосылкой того, о чём говорится во второй части предложения.

• **괜찮다 (имя прилагательное)** : 꽤 좋다.
хороший; приятный; милый; славный
Очень хороший.

• -네 : (아주낮춤으로) 지금 깨달은 일에 대하여 말함을 나타내는 종결 어미.
нет эквивалента
(простой стиль) Финитное окончание, указывающее на обнаружение или осознание нового факта.

좁+은 공간+도 꾸미+[기 나름이]+야.

• **좁다 (имя прилагательное)** : 면이나 바닥 등의 면적이 작다.
тесный
Имеющий маленькую площадь (о поверхности, поле и т.п.).

• -은 : 앞의 말이 관형어의 기능을 하게 만들고 현재의 상태를 나타내는 어미.
нет эквивалента
Окончание, которое указывает на состояние лица или предмета в настоящем, преобразуя впередистоящее слово, словосочетание или придаточное предложение в определение.

• **공간 (имя существительное)** : 아무것도 없는 빈 곳이나 자리.
Пространство
свободное пустое место.

• 도 : 이미 있는 어떤 것에 다른 것을 더하거나 포함함을 나타내는 조사.
нет эквивалента
Частица, указывающая на прибавление или включение чего-либо во что-либо уже имеющееся.

• **꾸미다 (глагол)** : 모양이 좋아지도록 손질하다.
украшать; оформлять; декорировать
Отделывать для создания лучшего вида.

• -기 나름이다 : 어떤 일이 앞의 말이 나타내는 행동을 어떻게 하느냐에 따라 달라질 수 있음을 나타내는 표현.
зависеть от
Выражение, указывающее на изменение результата какого-либо дела, в зависимости от того, как выполняется выбранное действие.

• -야 : (두루낮춤으로) 어떤 사실에 대하여 서술하거나 물음을 나타내는 종결 어미.
нет эквивалента
(нейтральный стиль) Финитное окончание предиката в повествовательном или вопросительном предложении. **<изложение>**

< 대화(разговор) > - 24

나물 반찬 말고 더 맛있는 거 없어요?
나물 반찬 말고 더 마신는 거 업써요?
namul banchan malgo deo masinneun geo eopseoyo?

반찬 투정하지 말고 빨리 먹기나 해.
반찬 투정하지 말고 빨리 먹끼나 해.
banchan tujeonghaji malgo ppalli meokgina hae.

< 설명(объяснение) / 번역(перевод) >

나물 반찬 말+고 더 맛있+[는 것(거)] 없+어요?
맛있는 거

• **나물 (имя существительное)** : 먹을 수 있는 풀이나 나뭇잎, 채소 등을 삶거나 볶거나 또는 날것으로 양념하여 무친 반찬.
намул
Закуска, приготовленная из сваренных, пожаренных или заправленных специями в свежем виде листьев, побегов или кореший съедобных растений.

• **반찬 (имя существительное)** : 식사를 할 때 밥에 곁들여 먹는 음식.
салаты; соленья; гарнир к рису
Закуски, которые подаются к основному блюду и рису.

• **말다 (глагол)** : 앞의 것이 아니고 뒤의 것임을 나타내는 말.
не..., а
Не предыдущий, а последующий.

• -고 : 두 가지 이상의 대등한 사실을 나열할 때 쓰는 연결 어미.
нет эквивалента
Соединительное окончание предиката, используемое при перечислении двух и более равноправных фактов.

• **더 (наречие)** : 비교의 대상이나 어떤 기준보다 정도가 크게, 그 이상으로.
более; больше
В большей степени, чем определённый уровень или сравниваемый объект.

• **맛있다 (имя прилагательное)** : 맛이 좋다.
вкусный
Имеющий хороший вкус.

• -는 것 : 명사가 아닌 것을 문장에서 명사처럼 쓰이게 하거나 '이다' 앞에 쓰일 수 있게 할 때 쓰는 표현.
нет эквивалента
Выражение, субстантивирующее предшествующее слово неименной части речи или группу слов, которое также может употребляться с глаголом-связкой '이다'.

• **없다 (имя прилагательное)** : 사람, 사물, 현상 등이 어떤 곳에 자리나 공간을 차지하고 존재하지 않는 상태이다.
не быть
Состояние несуществования человека, предмета, явления и т.п. в каком-либо месте или пространстве.

• -어요 : (두루높임으로) 어떤 사실을 서술하거나 질문, 명령, 권유함을 나타내는 종결 어미.
нет эквивалента
(нейтрально-вежливый стиль) Финитное окончание предиката в повествовательном, вопросительном или побудительном предложении. **<вопрос>**

반찬 투정하+[지 말]+고 빨리 먹+[기나 하]+여.
먹기나 해

• **반찬 (имя существительное)** : 식사를 할 때 밥에 곁들여 먹는 음식.
салаты; соленья; гарнир к рису
Закуски, которые подаются к основному блюду и рису.

• **투정하다 (глагол)** : 무엇이 모자라거나 마음에 들지 않아 떼를 쓰며 조르다.
приставать; клянчить; придираться
Выпрашивать что-либо, чего недостаточно, или же ныть из-за чего-либо, что не нравится.

• -지 말다 : 앞의 말이 나타내는 행동을 하지 못하게 함을 나타내는 표현.
нет эквивалента
Выражение со значением "препятствовать совершению чего-либо, не давать сделать что-либо".

• -고 : 앞의 말과 뒤의 말이 차례대로 일어남을 나타내는 연결 어미.
нет эквивалента
Соединительное окончание предиката, указывающее на последовательность действий.

• **빨리 (наречие)** : 걸리는 시간이 짧게.
быстро
За короткий срок.

• **먹다 (глагол)** : 음식 등을 입을 통하여 배 속에 들여보내다.
есть; кушать
Принимать пищу во внутрь посредством ротовой полости.

• -기나 하다 : 마음에 차지는 않지만 듣는 사람이나 다른 사람이 앞의 말이 나타내는 행동을 하길 바랄 때 쓰는 표현.
нет эквивалента
Выражение, указывающее на пожелание или рекомендацию собеседнику какого-либо действия, хотя оно является не вполне желательным.

• -여 : (두루낮춤으로) 어떤 사실을 서술하거나 물음, 명령, 권유를 나타내는 종결 어미.
нет эквивалента
(нейтральный стиль) Финитное окончание предиката в повествовательном, вопросительном или побудительном предложении. **<приказ>**

< 대화(разговор) > - 25

수박 한 통에 이만 원이라고요? 좀 비싼데요.
수박 한 통에 이만 워니라고요? 좀 비싼데요.
subak han tonge iman woniragoyo? jom bissandeyo.

비싸기는요. 요즘 물가가 얼마나 올랐는데요.
비싸기느뇨. 요즘 물까가 얼마나 올란는데요.
bissagineunyo. yojeum mulgaga eolmana ollanneundeyo.

< 설명(объяснение) / 번역(перевод) >

수박 한 통+에 이만 원+이+라고요?

좀 비싸+ㄴ데요.
비싼데요

• **수박 (имя существительное)** : 둥글고 크며 초록 빛깔에 검푸른 줄무늬가 있으며 속이 붉고 수분이 많은 과일.
арбуз
Большой, круглый плод зелёного цвета с чёрными полосками и красной сочной мякотью.

• **한 (атрибутивное слово)** : 하나의.
нет эквивалента
Один.

• **통 (имя существительное)** : 배추나 수박, 호박 등을 세는 단위.
качан
Счётное слово для листовой капусты, арбуза, тыквы и т.п.

• 에 : 앞말이 기준이 되는 대상이나 단위임을 나타내는 조사.
нет эквивалента
Окончание, указывающее на объект или единицу измерения, которые являются стандартом.

• **이만** : 20,000

• **원 (имя существительное)** : 한국의 화폐 단위.
вона
Денежная единица Кореи.

• 이다 : 주어가 지시하는 대상의 속성이나 부류를 지정하는 뜻을 나타내는 서술격 조사.
нет эквивалента
Суффикс повествовательного падежа, выражающий смысл наименования свойства или разряда объекта, на который указывает подлежащее.

• -라고요 : (두루높임으로) 다른 사람의 말을 확인하거나 따져 물을 때 쓰는 표현.
нет эквивалента
(нейтрально-вежливый стиль) Выражение, употребляемое при переспросе с целью подтвердить или уточнить слова собеседника или при доскональном расспросе.

• **좀 (наречие)** : 분량이나 정도가 적게.
немного
В небольшом объёме, в незначительной степени.

• **비싸다 (имя прилагательное)** : 물건값이나 어떤 일을 하는 데 드는 비용이 보통보다 높다.
дорогостоящий; дорогой
Иметь очень высокую стоимость, стоить больше, чем обычно.

• -ㄴ데요 : (두루높임으로) 의외라 느껴지는 어떤 사실을 감탄하여 말할 때 쓰는 표현.
нет эквивалента
(нейтрально-вежливый стиль) Выражение, передающее восклицание и удивление при обнаружении неожиданного факта.

비싸+기는요.

요즘 물가+가 얼마나 오르(올ㄹ)+았+는데요.

올랐는데요

• **비싸다 (имя прилагательное)** : 물건값이나 어떤 일을 하는 데 드는 비용이 보통보다 높다.
дорогостоящий; дорогой
Иметь очень высокую стоимость, стоить больше, чем обычно.

• -기는요 : (두루높임으로) 상대방의 말을 가볍게 부정하거나 반박함을 나타내는 표현.
нет эквивалента
(нейтрально-вежливый стиль) Выражение, передающее оттенок возражения или несогласия с высказыванием собеседника.

• **요즘 (имя существительное)** : 아주 가까운 과거부터 지금까지의 사이.
в последнее время; недавно; на днях
Промежуток от недалёкого прошлого до настоящего времени.

• **물가 (имя существительное)** : 물건이나 서비스의 평균적인 가격.
уровень цен; цены [на потребительские товары]
Средняя стоимость товаров и услуг.

• 가 : 어떤 상태나 상황에 놓인 대상이나 동작의 주체를 나타내는 조사.
нет эквивалента
Окончание, указывающее на объект какой-либо ситуации, состояния или на лицо, выполняющее какое-либо действие.

• **얼마나 (наречие)** : 상태나 느낌 등의 정도가 매우 크고 대단하게.
настолько; так
Очень грандиозное, великое или огромное состояние или чувство чего-либо.

• **오르다 (глагол)** : 값, 수치, 온도, 성적 등이 이전보다 많아지거나 높아지다.
повышаться; подниматься; увеличиваться
Увеличиваться или повышаться по сравнению с прежними показателями (о значении, показателях, температуре, оценках и т.п.).

• -았- : 어떤 사건이 과거에 완료되었거나 그 사건의 결과가 현재까지 지속되는 상황을 나타내는 어미.
нет эквивалента
Окончание, указывающее на полное завершение какого-либо события в прошлом и сохранения данного результата до настоящего времени.

• -는데요 : (두루높임으로) 어떤 상황을 전달하여 듣는 사람의 반응을 기대함을 나타내는 표현.
нет эквивалента
(нейтрально-вежливый стиль) Выражение, употребляемое при сообщении чего-либо слушающему в ожидании реакции или отклика от него.

< 대화(разговор) > - 26

왜 나한테 거짓말을 했어?
왜 나한테 거진마를 해써?
wae nahante geojinmareul haesseo?

그건 너와 멀어질까 봐 두려웠기 때문이야.
그건 너와 머러질까 봐 두려월끼 때무니야.
geugeon neowa meoreojilkka bwa duryeowotgi ttaemuniya.

< 설명(объяснение) / 번역(перевод) >

왜 나+한테 거짓말+을 <u>하+였+어</u>?
했어

• **왜 (наречие)** : 무슨 이유로. 또는 어째서.
почему; зачем
По какой причине.

• **나 (местоимение)** : 말하는 사람이 친구나 아랫사람에게 자기를 가리키는 말.
я
Выражение, которым называют себя в разговоре с ровесниками или младшими людьми.

• 한테 : 어떤 행동이 미치는 대상임을 나타내는 조사.
нет эквивалента
Окончание, указывающее на объект, подвергающийся какому-либо действию.

• **거짓말 (имя существительное)** : 사실이 아닌 것을 사실인 것처럼 꾸며서 하는 말.
ложь; неправда; обман
Слова, намеренно искажённые, не соответствующие истине.

• 을 : 동작이 직접적으로 영향을 미치는 대상을 나타내는 조사.
нет эквивалента
Частица, указывающая на объект, на который действие оказывает непосредственное влияние.

• **하다 (глагол)** : 어떤 행동이나 동작, 활동 등을 행하다.
делать
Выполнять какое-либо действие, движение, работу и т.п.

• -였- : 사건이 과거에 일어났음을 나타내는 어미.
нет эквивалента
Окончание прошедшего времени.

• -어 : (두루낮춤으로) 어떤 사실을 서술하거나 물음, 명령, 권유를 나타내는 종결 어미.
нет эквивалента
(нейтральный стиль) Финитное окончание предиката в повествовательном, вопросительном или побудительном предложении. **<вопрос>**

그것(그거)+은 너+와 멀어지+[ㄹ까 보]+아 두렵(두려우)+었+[기 때문]+이+야.
그건 멀어질까 봐 두려웠기 때문이야

• **그것 (местоимение)** : 앞에서 이미 이야기한 대상을 가리키는 말.
это
Указывает на предмет или факт, который был ранее указан.

• 은 : 문장 속에서 어떤 대상이 화제임을 나타내는 조사.
нет эквивалента
Частица, показывающая то, что какой-то объект является главной темой в предложении.

• **너 (местоимение)** : 듣는 사람이 친구나 아랫사람일 때, 그 사람을 가리키는 말.
ты
Употребляется при указании на собеседника, если он является ровесником или человеком, младшим по возрасту или статусу.

• 와 : 무엇인가를 상대로 하여 어떤 일을 할 때 그 상대임을 나타내는 조사.
нет эквивалента
Частица, указывающая на то, что в отношении данного объекта производится какая-либо работа.

• **멀어지다 (глагол)** : 친하던 사이가 다정하지 않게 되다.
отдаляться
Стать менее дружелюбным (об отношениях между ранее тесно общавшимися людьми).

• -ㄹ까 보다 : 앞에 오는 말이 나타내는 상황이 될 것을 걱정하거나 두려워함을 나타내는 표현.
нет эквивалента
Выражение, указывающее на опасение или беспокойство из-за возможности возникновения определённой ситуации.

• -아 : 앞에 오는 말이 뒤에 오는 말에 대한 원인이나 이유임을 나타내는 연결 어미.
нет эквивалента
Соединительное окончание, указывающее на то, что действие первой части предложения является причиной или основанием действия, описанного во второй части предложения.

• **두렵다 (имя прилагательное)** : 걱정되고 불안하다.
опасаться; бояться; ожидать (несчастья)
Испытывать опасение, беспокойство по поводу чего-либо.

• -었- : 사건이 과거에 일어났음을 나타내는 어미.
нет эквивалента
Окончание прошедшего времени.

• -기 때문 : 앞의 내용이 뒤에 오는 일의 원인이나 까닭임을 나타내는 표현.
потому что; из-за
Выражение, указывающее на то, что содержание первой части предложения является причиной возникновения явления, описанного во второй части предложения.

• 이다 : 주어가 지시하는 대상의 속성이나 부류를 지정하는 뜻을 나타내는 서술격 조사.
нет эквивалента
Суффикс повествовательного падежа, выражающий смысл наименования свойства или разряда объекта, на который указывает подлежащее.

• -야 : (두루낮춤으로) 어떤 사실에 대하여 서술하거나 물음을 나타내는 종결 어미.
нет эквивалента
(нейтральный стиль) Финитное окончание предиката в повествовательном или вопросительном предложении. **<изложение>**

< 대화(разговор) > - 27

이번 휴가 때 남자 친구에게 운전을 배우기로 했어.
이번 휴가 때 남자 친구에게 운저늘 배우기로 해써.
ibeon hyuga ttae namja chinguege unjeoneul baeugiro haesseo.

그러면 분명히 서로 싸우게 될 텐데…….
그러면 분명히 서로 싸우게 될 텐데…….
geureomyeon bunmyeonghi seoro ssauge doel tende…….

< 설명(объяснение) / 번역(перевод) >

이번 휴가 때 남자 친구+에게 운전+을 배우+[기로 하]+였+어.

배우기로 했어

• **이번 (имя существительное)** : 곧 돌아올 차례. 또는 막 지나간 차례.
этот (раз)
Порядок, который скоро настанет или только что миновал.

• **휴가 (имя существительное)** : 직장이나 군대 등의 단체에 속한 사람이 일정한 기간 동안 일터를 벗어나서 쉬는 일. 또는 그런 기간.
отпуск
Отдых людей, состоящих на службе в компании, в армии и т.п. в течение определённого времени. А также данный период времени.

• **때 (имя существительное)** : 어떤 시기 동안.
во время; в период
В течении какого-либо периода.

• **남자 친구 (имя существительное)** : 여자가 사랑하는 감정을 가지고 사귀는 남자.
близкий друг; парень; любимый человек; молодой человек; бойфренд
Мужчина, состоящий в близких отношениях с любящей его женщиной (девушкой).

• 에게 : 어떤 행동의 주체이거나 비롯되는 대상임을 나타내는 조사.
от кого-, чего-либо
Окончание, указывающее на лицо, выполняющее какое-либо действие или предмет, являющийся началом чего-либо.

• **운전 (имя существительное)** : 기계나 자동차를 움직이고 조종함.
вождение
Управление каким-либо механизмом или автомобилем.

• 을 : 동작이 직접적으로 영향을 미치는 대상을 나타내는 조사.
нет эквивалента
Частица, указывающая на объект, на который действие оказывает непосредственное влияние.

• **배우다 (глагол)** : 새로운 기술을 익히다.
выучить; овладеть
Отточить новое мастерство.

• -기로 하다 : 앞의 말이 나타내는 행동을 할 것을 결심하거나 약속함을 나타내는 표현.
нет эквивалента
Выражение, указывающее на принятие решения или обещание совершить какое-либо действие.

• -였- : 어떤 사건이 과거에 완료되었거나 그 사건의 결과가 현재까지 지속되는 상황을 나타내는 어미.
нет эквивалента
Окончание, указывающее на полное завершение какого-либо события в прошлом и сохранения данного результата до настоящего времени.

• -어 : (두루낮춤으로) 어떤 사실을 서술하거나 물음, 명령, 권유를 나타내는 종결 어미.
нет эквивалента
(нейтральный стиль) Финитное окончание предиката в повествовательном, вопросительном или побудительном предложении. **<изложение>**

그러면 분명히 서로 싸우+[게 되]+[ㄹ 텐데]…….

싸우게 될 텐데

• **그러면 (наречие)** : 앞의 내용이 뒤의 내용의 조건이 될 때 쓰는 말.
тогда; то
Выражение, используемое, когда что-либо сказанное в первой части предложения, становится условием для последующего содержания.

• **분명히 (наречие)** : 어떤 사실이 틀림이 없이 확실하게.
ясно; точно; очевидно
Точно и безошибочно (о каком-либо факте).

• **서로 (наречие)** : 관계를 맺고 있는 둘 이상의 대상이 각기 그 상대에 대하여.
нет эквивалента
Друг друга; друг о друге (о двух и более, связанных между собой, объектах).

- **싸우다 (глагол)** : 말이나 힘으로 이기려고 다투다.
  спорить; ссориться; драться
  Противостоять, чтобы победить кого-либо словами или силой.

- -게 되다 : 앞의 말이 나타내는 상태나 상황이 됨을 나타내는 표현.
  нет эквивалента
  Выражение, указывающее на возникновение некой ситуации или достижение какого-либо состояния.

- -ㄹ 텐데 : 앞에 오는 말에 대하여 말하는 사람의 강한 추측을 나타내면서 그와 관련되는 내용을 이어 말할 때 쓰는 표현.
  нет эквивалента
  Выражение, употребляемое для передачи догадки или предположения говорящего, за которым следует связанное с этим суждение.

< 대화(разговор) > - 28

운동선수로서 뭐가 제일 힘들어?
운동선수로서 뭐가 제일 힘드러?
undongseonsuroseo mwoga jeil himdeureo?

글쎄, 체중을 조절하기 위한 끊임없는 노력이겠지.
글쎄, 체중을 조절하기 위한 끄니멈는 노려기겓찌.
geulsse, chejungeul jojeolhagi wihan kkeunimeomneun noryeogigetji.

< 설명(объяснение) / 번역(перевод) >

운동선수+로서 뭐+가 제일 힘들+어?

• **운동선수 (имя существительное)** : 운동에 뛰어난 재주가 있어 전문적으로 운동을 하는 사람.
спортсмен
Человек, обладающий особыми спортивными способностями и профессионально занимающийся спортом.

• 로서 : 어떤 지위나 신분, 자격을 나타내는 조사.
Как
окончание, указывающее на положение человека в обществе, его должность, квалификацию и т.п.

• **뭐 (местоимение)** : 모르는 사실이나 사물을 가리키는 말.
что
Используется для указания на неизвестный предмет или факт.

• 가 : 어떤 상태나 상황에 놓인 대상이나 동작의 주체를 나타내는 조사.
нет эквивалента
Окончание, указывающее на объект какой-либо ситуации, состояния или на лицо, выполняющее какое-либо действие.

• **제일 (наречие)** : 여럿 중에서 가장.
самый; первичный
Первостепенный среди нескольких.

• **힘들다 (имя прилагательное)** : 어떤 일을 하는 것이 어렵거나 곤란하다.
непосильный; тяжёлый
Трудный или тяжёлый в выполнении какого-либо дела.

• -어 : (두루낮춤으로) 어떤 사실을 서술하거나 물음, 명령, 권유를 나타내는 종결 어미.
нет эквивалента
(нейтральный стиль) Финитное окончание предиката в повествовательном, вопросительном или побудительном предложении. **<вопрос>**

글쎄, 체중+을 조절하+[기 위한] 끊임없+는 노력+이+겠+지.

• **글쎄 (восклицание)** : 상대방의 물음이나 요구에 대하여 분명하지 않은 태도를 나타낼 때 쓰는 말.
ну; как сказать
Восклицание, выражающее затруднение в ответе на вопрос или просьбу.

• **체중 (имя существительное)** : 몸의 무게.
нет эквивалента
Вес тела.

• 을 : 동작이 직접적으로 영향을 미치는 대상을 나타내는 조사.
нет эквивалента
Частица, указывающая на объект, на который действие оказывает непосредственное влияние.

• **조절하다 (глагол)** : 균형에 맞게 바로잡거나 상황에 알맞게 맞추다.
регулировать
Поддерживать равновесие чего-либо и настраивать что-либо в соответствии с ситуацией.

• -기 위한 : 뒤에 오는 명사를 수식하면서 그 목적이나 의도를 나타내는 표현.
нет эквивалента
Выражение, указывающее на цель, намерение или предназначение, выступая в качестве определения к последующему существительному.

• **끊임없다 (имя прилагательное)** : 계속하거나 이어져 있던 것이 끊이지 아니하다.
бесконечный; непрерывный; постоянный
Длящийся без перерыва, не прекращаясь.

• -는 : 앞의 말이 관형어의 기능을 하게 만들고 사건이나 동작이 현재 일어남을 나타내는 어미.
нет эквивалента
Окончание, которое указывает на действие или событие в настоящем, преобразуя впередистоящее слово, словосочетание или придаточное предложение в определение.

• **노력 (имя существительное)** : 어떤 목적을 이루기 위하여 힘을 들이고 애를 씀.
усилия; старания
Упорство и напряжение всех сил для достижения какой-либо цели.

• 이다 : 주어가 지시하는 대상의 속성이나 부류를 지정하는 뜻을 나타내는 서술격 조사.
нет эквивалента
Суффикс повествовательного падежа, выражающий смысл наименования свойства или разряда объекта, на который указывает подлежащее.

• -겠- : 미래의 일이나 추측을 나타내는 어미.
нет эквивалента
Суффикс, указывающий на предположение, на действие или состояние в будущем.

• -지 : (두루낮춤으로) 말하는 사람이 자신에 대한 이야기나 자신의 생각을 친근하게 말할 때 쓰는 종결 어미.
нет эквивалента
(нейтральный стиль) Финитное окончание предиката, используемое в речи говорящего о самом себе или выражении своей мысли.

< 대화(разговор) > - 29

요즘 부쩍 운동을 열심히 하시네요.
요즘 부쩍 운동을 열씸히 하시네요.
yojeum bujjeok undongeul yeolsimhi hasineyo.

건강을 유지하기 위해서 운동을 좀 해야겠더라고요.
건강을 유지하기 위해서 운동을 좀 해야겓떠라고요.
geongangeul yujihagi wihaeseo undongeul jom haeyagetdeoragoyo.

< 설명(объяснение) / 번역(перевод) >

요즘 부쩍 운동+을 열심히 하+시+네요.

• **요즘 (имя существительное)** : 아주 가까운 과거부터 지금까지의 사이.
в последнее время; недавно; на днях
Промежуток от недалёкого прошлого до настоящего времени.

• **부쩍 (наречие)** : 어떤 사물이나 현상이 갑자기 크게 변화하는 모양.
нет эквивалента
О виде неожиданного и сильного изменения какого-либо предмета, какой-либо ситуации.

• **운동 (имя существительное)** : 몸을 단련하거나 건강을 위하여 몸을 움직이는 일.
спорт; физическая культура
Движение телом для закалки или здоровья организма.

• 을 : 동작이 직접적으로 영향을 미치는 대상을 나타내는 조사.
нет эквивалента
Частица, указывающая на объект, на который действие оказывает непосредственное влияние.

• **열심히 (наречие)** : 어떤 일에 온 정성을 다하여.
усердно; старательно
Вкладывая всю душу в какое-либо дело.

• **하다 (глагол)** : 어떤 행동이나 동작, 활동 등을 행하다.
делать
Выполнять какое-либо действие, движение, работу и т.п.

- -시- : 어떤 동작이나 상태의 주체를 높이는 뜻을 나타내는 어미.
  нет эквивалента
  Гонорифический глагольный суффикс, указывающий на почтительное отношение к субъекту какого-либо состояния или действия.

- -네요 : (두루높임으로) 말하는 사람이 직접 경험하여 새롭게 알게 된 사실에 대해 감탄함을 나타낼 때 쓰는 표현.
  нет эквивалента
  (нейтрально-вежливый стиль) Выражение, указывающее на восклицание при личном обнаружении какого-либо факта.

건강+을 유지하+[기 위해서] 운동+을 좀 하+여야겠+더라고요.
해야겠더라고요

- **건강 (имя существительное)** : 몸이나 정신이 이상이 없이 튼튼한 상태.
  здоровье
  Состояние организма, при котором правильно функционируют все его органы.

- 을 : 동작이 직접적으로 영향을 미치는 대상을 나타내는 조사.
  нет эквивалента
  Частица, указывающая на объект, на который действие оказывает непосредственное влияние.

- **유지하다 (глагол)** : 어떤 상태나 상황 등을 그대로 이어 나가다.
  сохранять
  Оставлять в прежнем состоянии, положении и т.п.

- -기 위해서 : 어떤 일을 하는 목적인 의도를 나타내는 표현.
  нет эквивалента
  Выражение, указывающее намерение и цель совершить какое-либо действие.

- **운동 (имя существительное)** : 몸을 단련하거나 건강을 위하여 몸을 움직이는 일.
  спорт; физическая культура
  Движение телом для закалки или здоровья организма.

- 을 : 동작이 직접적으로 영향을 미치는 대상을 나타내는 조사.
  нет эквивалента
  Частица, указывающая на объект, на который действие оказывает непосредственное влияние.

- **좀 (наречие)** : 분량이나 정도가 적게.
  немного
  В небольшом объёме, в незначительной степени.

- **하다 (глагол)** : 어떤 행동이나 동작, 활동 등을 행하다.
  делать
  Выполнять какое-либо действие, движение, работу и т.п.

- -여야겠- : 앞의 말이 나타내는 행동에 대한 강한 의지를 나타내거나 그 행동을 할 필요가 있음을 완곡하게 말할 때 쓰는 표현.
  нет эквивалента
  Выражение, используемое для передачи твёрдой решимости говорящего совершить какое-либо действие или предположения о необходимости совершения чего-либо.

- -더라고요 : (두루높임으로) 과거에 경험하여 새로 알게 된 사실에 대해 지금 상대방에게 옮겨 전할 때 쓰는 표현.
  нет эквивалента
  (нейтрально-вежливый стиль) Выражение, употребляемое, при сообщении собеседнику о факте или событии в прошлом на основании личного опыта говорящего.

< 대화(разговор) > - 30

해외여행을 떠나기 전에 무엇을 준비해야 할까요?
해외여행을 떠나기 저네 무어슬 준비해야 할까요?
haeoeyeohaengeul tteonagi jeone mueoseul junbihaeya halkkayo?

먼저 여권을 준비하고 환전도 해야 해요.
먼저 여꿔늘 준비하고 환전도 해야 해요.
meonjeo yeogwoneul junbihago hwanjeondo haeya haeyo.

< 설명(объяснение) / 번역(перевод) >

해외여행+을 떠나+[기 전에] 무엇+을 준비하+[여야 하]+ㄹ까요?

준비해야 할까요

• **해외여행 (имя существительное)** : 외국으로 여행을 가는 일. 또는 그런 여행.
поездка за границу; путешествие за границей
Поездка за границу. Данная поездка.

• 을 : 그 행동의 목적이 되는 일을 나타내는 조사.
нет эквивалента
Частица, указывающая на событие, являющееся целью какого-либо действия.

• **떠나다 (глагол)** : 어떤 일을 하러 나서다.
отправляться
Приступать к осуществлению какого-либо дела.

• -기 전에 : 뒤에 오는 말이 나타내는 행동이 앞에 오는 말이 나타내는 행동보다 앞서는 것을 나타내는 표현.
нет эквивалента
Выражение, указывающее на предшествование события, о котором говорится вначале, событию, которое следует за выражением.

• **무엇 (местоимение)** : 모르는 사실이나 사물을 가리키는 말.
что; что-то; что-нибудь
Слова, указывающие на неизвестный факт или предмет.

• 을 : 동작이 직접적으로 영향을 미치는 대상을 나타내는 조사.
нет эквивалента
Частица, указывающая на объект, на который действие оказывает непосредственное влияние.

• **준비하다 (глагол)** : 미리 마련하여 갖추다.
готовить; приготовлять
Заблаговременно приготовлять.

• -여야 하다 : 앞에 오는 말이 어떤 일을 하거나 어떤 상황에 이르기 위한 의무적인 행동이거나 필수적인 조건임을 나타내는 표현.
нет эквивалента
Выражение, указывающее на то, что некое действие или состояние является долгом или обязательным условием для осуществления того, о чём говорится в последующей части предложения.

• -ㄹ까요 : (두루높임으로) 듣는 사람에게 의견을 묻거나 제안함을 나타내는 표현.
нет эквивалента
(нейтрально-вежливый стиль) Выражение, употребляемое, когда говорящий спрашивает мнение слушающего или предлагает сделать что-либо.

먼저 여권+을 준비하+고 환전+도 하+[여야 하]+여요.
해야 해요

• **먼저 (наречие)** : 시간이나 순서에서 앞서.
прежде; раньше
Ранее; заранее.

• **여권 (имя существительное)** : 다른 나라를 여행하는 사람의 신분이나 국적을 증명하고, 여행하는 나라에 그 사람의 보호를 맡기는 문서.
заграничный паспорт
Официальный документ, удостоверяющий личность владельца, его гражданство при путешествии за границу.

• 을 : 동작이 직접적으로 영향을 미치는 대상을 나타내는 조사.
нет эквивалента
Частица, указывающая на объект, на который действие оказывает непосредственное влияние.

• **준비하다 (глагол)** : 미리 마련하여 갖추다.
готовить; приготовлять
Заблаговременно приготовлять.

• -고 : 두 가지 이상의 대등한 사실을 나열할 때 쓰는 연결 이미.
нет эквивалента
Соединительное окончание предиката, используемое при перечислении двух и более равноправных фактов.

• **환전 (имя существительное)** : 한 나라의 화폐를 다른 나라의 화폐와 맞바꿈.
обмен валюты
Обмен суммы денег одного государства на соответствующую ей сумму денег другого государства.

• 도 : 이미 있는 어떤 것에 다른 것을 더하거나 포함함을 나타내는 조사.
нет эквивалента
Частица, указывающая на прибавление или включение чего-либо во что-либо уже имеющееся.

• **하다 (глагол)** : 어떤 행동이나 동작, 활동 등을 행하다.
делать
Выполнять какое-либо действие, движение, работу и т.п.

• -여야 하다 : 앞에 오는 말이 어떤 일을 하거나 어떤 상황에 이르기 위한 의무적인 행동이거나 필수적인 조건임을 나타내는 표현.
нет эквивалента
Выражение, указывающее на то, что некое действие или состояние является долгом или обязательным условием для осуществления того, о чём говорится в последующей части предложения.

• -여요 : (두루높임으로) 어떤 사실을 서술하거나 질문, 명령, 권유함을 나타내는 종결 어미.
нет эквивалента
(нейтрально-вежливый стиль) Финитное окончание предиката в повествовательном, вопросительном или побудительном предложении. **<изложение>**

< 대화(разговор) > - 31

저 다음 달에 한국에 갑니다.
저 다음 다레 한구게 감니다.
jeo daeum dare hanguge gamnida.

어머, 그럼 우리 서울에서 볼 수 있겠네요?
어머, 그럼 우리 서우레서 볼 쑤 읻껜네요?
eomeo, geureom uri seoureseo bol su itgenneyo?

< 설명(объяснение) / 번역(перевод) >

저 다음 달+에 한국+에 가+ㅂ니다.
갑니다

• **저 (местоимение)** : 말하는 사람이 듣는 사람에게 자신을 낮추어 가리키는 말.
я
Употребляется для обозначения говорящим самого себя, принижая себя перед слушающим.

• **다음 (имя существительное)** : 어떤 차례에서 바로 뒤.
следующий
Наступающий сразу после чего-либо.

• **달 (имя существительное)** : 일 년을 열둘로 나누어 놓은 기간.
месяц
Один из двенадцати промежутков времени, на который разделён один год.

• 에 : 앞말이 시간이나 때임을 나타내는 조사.
нет эквивалента
Окончание, указывающее на время или период времени.

- **한국 (имя существительное)** : 아시아 대륙의 동쪽에 있는 나라. 한반도와 그 부속 섬들로 이루어져 있으며, 대한민국이라고도 부른다. 1950년에 일어난 육이오 전쟁 이후 휴전선을 사이에 두고 국토가 둘로 나뉘었다. 언어는 한국어이고, 수도는 서울이다.

  Корея

  Государство, расположенное в восточной части Азии, состоящее из полуострова и прилегающих островов. Официальное название - Республика Корея. В результате войны Корейской войны, начавшейся в 1950 году, территория полуострова разделена на две части, северную и южную. Официальный язык- корейский, столица- город Сеул.

- 에 : 앞말이 목적지이거나 어떤 행위의 진행 방향임을 나타내는 조사.

  нет эквивалента

  Окончание, указывающее на направленность какого-либо действия или цели.

- **가다 (глагол)** : 한 곳에서 다른 곳으로 장소를 이동하다.

  ходить; уходить; идти

  Передвигаться с одного места на другое.

- -ㅂ니다 : (아주높임으로) 현재의 동작이나 상태, 사실을 정중하게 설명함을 나타내는 종결 어미.

  нет эквивалента

  (формально-вежливый стиль) Финитное окончание предиката, употребляемое при описании событий, действий или состояний в форме настоящего времени в ситуациях вежливого общения.

어머, 그럼 우리 서울+에서 보+[ㄹ 수 있]+겠+네요?

볼 수 있겠네요

- **어머 (восклицание)** : 주로 여자들이 예상하지 못한 일로 갑자기 놀라거나 감탄할 때 내는 소리.

  о Боже! ой!

  Звук, издаваемый в основном женщинами при неожиданном удивлении или восхищении.

- **그럼 (наречие)** : 앞의 내용을 받아들이거나 그 내용을 바탕으로 하여 새로운 주장을 할 때 쓰는 말.

  тогда; в таком случае

  Выражение, которое используют, когда соглашаются с чем-либо вышеупомянутым или же когда выдвигают новое утверждение, основываясь на вышеупомянутом.

- **우리 (местоимение)** : 말하는 사람이 자기와 듣는 사람 또는 이를 포함한 여러 사람들을 가리키는 말.

  мы; наш

  Слово, указывающее на несколько человек, включая говорящего и собеседника.

• **서울 (имя существительное)** : 한반도 중앙에 있는 특별시. 한국의 수도이자 정치, 경제, 산업, 사회, 문화, 교통의 중심지이다. 북한산, 관악산 등의 산에 둘러싸여 있고 가운데로는 한강이 흐른다.

город Сеул

Город, располагающийся в центре Корейского полуострова. Столица Южной Кореи и её политический, экономический, индустриальный, социальный, культурный и транспортный центр. Окружён горами Пукхан, Кванаг и другими горами, по центру протекает река Хан.

• 에서 : 앞말이 행동이 이루어지고 있는 장소임을 나타내는 조사.

в; на

Окончание, указывающее на место, где происходит указанное действие.

• **보다 (глагол)** : 사람을 만나다.

встречаться

Видеться с людьми.

• -ㄹ 수 있다 : 어떤 행동이나 상태가 가능함을 나타내는 표현.

нет эквивалента

Выражение, указывающее на возможность осуществления какого-либо действия или состояния.

• -겠- : 미래의 일이나 추측을 나타내는 어미.

нет эквивалента

Суффикс, указывающий на предположение, на действие или состояние в будущем.

• -네요 : (두루높임으로) 말하는 사람이 추측하거나 짐작한 내용에 대해 듣는 사람에게 동의를 구하며 물을 때 쓰는 표현.

нет эквивалента

(нейтрально-вежливый стиль) Выражение, указывающее на то, что говорящий ожидает от собеседника подтверждения собственной догадки или предположения.

< 대화(разговор) > - 32

매일 만드는 대로 요리했는데 오늘은 평소보다 맛이 없는 것 같아요.
매일 만드는 대로 요리핸는데 오느른 평소보다 마시 엄는 건 가타요.
maeil mandeuneun daero yorihaenneunde oneureun pyeongsoboda masi eomneun geot gatayo.

아니에요. 맛있어요. 잘 먹을게요.
아니에요. 마시써요. 잘 머글께요.
anieyo. masisseoyo. jal meogeulgeyo.

< 설명(объяснение) / 번역(перевод) >

매일 만들(만드)+[는 대로] 요리하+였+는데
만드는 대로 요리했는데

오늘+은 평소+보다 맛+이 없+[는 것 같]+아요.

• **매일 (наречие)** : 하루하루마다 빠짐없이.
каждый день
Ежедневно, без пропуска.

• **만들다 (глагол)** : 힘과 기술을 써서 없던 것을 생기게 하다.
создавать; формировать
Делать что-либо несуществовавшее до сих пор, используя силу и технологии.

• -는 대로 : 앞에 오는 말이 뜻하는 현재의 행동이나 상황과 같음을 나타내는 표현.
нет эквивалента
Выражение, указывающее на соответствие образа действия или состояния кого-либо или чего-либо действию или состоянию в настоящем, о котором говорится в предшествующей части высказывания.

• **요리하다 (глагол)** : 음식을 만들다.
готовить; стряпать
Готовить пищу.

• -였- : 어떤 사건이 과거에 완료되었거나 그 사건의 결과가 현재까지 지속되는 상황을 나타내는 어미.
нет эквивалента
Окончание, указывающее на полное завершение какого-либо события в прошлом и сохранения данного результата до настоящего времени.

• -는데 : 뒤의 말을 하기 위하여 그 대상과 관련이 있는 상황을 미리 말함을 나타내는 연결 어미.
нет эквивалента
Соединительное окончание, вводящее некую предварительную информацию об объекте, о котором говорится в последующей части предложения.

• **오늘 (имя существительное)** : 지금 지나가고 있는 이날.
сегодня
Этот текущий день.

• 은 : 어떤 대상이 다른 것과 대조됨을 나타내는 조사.
нет эквивалента
Частица, указывающая на сопоставляемость какого-либо объекта с чем-либо другим.

• **평소 (имя существительное)** : 특별한 일이 없는 보통 때.
обычное время; повседневное время
Обычное время, в котором не происходит особых событий.

• 보다 : 서로 차이가 있는 것을 비교할 때, 비교의 대상이 되는 것을 나타내는 조사.
Чем (кто-либо или что-либо
в корейском языке окончание, указывающее на предмет сравнения при выявлении отличий между чем-либо.

• **맛 (имя существительное)** : 음식 등을 혀에 댈 때 느껴지는 감각.
вкус
Чувство, ощущаемое при прикосновении языком к пище и т.п.

• 이 : 어떤 상태나 상황의 대상이나 동작의 주체를 나타내는 조사.
нет эквивалента
Частица, показывающая какое-либо состояние, объект ситуации или субъект действия.

• **없다 (имя прилагательное)** : 어떤 사실이나 현상이 현실로 존재하지 않는 상태이다.
не быть
Состояние несуществования какого-либо факта или явления в действительности.

• -는 것 같다 : 추측을 나타내는 표현.
кажется, что …; вероятно; похоже
Выражение предположения.

• -아요 : (두루높임으로) 어떤 사실을 서술하거나 질문, 명령, 권유함을 나타내는 종결 어미.
нет эквивалента
(нейтрально-вежливый стиль) Финитное окончание предиката в повествовательном, вопросительном или побудительном предложении. **<изложение>**

아니+에요.

맛있+어요.

잘 먹+을게요.

• **아니다 (имя прилагательное)** : 어떤 사실이나 내용을 부정하는 뜻을 나타내는 말.
не (быть)
Слово, выражающее отрицание какого-либо факта или содержания.

• -에요 : (두루높임으로) 어떤 사실을 서술하거나 질문함을 나타내는 종결 어미.
нет эквивалента
(нейтрально-вежливый стиль) Финитное окончание предиката в повествовательном или вопросительном предложении. **<изложение>**

• **맛있다 (имя прилагательное)** : 맛이 좋다.
вкусный
Имеющий хороший вкус.

• -어요 : (두루높임으로) 어떤 사실을 서술하거나 질문, 명령, 권유함을 나타내는 종결 어미.
нет эквивалента
(нейтрально-вежливый стиль) Финитное окончание предиката в повествовательном, вопросительном или побудительном предложении. **<изложение>**

• **잘 (наречие)** : 충분히 만족스럽게.
нет эквивалента
Достаточно, довольно.

• **먹다 (глагол)** : 음식 등을 입을 통하여 배 속에 들여보내다.
есть; кушать
Принимать пищу во внутрь посредством ротовой полости.

• -을게요 : (두루높임으로) 말하는 사람이 어떤 행동을 할 것을 듣는 사람에게 약속하거나 의지를 나타내는 표현.

нет эквивалента

(нейтрально-вежливый стиль) Выражение, используемое, когда говорящий обещает сделать что-либо или сообщает слушателю о своих будущих действиях.

< 대화(разговор) > - 33

지아야, 여행 잘 다녀와. 전화하고.
지아야, 여행 잘 다녀와. 전화하고.
jiaya, yeohaeng jal danyeowa. jeonhwahago.

네, 호텔에 도착하는 대로 전화 드릴게요.
네, 호테레 도차카는 대로 전화 드릴께요.
ne, hotere dochakaneun daero jeonhwa deurilgeyo.

< 설명(объяснение) / 번역(перевод) >

지아+야, 여행 잘 다녀오+아.

다녀와

전화하+고.

- **지아 (имя существительное)** : имя человека

- **야** : 친구나 아랫사람, 동물 등을 부를 때 쓰는 조사.
  нет эквивалента
  Окончание, указывающее на фамильярное обращение к другу, нижестоящему по рангу или положению человеку, животному.

- **여행 (имя существительное)** : 집을 떠나 다른 지역이나 외국을 두루 구경하며 다니는 일.
  путешествие; поездка
  Выезд из дома, осмотр и объезд достопримечательностей в другом районе или стране.

- **잘 (наречие)** : 아무 탈 없이 편안하게.
  нет эквивалента
  Без проблем, удобно.

- **다녀오다 (глагол)** : 어떤 일을 하기 위해 갔다가 오다.
  сходить; съездить
  Пойти, поехать куда-либо с какой-либо целью и вернуться.

• -아 : (두루낮춤으로) 어떤 사실을 서술하거나 물음, 명령, 권유를 나타내는 종결 어미.
нет эквивалента
(нейтральный стиль) Финитное окончание предиката в повествовательном, вопросительном или побудительном предложении. **<приказ>**

• **전화하다 (глагол)** : 전화기를 통해 사람들끼리 말을 주고받다.
говорить, звонить по телефону
Передавать и принимать речевую информацию через телефон.

• -고 : (두루낮춤으로) 뒤에 올 또 다른 명령 표현을 생략한 듯한 느낌을 주면서 부드럽게 명령할 때 쓰는 종결 어미.
нет эквивалента
(нейтральный стиль) Окончание, употребляемое для косвенного выражения повеления в смягчённой форме, опуская повелительное выражение в конце предложения.

네, 호텔+에 도착하+[는 대로] 전화 드리+ㄹ게요.
드릴게요

• **네 (восклицание)** : 윗사람의 물음이나 명령 등에 긍정하여 대답할 때 쓰는 말.
да
Слово, употребляемое при утвердительном ответе на вопрос, приказ и т.п. старшего по возрасту или положению человека.

• **호텔 (имя существительное)** : 시설이 잘 되어 있고 규모가 큰 고급 숙박업소.
гостиница
Комлекс высшего класса для временного проживания с необходимым оборудованием.

• 에 : 앞말이 목적지이거나 어떤 행위의 진행 방향임을 나타내는 조사.
нет эквивалента
Окончание, указывающее на направленность какого-либо действия или цели.

• **도착하다 (глагол)** : 목적지에 다다르다.
прибывать; приезжать; прилетать; приходить
Достигать пункта назначения.

• -는 대로 : 어떤 행동이나 상황이 나타나는 그때 바로, 또는 직후에 곧의 뜻을 나타내는 표현.
как только; сразу после
Выражение, указывающее на то, что какое-либо действие или событие следует непосредственно по завершении действия или наступлении состояния, описанного в первой части предложения.

- **전화 (имя существительное)** : 전화기를 통해 사람들끼리 말을 주고받음. 또는 그렇게 하여 전달되는 내용.

телефон; телефонный звонок

Разговор между людьми посредством телефонного аппарата, а также содержание, передающееся данным путём.

- **드리다 (глагол)** : 윗사람에게 어떤 말을 하거나 인사를 하다.

сообщать; докладывать

Говорить что-либо взрослому человеку или здороваться с ним.

- -ㄹ게요 : (두루높임으로) 말하는 사람이 어떤 행동을 할 것을 듣는 사람에게 약속하거나 의지를 나타내는 표현.

нет эквивалента

(нейтрально-вежливый стиль) Выражение, употребляемое, когда говорящий обещает сделать что-либо или сообщает слушателю о своих будущих действиях.

< 대화(разговор) > - 34

우리 이번 주말에 영화 보기로 했지?
우리 이번 주마레 영화 보기로 핻찌?
uri ibeon jumare yeonghwa bogiro haetji?

응. 그런데 날씨가 좋으니까 영화를 보는 대신에 공원에 놀러 갈까?
응. 그런데 날씨가 조으니까 영화를 보는 대시네 공워네 놀러 갈까?
eung. geureonde nalssiga joeunikka yeonghwareul boneun daesine gongwone nolleo galkka?

< 설명(объяснение) / 번역(перевод) >

우리 이번 주말+에 영화 보+[기로 하]+였+지?
보기로 했지

• **우리 (местоимение)** : 말하는 사람이 자기와 듣는 사람 또는 이를 포함한 여러 사람들을 가리키는 말.
мы; наш
Слово, указывающее на несколько человек, включая говорящего и собеседника.

• **이번 (имя существительное)** : 곧 돌아올 차례. 또는 막 지나간 차례.
этот (раз)
Порядок, который скоро настанет или только что миновал.

• **주말 (имя существительное)** : 한 주일의 끝.
выходные; конец недели
Последние дни недели, обычно суббота и воскресенье.

• 에 : 앞말이 시간이나 때임을 나타내는 조사.
нет эквивалента
Окончание, указывающее на время или период времени.

• **영화 (имя существительное)** : 일정한 의미를 갖고 움직이는 대상을 촬영하여 영사기로 영사막에 비추어서 보게 하는 종합 예술.
кино; фильм; кинофильм
Вид искусства, произведения которого создаются с помощью киносъёмки и демонстрируются путём вывода движущегося изображения на экран.

• **보다 (глагол)** : 눈으로 대상을 즐기거나 감상하다.
смотреть; рассматривать
Любоваться или просматривать объект глазами.

• -기로 하다 : 앞의 말이 나타내는 행동을 할 것을 결심하거나 약속함을 나타내는 표현.
нет эквивалента
Выражение, указывающее на принятие решения или обещание совершить какое-либо действие.

• -였- : 어떤 사건이 과거에 완료되었거나 그 사건의 결과가 현재까지 지속되는 상황을 나타내는 어미.
нет эквивалента
Окончание, указывающее на полное завершение какого-либо события в прошлом и сохранения данного результата до настоящего времени.

• -지 : (두루낮춤으로) 이미 알고 있는 것을 다시 확인하듯이 물을 때 쓰는 종결 어미.
нет эквивалента
(нейтральный стиль) Финитное окончание предиката, употребляемое в вопросительных предложениях со значением уточнения и перепроверки уже известного говорящему факта.

응.

그런데 날씨+가 좋+으니까 영화+를 보+[는 대신에] 공원+에 놀+러 가+ㄹ까?
갈까

• **응 (восклицание)** : 상대방의 물음이나 명령 등에 긍정하여 대답할 때 쓰는 말.
да
Слово, используемое при положительном ответе на вопрос или приказ собеседника.

• **그런데 (наречие)** : 이야기를 앞의 내용과 관련시키면서 다른 방향으로 바꿀 때 쓰는 말.
а
Слово, используемое для установления связи с содержанием предыдущего разговора и смены темы разговора.

• **날씨 (имя существительное)** : 그날그날의 기온이나 공기 중에 비, 구름, 바람, 안개 등이 나타나는 상태.
погода
Общее состояние атмосферы, включающее такие характеристики, как облачность, влажность, осадки, температура воздуха и т.п.

• 가 : 어떤 상태나 상황에 놓인 대상이나 동작의 주체를 나타내는 조사.
нет эквивалента
Окончание, указывающее на объект какой-либо ситуации, состояния или на лицо, выполняющее какое-либо действие.

• **좋다 (имя прилагательное)** : 날씨가 맑고 화창하다.
хороший; прекрасный
Ясная и теплая (о погоде).

• -으니까 : 뒤에 오는 말에 대하여 앞에 오는 말이 원인이나 근거, 전제가 됨을 강조하여 나타내는 연결 어미.
нет эквивалента
Соединительное окончание, указывающее на то, что содержание первой части предложения является причиной, обоснованием, предпосылкой того, о чём говорится во второй части предложения.

• **영화 (имя существительное)** : 일정한 의미를 갖고 움직이는 대상을 촬영하여 영사기로 영사막에 비추어서 보게 하는 종합 예술.
кино; фильм; кинофильм
Вид искусства, произведения которого создаются с помощью киносъёмки и демонстрируются путём вывода движущегося изображения на экран.

• 를 : 동작이 직접적으로 영향을 미치는 대상을 나타내는 조사.
нет эквивалента
Частица, указывающая на объект, на который непосредственно распространяется влияние действия.

• **보다 (глагол)** : 눈으로 대상을 즐기거나 감상하다.
смотреть; рассматривать
Любоваться или просматривать объект глазами.

• -는 대신에 : 앞에 오는 말이 나타내는 행동이나 상태를 비슷하거나 맞먹는 다른 행동이나 상태로 바꾸는 것을 나타내는 표현.
нет эквивалента
Выражение, указывающее на то, что некое действие или состояние, описанное во впереди стоящей части высказывания, компенсируется другим соотносимым действием или состоянием.

• **공원 (имя существительное)** : 사람들이 놀고 쉴 수 있도록 풀밭, 나무, 꽃 등을 가꾸어 놓은 넓은 장소.
парк
Участок земли для прогулок, отдыха, игр, с естественной или посаженной растительностью, газонами, цветами и т.п.

• 에 : 앞말이 목적지이거나 어떤 행위의 진행 방향임을 나타내는 조사.
нет эквивалента
Окончание, указывающее на направленность какого-либо действия или цели.

• **놀다 (глагол)** : 놀이 등을 하면서 재미있고 즐겁게 지내다.
играть; гулять; отдыхать
Интересно и весело проводить время за игрой и т.п.

• -러 : 가거나 오거나 하는 동작의 목적을 나타내는 연결 어미.
нет эквивалента
Соединительное окончание предиката, указывающее на цель движения.

• **가다 (глагол)** : 어떤 목적을 가지고 일정한 곳으로 움직이다.
идти; ехать
Передвигаться в определённое место с какой-либо целью.

• -ㄹ까 : (두루낮춤으로) 듣는 사람의 의사를 물을 때 쓰는 종결 어미.
нет эквивалента
(нейтральный стиль) Финитное окончание, употребляемое при выражении мыслей или предположения говорящего или при обращении к слушающему с вопросом о намерении и желании совершить что-то.

< 대화(разговор) > - 35

열 시가 다 돼 가는데도 지우가 집에 안 들어오네요.
열 시가 다 돼 가는데도 지우가 지베 안 드러오네요.
yeol siga da dwae ganeundedo jiuga jibe an deureooneyo.

벌써 시간이 그렇게 됐네요. 제가 전화해 볼게요.
벌써 시가니 그러케 된네요. 제가 전화해 볼께요.
beolsseo sigani geureoke dwaenneyo. jega jeonhwahae bolgeyo.

< 설명(объяснение) / 번역(перевод) >

열 시+가 다 되+[어 가]+는데도 지우+가 집+에 안 들어오+네요.
돼 가는데도

• **열 (атрибутивное слово)** : 아홉에 하나를 더한 수의.
Десять
количество единиц чего-либо, полученное путём прибавления одного к девяти.

• **시 (имя существительное)** : 하루를 스물넷으로 나누었을 때 그 하나를 나타내는 시간의 단위.
час
Зависимое существительное для счёта времени при разделении его на 24 часа.

• 가 : 바뀌게 되는 대상이나 부정하는 대상임을 나타내는 조사.
нет эквивалента
Окончание, указывающее на неопределённый предмет или на предмет, заменяющий что-либо.

• **다 (наречие)** : 행동이나 상태의 정도가 한정된 정도에 거의 가깝게.
почти; совсем
(в кор. яз. является нар.) Степень действия или состояния очень близки к какому-либо определённому действию или состоянию.

• **되다 (глагол)** : 어떤 때나 시기, 상태에 이르다.
становиться; наступать
Достичь какого-либа времени, периода, состояния.

• -어 가다 : 앞의 말이 나타내는 행동이나 상태가 계속 진행됨을 나타내는 표현.
нет эквивалента
Выражение, указывающее на длительность действия или состояния.

• -는데도 : 앞에 오는 말이 나타내는 상황에 상관없이 뒤에 오는 말이 나타내는 상황이 일어남을 나타내는 표현.
нет эквивалента
Выражение со значением уступки, указывающее на то, что описанная в главном предложении ситуация возникает вопреки или независимо от ситуации, описанной в придаточном предложении.

• **지우 (имя существительное)** : имя человека

• 가 : 어떤 상태나 상황에 놓인 대상이나 동작의 주체를 나타내는 조사.
нет эквивалента
Окончание, указывающее на объект какой-либо ситуации, состояния или на лицо, выполняющее какое-либо действие.

• **집 (имя существительное)** : 사람이나 동물이 추위나 더위 등을 막고 그 속에 들어 살기 위해 지은 건물.
дом; жилище
Помещение, защищающее от холода и жары, в котором можно проживать человеку или животному.

• 에 : 앞말이 목적지이거나 어떤 행위의 진행 방향임을 나타내는 조사.
нет эквивалента
Окончание, указывающее на направленность какого-либо действия или цели.

• **안 (наречие)** : 부정이나 반대의 뜻을 나타내는 말.
не; нет; ни
Выражение, означающее отрицание или противоположность.

• **들어오다 (глагол)** : 어떤 범위의 밖에서 안으로 이동하다.
входить; заходить; проникать; приходить
Перемещаться извне вовнутрь.

• -네요 : (두루높임으로) 말하는 사람이 직접 경험하여 새롭게 알게 된 사실에 대해 감탄함을 나타낼 때 쓰는 표현.
нет эквивалента
(нейтрально-вежливый стиль) Выражение, указывающее на восклицание при личном обнаружении какого-либо факта.

벌써 시간+이 그렇+[게 되]+었+네요.
그렇게 됐네요

제+가 전화하+[여 보]+ㄹ게요.
전화해 볼게요

• **벌써 (наречие)** : 생각보다 빠르게.
уже
Быстрее, чем ожидалось.

• **시간 (имя существительное)** : 어떤 일을 하도록 정해진 때. 또는 하루 중의 어느 한 때.
пора; время
Подходящее время для выполнения какой-либо работы, а так же определённая часть дня.

• 이 : 어떤 상태나 상황의 대상이나 동작의 주체를 나타내는 조사.
нет эквивалента
Частица, показывающая какое-либо состояние, объект ситуации или субъект действия.

• **그렇다 (имя прилагательное)** : 상태, 모양, 성질 등이 그와 같다.
такой
Имеющий подобное состояние, вид, свойства и т.п.

• -게 되다 : 앞의 말이 나타내는 상태나 상황이 됨을 나타내는 표현.
нет эквивалента
Выражение, указывающее на возникновение некой ситуации или достижение какого-либо состояния.

• -었 : 어떤 사건이 과거에 완료되었거나 그 사건의 결과가 현재까지 지속되는 상황을 나타내는 어미.
нет эквивалента
Окончание, указывающее на полное завершение какого-либо события в прошлом и сохранения данного результата до настоящего времени.

• -네요 : (두루높임으로) 말하는 사람이 직접 경험하여 새롭게 알게 된 사실에 대해 감탄함을 나타낼 때 쓰는 표현.
нет эквивалента
(нейтрально-вежливый стиль) Выражение, указывающее на восклицание при личном обнаружении какого-либо факта.

• **제 (местоимение)** : 말하는 사람이 자신을 낮추어 가리키는 말인 '저'에 조사 '가'가 붙을 때의 형태.
я
Форма, когда к '저' (вежливая форма '나') присоединяется падежное окончание '가'.

• 가 : 어떤 상태나 상황에 놓인 대상이나 동작의 주체를 나타내는 조사.
нет эквивалента
Окончание, указывающее на объект какой-либо ситуации, состояния или на лицо, выполняющее какое-либо действие.

• **전화하다 (глагол)** : 전화기를 통해 사람들끼리 말을 주고받다.
говорить, звонить по телефону
Передавать и принимать речевую информацию через телефон.

• -여 보다 : 앞의 말이 나타내는 행동을 시험 삼아 함을 나타내는 표현.
нет эквивалента
Выражение, указывающее на пробу или попытку совершить какое-либо действие.

• -ㄹ게요 : (두루높임으로) 말하는 사람이 어떤 행동을 할 것을 듣는 사람에게 약속하거나 의지를 나타내는 표현.
нет эквивалента
(нейтрально-вежливый стиль) Выражение, употребляемое, когда говорящий обещает сделать что-либо или сообщает слушателю о своих будущих действиях.

< 대화(разговор) > - 36

친구들이랑 여행 갈 건데 너도 갈래?
친구드리랑 여행 갈 건데 너도 갈래?
chingudeurirang yeohaeng gal geonde neodo gallae?

저도 가도 돼요? 어디로 가는데요? 혹시 제주도로 가요?
저도 가도 돼요? 어디로 가는데요? 혹씨 제주도로 가요?
jeodo gado dwaeyo? eodiro ganeundeyo? hoksi jejudoro gayo?

< 설명(объяснение) / 번역(перевод) >

친구+들+이랑 여행 가+[ㄹ 것(거)]+(이)+ㄴ데 너+도 가+ㄹ래?
갈 건데 / 갈래

- **친구 (имя существительное)** : 사이가 가까워 서로 친하게 지내는 사람.
  друг; подруга; товарищ; коллега
  Люди, имеющие близкие отношения, поддерживающие дружбу друг с другом.

- 들 : '복수'의 뜻을 더하는 접미사.
  нет эквивалента
  Суффикс со значением множественного числа.

- 이랑 : 어떤 일을 함께 하는 대상임을 나타내는 조사.
  нет эквивалента
  Частица, указывающая на объект, с которым выполняется какое-либо дело.

- **여행 (имя существительное)** : 집을 떠나 다른 지역이나 외국을 두루 구경하며 다니는 일.
  путешествие; поездка
  Выезд из дома, осмотр и объезд достопримечательностей в другом районе или стране.

- **가다 (глагол)** : 어떤 일을 하기 위해서 다른 곳으로 이동하다.
  идти; ехать; уходить; уезжать
  Перемещаться в другое место в целях выполнить какое-либо дело.

• -ㄹ 것 : 명사가 아닌 것을 문장에서 명사처럼 쓰이게 하거나 '이다' 앞에 쓰일 수 있게 할 때 쓰는 표현.

нет эквивалента

Выражение, субстантивирующее предшествующее слово неименной части речи или группу слов, которое также может употребляться с глаголом-связкой '이다'.

• 이다 : 주어가 지시하는 대상의 속성이나 부류를 지정하는 뜻을 나타내는 서술격 조사.

нет эквивалента

Суффикс повествовательного падежа, выражающий смысл наименования свойства или разряда объекта, на который указывает подлежащее.

• -ㄴ데 : 뒤의 말을 하기 위하여 그 대상과 관련이 있는 상황을 미리 말함을 나타내는 연결 어미.

нет эквивалента

Соединительное окончание, вводящее некую предварительную информацию об объекте, о котором говорится в последующей части предложения.

• **너 (местоимение)** : 듣는 사람이 친구나 아랫사람일 때, 그 사람을 가리키는 말.

ты

Употребляется при указании на собеседника, если он является ровесником или человеком, младшим по возрасту или статусу.

• 도 : 이미 있는 어떤 것에 다른 것을 더하거나 포함함을 나타내는 조사.

нет эквивалента

Частица, указывающая на прибавление или включение чего-либо во что-либо уже имеющееся.

• **가다 (глагол)** : 어떤 일을 하기 위해서 다른 곳으로 이동하다.

идти; ехать; уходить; уезжать

Перемещаться в другое место в целях выполнить какое-либо дело.

• -ㄹ래 : (두루낮춤으로) 앞으로 어떤 일을 하려고 하는 자신의 의사를 나타내거나 그 일에 대하여 듣는 사람의 의사를 물어봄을 나타내는 종결 어미.

нет эквивалента

(нейтральный стиль) Финитное окончание, употребляемое при указании на намерение говорящего совершить какое-либо действие или при обращении к слушающему с вопросом о намерении или желании совершить данное действие.

저+도 가+[(아)도 되]+어요?
가도 돼요

어디+로 가+는데요?

혹시 제주도+로 가+(아)요?
가요

• **저 (местоимение)** : 말하는 사람이 듣는 사람에게 자신을 낮추어 가리키는 말.
я
Употребляется для обозначения говорящим самого себя, принижая себя перед слушающим.

• 도 : 이미 있는 어떤 것에 다른 것을 더하거나 포함함을 나타내는 조사.
нет эквивалента
Частица, указывающая на прибавление или включение чего-либо во что-либо уже имеющееся.

• **가다 (глагол)** : 어떤 일을 하기 위해서 다른 곳으로 이동하다.
идти; ехать; уходить; уезжать
Перемещаться в другое место в целях выполнить какое-либо дело.

• -아도 되다 : 어떤 행동에 대한 허락이나 허용을 나타낼 때 쓰는 표현.
нет эквивалента
Выражение, указывающее на согласие или разрешение совершить какое-либо действие.

• -어요 : (두루높임으로) 어떤 사실을 서술하거나 질문, 명령, 권유함을 나타내는 종결 어미.
нет эквивалента
(нейтрально-вежливый стиль) Финитное окончание предиката в повествовательном, вопросительном или побудительном предложении. **<вопрос>**

• **어디 (местоимение)** : 모르는 곳을 가리키는 말.
где; куда
Выражение, используемое при расспрашивании о неизвестном месте.

• 로 : 움직임의 방향을 나타내는 조사.
нет эквивалента
Частица, указывающая на направление движения.

• **가다 (глагол)** : 어떤 일을 하기 위해서 다른 곳으로 이동하다.
идти; ехать; уходить; уезжать
Перемещаться в другое место в целях выполнить какое-либо дело.

• -는데요 : (두루높임으로) 듣는 사람에게 어떤 대답을 요구할 때 쓰는 표현.
нет эквивалента
(нейтрально-вежливый стиль) Выражение, употребляемое при обращении к слушающему с требованием ответа.

• **혹시 (наречие)** : 그러리라 생각하지만 분명하지 않아 말하기를 망설일 때 쓰는 말.
случайно
Выражение, используемое в случае, когда думаешь, что будет так, но сомневаешься сказать из-за неточности.

• **제주도 (имя существительное)** : 한국 서남해에 있는 화산섬. 한국에서 가장 큰 섬으로 화산 활동 지형의 특색이 잘 드러나 있어 관광 산업이 발달하였다. 해녀, 말, 귤이 유명하다.
Чеджудо
Самый большой вулканический остров на юго-западном побережье Республики Корея с хорошо развитой индустрией туризма. На острове хорошо выражены следы действия вулкана. Остров знаменит женщинами-ныряльщицами, лошадьми и мандаринами.

• 로 : 움직임의 방향을 나타내는 조사.
нет эквивалента
Частица, указывающая на направление движения.

• **가다 (глагол)** : 어떤 일을 하기 위해서 다른 곳으로 이동하다.
идти; ехать; уходить; уезжать
Перемещаться в другое место в целях выполнить какое-либо дело.

• -아요 : (두루높임으로) 어떤 사실을 서술하거나 질문, 명령, 권유함을 나타내는 종결 어미.
нет эквивалента
(нейтрально-вежливый стиль) Финитное окончание предиката в повествовательном, вопросительном или побудительном предложении. **<вопрос>**

< 대화(разговор) > - 37

요새 아르바이트하느라 힘들지 않니?
요새 아르바이트하느라 힘들지 안니?
yosae areubaiteuhaneura himdeulji anni?

네. 아르바이트를 하면 경험을 쌓는 동시에 돈도 벌 수 있어서 좋아요.
네. 아르바이트를 하면 경허믈 싼는 동시에 돈도 벌 쑤 이써서 조아요.
ne. areubaiteureul hamyeon gyeongheomeul ssanneun dongsie dondo beol su isseoseo joayo.

< 설명(объяснение) / 번역(перевод) >

요새 아르바이트하+느라 힘들+[지 않]+니?

• **요새 (имя существительное)** : 얼마 전부터 이제까지의 매우 짧은 동안.
недавно; на днях
На протяжении очень короткого срока с недавнего времени по настоящий момент.

• **아르바이트하다 (глагол)** : 짧은 기간 동안 돈을 벌기 위해 자신의 본업 외에 임시로 하는 일을 하다.
подрабатывать
Подрабатывать, помимо основного обучения или работы, с целью заработать деньги в течение короткого времени.

• -느라 : 앞에 오는 말이 나타내는 행동이 뒤에 오는 말의 목적이나 원인이 됨을 나타내는 연결 어미.
нет эквивалента
Соединительное окончание, указывающее на то, действие, описанное в первой части предложения, является причиной или целью того, о чём говорится во второй части предложения.

• **힘들다 (имя прилагательное)** : 힘이 많이 쓰이는 면이 있다.
трудный; тяжёлый
Требующий много сил.

• -지 않다 : 앞의 말이 나타내는 행위나 상태를 부정하는 뜻을 나타내는 표현.
нет эквивалента
Выражение, обозначающее отрицание какого-либо действия или состояния.

• -니 : (아주낮춤으로) 물음을 나타내는 종결 어미.
нет эквивалента
(простой стиль) Финитное окончание предиката, указывающее на вопрос.

네.

아르바이트+를 하+면 경험+을 쌓+[는 동시에]

돈+도 <u>벌(버)+[ㄹ 수 있]+어서</u> 좋+아요.
벌 수 있어서

• **네 (восклицание)** : 윗사람의 물음이나 명령 등에 긍정하여 대답할 때 쓰는 말.
да
Слово, употребляемое при утвердительном ответе на вопрос, приказ и т.п. старшего по возрасту или положению человека.

• **아르바이트 (имя существительное)** : 돈을 벌기 위해 자신의 본업 외에 임시로 하는 일.
временная работа; подработка
Временная занятость для дополнительного заработка помимо основной работы.

• 를 : 동작이 직접적으로 영향을 미치는 대상을 나타내는 조사.
нет эквивалента
Частица, указывающая на объект, на который непосредственно распространяется влияние действия.

• **하다 (глагол)** : 어떤 행동이나 동작, 활동 등을 행하다.
делать
Выполнять какое-либо действие, движение, работу и т.п.

• -면 : 뒤에 오는 말에 대한 근거나 조건이 됨을 나타내는 연결 어미.
нет эквивалента
Соединительное окончание предиката, присоединяющее придаточное условия, указывающее на то, что является обоснованием или условием того, о чем говорится во второй части предложения.

• **경험 (имя существительное)** : 자신이 실제로 해 보거나 겪어 봄. 또는 거기서 얻은 지식이나 기능.
опыт
Попытка осуществить что-либо лично или испытать. Или знания, умения, навыки, вынесенные из подобных испытаний, попыток.

• 을 : 동작이 직접적으로 영향을 미치는 대상을 나타내는 조사.
нет эквивалента
Частица, указывающая на объект, на который действие оказывает непосредственное влияние.

• **쌓다 (глагол)** : 오랫동안 기술이나 경험, 지식 등을 많이 익히다.
оттачивать (мастерство)
Накапливать большой опыт, навыки или знания.

• -는 동시에 : 앞에 오는 말과 뒤에 오는 말이 나타내는 행동이나 상태가 함께 일어남을 나타내는 표현.
одновременно; в то же время
Выражение, указывающее на одновременность совершения действий, описанных в первой и во второй частях предложения.

• **돈 (имя существительное)** : 물건을 사고팔 때나 일한 값으로 주고받는 동전이나 지폐.
деньги
Денежные купюры или монеты, которые являются мерой стоимости при продаже или покупке товара, а также средством выплаты заработной платы.

• 도 : 이미 있는 어떤 것에 다른 것을 더하거나 포함함을 나타내는 조사.
нет эквивалента
Частица, указывающая на прибавление или включение чего-либо во что-либо уже имеющееся.

• **벌다 (глагол)** : 일을 하여 돈을 얻거나 모으다.
зарабатывать
Получать деньги за работу или копить их.

• -ㄹ 수 있다 : 어떤 행동이나 상태가 가능함을 나타내는 표현.
нет эквивалента
Выражение, указывающее на возможность осуществления какого-либо действия или состояния.

• -어서 : 이유나 근거를 나타내는 연결 어미.
нет эквивалента
Соединительное окончание предиката, указывающее на причину или обоснование чего-либо.

• **좋다 (имя прилагательное)** : 어떤 일이나 대상이 마음에 들고 만족스럽다.
нет эквивалента
Приходящийся по душе, удовлетворительный (о каком-либо деле или объекте).

- -아요 : (두루높임으로) 어떤 사실을 서술하거나 질문, 명령, 권유함을 나타내는 종결 어미.
  нет эквивалента
  (нейтрально-вежливый стиль) Финитное окончание предиката в повествовательном, вопросительном или побудительном предложении. **<изложение>**

< 대화(разговор) > - 38

저는 지금부터 청소를 할게요.
저는 지금부터 청소를 할께요.
jeoneun jigeumbuteo cheongsoreul halgeyo.

그럼, 시우 씨가 청소하는 동안 저는 장을 보러 다녀올게요.
그럼, 시우 씨가 청소하는 동안 저는 장을 보러 다녀올께요.
geureom, siu ssiga cheongsohaneun dongan jeoneun jangeul boreo danyeoolgeyo.

< 설명(объяснение) / 번역(перевод) >

저+는 지금+부터 청소+를 하+ㄹ게요.

할게요

• **저 (местоимение)** : 말하는 사람이 듣는 사람에게 자신을 낮추어 가리키는 말.
я
Употребляется для обозначения говорящим самого себя, принижая себя перед слушающим.

• 는 : 문장 속에서 어떤 대상이 화제임을 나타내는 조사.
нет эквивалента
Частица, указывающая на то, что какой-либо объект является основной темой в предложении.

• **지금 (имя существительное)** : 말을 하고 있는 바로 이때.
сейчас; теперь
Прямо в то время, когда говоришь.

• 부터 : 어떤 일의 시작이나 처음을 나타내는 조사.
нет эквивалента
Окончание, указывающее на начало какой-либо области или какого-либо события.

• **청소 (имя существительное)** : 더럽고 지저분한 것을 깨끗하게 치움.
уборка
Наведение чистоты, порядка.

• 를 : 동작이 직접적으로 영향을 미치는 대상을 나타내는 조사.
нет эквивалента
Частица, указывающая на объект, на который непосредственно распространяется влияние действия.

• **하다 (глагол)** : 어떤 행동이나 동작, 활동 등을 행하다.
делать
Выполнять какое-либо действие, движение, работу и т.п.

• -ㄹ게요 : (두루높임으로) 말하는 사람이 어떤 행동을 할 것을 듣는 사람에게 약속하거나 의지를 나타내는 표현.
нет эквивалента
(нейтрально-вежливый стиль) Выражение, употребляемое, когда говорящий обещает сделать что-либо или сообщает слушателю о своих будущих действиях.

그럼, 시우 씨+가 청소하+[는 동안] 저+는 장+을 보+러 다녀오+ㄹ게요.
다녀올게요

• **그럼 (наречие)** : 앞의 내용을 받아들이거나 그 내용을 바탕으로 하여 새로운 주장을 할 때 쓰는 말.
тогда; в таком случае
Выражение, которое используют, когда соглашаются с чем-либо вышеупомянутым или же когда выдвигают новое утверждение, основываясь на вышеупомянутом.

• **시우 (имя существительное)** : имя человека

• **씨 (имя существительное)** : 그 사람을 높여 부르거나 이르는 말.
господин; госпожа
Слово, приписываемое к имени или фамилии в знак уважения.

• 가 : 어떤 상태나 상황에 놓인 대상이나 동작의 주체를 나타내는 조사.
нет эквивалента
Окончание, указывающее на объект какой-либо ситуации, состояния или на лицо, выполняющее какое-либо действие.

• **청소하다 (глагол)** : 더럽고 지저분한 것을 깨끗하게 치우다.
убирать; прибирать
Приводить в порядок что-либо, наводить порядок где-либо, производить уборку чего-либо.

• -는 동안 : 앞에 오는 말이 나타내는 행동이나 상태가 계속되는 시간 만큼을 나타내는 표현.
в течение; на протяжении
Выражение, обозначающее промежуток времени, на протяжении которого происходит какое-либо действие или длится какое-либо состояние.

- **저 (местоимение)** : 말하는 사람이 듣는 사람에게 자신을 낮추어 가리키는 말.
  я
  Употребляется для обозначения говорящим самого себя, принижая себя перед слушающим.

- 는 : 문장 속에서 어떤 대상이 화제임을 나타내는 조사.
  нет эквивалента
  Частица, указывающая на то, что какой-либо объект является основной темой в предложении.

- **장 (имя существительное)** : 여러 가지 상품을 사고파는 곳.
  рынок; базар; ярмарка
  Место, где покупают и продают различные вещи.

- 을 : 동작이 직접적으로 영향을 미치는 대상을 나타내는 조사.
  нет эквивалента
  Частица, указывающая на объект, на который действие оказывает непосредственное влияние.

- **보다 (глагол)** : 시장에 가서 물건을 사다.
  делать покупки
  Ходить на рынок и покупать вещи.

- -러 : 가거나 오거나 하는 동작의 목적을 나타내는 연결 어미.
  нет эквивалента
  Соединительное окончание предиката, указывающее на цель движения.

- **다녀오다 (глагол)** : 어떤 일을 하기 위해 갔다가 오다.
  сходить; съездить
  Пойти, поехать куда-либо с какой-либо целью и вернуться.

- -ㄹ게요 : (두루높임으로) 말하는 사람이 어떤 행동을 할 것을 듣는 사람에게 약속하거나 의지를 나타내는 표현.
  нет эквивалента
  (нейтрально-вежливый стиль) Выражение, употребляемое, когда говорящий обещает сделать что-либо или сообщает слушателю о своих будущих действиях.

< 대화(разговор) > - 39

지우는 어디 갔어? 아까부터 안 보이네.
지우는 어디 가써? 아까부터 안 보이네.
jiuneun eodi gasseo? akkabuteo an boine.

글쎄, 급한 일이 있는 듯 뛰어가더라.
글쎄, 그판 이리 인는 듣 뛰어가더라.
geulsse, geupan iri inneun deut ttwieogadeora.

< 설명(объяснение) / 번역(перевод) >

지우+는 어디 가+았+어?
갔어

아까+부터 안 보이+네.

• **지우 (имя существительное)** : имя человека

• **는** : 문장 속에서 어떤 대상이 화제임을 나타내는 조사.
нет эквивалента
Частица, указывающая на то, что какой-либо объект является основной темой в предложении.

• **어디 (местоимение)** : 모르는 곳을 가리키는 말.
где; куда
Выражение, используемое при расспрашивании о неизвестном месте.

• **가다 (глагол)** : 한 곳에서 다른 곳으로 장소를 이동하다.
ходить; уходить; идти
Передвигаться с одного места на другое.

• **-았-** : 어떤 사건이 과거에 완료되었거나 그 사건의 결과가 현재까지 지속되는 상황을 나타내는 어미.
нет эквивалента
Окончание, указывающее на полное завершение какого-либо события в прошлом и сохранения данного результата до настоящего времени.

• -어 : (두루낮춤으로) 어떤 사실을 서술하거나 물음, 명령, 권유를 나타내는 종결 어미.
нет эквивалента
(нейтральный стиль) Финитное окончание предиката в повествовательном, вопросительном или побудительном предложении. **<вопрос>**

• **아까 (имя существительное)** : 조금 전.
только что
Совсем недавно.

• 부터 : 어떤 일의 시작이나 처음을 나타내는 조사.
нет эквивалента
Окончание, указывающее на начало какой-либо области или какого-либо события.

• **안 (наречие)** : 부정이나 반대의 뜻을 나타내는 말.
не; нет; ни
Выражение, означающее отрицание или противоположность.

• **보이다 (глагол)** : 눈으로 대상의 존재나 겉모습을 알게 되다.
быть видным; виднеться
Ознакамливаться зрительно (о существовании какого-либо объекта или формы).

• -네 : (아주낮춤으로) 지금 깨달은 일에 대하여 말함을 나타내는 종결 어미.
нет эквивалента
(простой стиль) Финитное окончание, указывающее на обнаружение или осознание нового факта.

글쎄, <u>급하+ㄴ</u> 일+이 있+[는 듯] 뛰어가+더라.
급한

• **글쎄 (восклицание)** : 상대방의 물음이나 요구에 대하여 분명하지 않은 태도를 나타낼 때 쓰는 말.
ну; как сказать
Восклицание, выражающее затруднение в ответе на вопрос или просьбу.

• **급하다 (имя прилагательное)** : 사정이나 형편이 빨리 처리해야 할 상태에 있다.
срочный
Находящийся в ситуации, когда необходимо быстро справиться с положением или ситу ацией.

• -ㄴ : 앞의 말이 관형어의 기능을 하게 만들고 현재의 상태를 나타내는 어미.
нет эквивалента
Окончание, указывающее на состояние лица или предмета в настоящий момент, при котором впередистоящее слово, словосочетание или придаточное предложение выполняет функцию определения.

• **일 (имя существительное)** : 어떤 내용을 가진 상황이나 사실.
дело
Ситуация или условия с определённым содержанием.

• 이 : 어떤 상태나 상황의 대상이나 동작의 주체를 나타내는 조사.
нет эквивалента
Частица, показывающая какое-либо состояние, объект ситуации или субъект действия.

• **있다 (имя прилагательное)** : 어떤 일이 이루어지거나 벌어질 계획이다.
быть; происходить
Иметься (о плане осуществления или начала какого-либо дела).

• -는 듯 : 뒤에 오는 말의 내용과 관련하여 짐작할 수 있거나 비슷하다고 여겨지는 상태나 상황을 나타낼 때 쓰는 표현.
нет эквивалента
Выражение, указывающее на предполагаемое сходство некой ситуации с тем, что описано в предшествующей части высказывания.

• **뛰어가다 (глагол)** : 어떤 곳으로 빨리 뛰어서 가다.
бежать
Торопливо идти куда-либо.

• -더라 : (아주낮춤으로) 말하는 이가 직접 경험하여 새롭게 알게 된 사실을 지금 전달함을 나타내는 종결 어미.
нет эквивалента
(простой стиль) Финитное окончание, употребляемое при сообщении о фактах или событиях в прошлом, лично увиденных или испытанных говорящим.

< 대화(разговор) > - 40

지아 씨, 어디서 타는 듯한 냄새가 나요.
지아 씨, 어디서 타는 드탄 냄새가 나요.
jia ssi, eodiseo taneun deutan naemsaega nayo.

어머, 냄비를 불에 올려놓고 깜빡 잊어버렸네요.
어머, 냄비를 부레 올려노코 깜빡 이저버련네요.
eomeo, naembireul bure ollyeonoko kkamppak ijeobeoryeonneyo.

< 설명(объяснение) / 번역(перевод) >

지아 씨, 어디+서 타+[는 듯하]+ㄴ 냄새+가 나+(아)요.
타는 듯한 나요

• **지아 (имя существительное)** : имя человека

• **씨 (имя существительное)** : 그 사람을 높여 부르거나 이르는 말.
господин; госпожа
Слово, приписываемое к имени или фамилии в знак уважения.

• **어디 (местоимение)** : 정해져 있지 않거나 정확하게 말할 수 없는 어느 곳을 가리키는 말.
куда-нибудь; куда-либо
Еще не определённое место или место, о котором невозможно точно сообщить.

• 서 : 앞말이 출발점의 뜻을 나타내는 조사.
от; с; из
Окончание, указывающее на отправной пункт, исходную точку впередистоящего слова.

• **타다 (глагол)** : 뜨거운 열을 받아 검은색으로 변할 정도로 지나치게 익다.

сгорать
Слишком сильно зажариваться вплоть до чёрного цвета засчёт высокой температуры.

• -는 듯하다 : 앞에 오는 말의 내용을 추측함을 나타내는 표현.
кажется
Выражение, указывающее предположение чего-либо.

• -ㄴ : 앞의 말이 관형어의 기능을 하게 만들고 현재의 상태를 나타내는 어미.
нет эквивалента
Окончание, указывающее на состояние лица или предмета в настоящий момент, при котором впередистоящее слово, словосочетание или придаточное предложение выполняет функцию определения.

• **냄새 (имя существительное)** : 코로 맡을 수 있는 기운.
запах
Ощущение, которое можно почувствовать носом.

• 가 : 어떤 상태나 상황에 놓인 대상이나 동작의 주체를 나타내는 조사.
нет эквивалента
Окончание, указывающее на объект какой-либо ситуации, состояния или на лицо, выполняющее какое-либо действие.

• **나다 (глагол)** : 알아차릴 정도로 소리나 냄새 등이 드러나다.
нет эквивалента
Появляться, становясь заметным (о звуке или запахе и т. п.).

• -아요 : (두루높임으로) 어떤 사실을 서술하거나 질문, 명령, 권유함을 나타내는 종결 어미.
нет эквивалента
(нейтрально-вежливый стиль) Финитное окончание предиката в повествовательном, вопросительном или побудительном предложении. **<изложение>**

어머, 냄비+를 불+에 올려놓+고 깜빡 잊어버리+었+네요.
잊어버렸네요

• **어머 (восклицание)** : 주로 여자들이 예상하지 못한 일로 갑자기 놀라거나 감탄할 때 내는 소리.
о Боже! ой!
Звук, издаваемый в основном женщинами при неожиданном удивлении или восхищении.

• **냄비 (имя существительное)** : 음식을 끓이는 데 쓰는, 솥보다 작고 뚜껑과 손잡이가 있는 그릇.
кастрюля
Металлический сосуд для варки пищи, обычно меньше, чем котёл, с двумя ручками и крышкой.

• 를 : 동작이 직접적으로 영향을 미치는 대상을 나타내는 조사.
нет эквивалента
Частица, указывающая на объект, на который непосредственно распространяется влияние действия.

• **불 (имя существительное)** : 물질이 빛과 열을 내며 타는 것.
огонь
Возгорание вещества и освещение светом.

• 에 : 앞말이 어떤 행위나 작용이 미치는 대상임을 나타내는 조사.
нет эквивалента
Окончание, указывающее на объект, подвергающийся влиянию какого-либо действия или процесса.

• **올려놓다 (глагол)** : 어떤 물건을 무엇의 위쪽에 옮겨다 두다.
положить сверху; поставить наверх
Поднять что-либо и положить на верх чего-либо другого.

• -고 : 앞의 말이 나타내는 행동이나 그 결과가 뒤에 오는 행동이 일어나는 동안에 그대로 지속됨을 나타내는 연결 어미.
нет эквивалента
Соединительное окончание предиката, указывающее на продолжение действия, описанного в первой части предложения, или на сохранение результата данного действия в течение времени выполнения действия, описанного во второй части предложения.

• **깜빡 (наречие)** : 기억이나 의식 등이 잠깐 흐려지는 모양.
нет эквивалента
О виде минутного замутнения рассудка, памяти.

• **잊어버리다 (глагол)** : 기억해야 할 것을 한순간 전혀 생각해 내지 못하다.
забывать
Не суметь восстановить в пямяти что-либо.

• -었- : 어떤 사건이 과거에 완료되었거나 그 사건의 결과가 현재까지 지속되는 상황을 나타내는 어미.
нет эквивалента
Окончание, указывающее на полное завершение какого-либо события в прошлом и сохранения данного результата до настоящего времени.

• -네요 : (두루높임으로) 말하는 사람이 직접 경험하여 새롭게 알게 된 사실에 대해 감탄함을 나타낼 때 쓰는 표현.
нет эквивалента
(нейтрально-вежливый стиль) Выражение, указывающее на восклицание при личном обнаружении какого-либо факта.

< 대화(разговор) > - 41

너 왜 저녁을 다 안 먹고 남겼니?
너 왜 저녀글 다 안 먹꼬 남견니?
neo wae jeonyeogeul da an meokgo namgyeonni?

저는 먹는 만큼 살이 쪄서 식사량을 줄여야겠어요.
저는 멍는 만큼 사리 쩌서 식싸량을 주려야게써요.
jeoneun meongneun mankeum sari jjeoseo siksaryangeul juryeoyagesseoyo.

< 설명(объяснение) / 번역(перевод) >

너 왜 저녁+을 다 안 먹+고 남기+었+니?
남겼니

• **너 (местоимение)** : 듣는 사람이 친구나 아랫사람일 때, 그 사람을 가리키는 말.
ты
Употребляется при указании на собеседника, если он является ровесником или человеком, младшим по возрасту или статусу.

• **왜 (наречие)** : 무슨 이유로. 또는 어째서.
почему; зачем
По какой причине.

• **저녁 (имя существительное)** : 저녁에 먹는 밥.
ужин
Еда, которую едят вечером.

• 을 : 동작이 직접적으로 영향을 미치는 대상을 나타내는 조사.
нет эквивалента
Частица, указывающая на объект, на который действие оказывает непосредственное влияние.

• **다 (наречие)** : 남거나 빠진 것이 없이 모두.
всё; все
Весь, полный, без изъятия, целиком.

- **안 (наречие)** : 부정이나 반대의 뜻을 나타내는 말.
  не; нет; ни
  Выражение, означающее отрицание или противоположность.

- **먹다 (глагол)** : 음식 등을 입을 통하여 배 속에 들여보내다.
  есть; кушать
  Принимать пищу во внутрь посредством ротовой полости.

- -고 : 앞의 말과 뒤의 말이 차례대로 일어남을 나타내는 연결 어미.
  нет эквивалента
  Соединительное окончание предиката, указывающее на последовательность действий.

- **남기다 (глагол)** : 다 쓰지 않고 나머지가 있게 하다.
  оставлять; оставить
  Не тратить до конца, оставлять.

- -었- : 어떤 사건이 과거에 완료되었거나 그 사건의 결과가 현재까지 지속되는 상황을 나타내는 어미.
  нет эквивалента
  Окончание, указывающее на полное завершение какого-либо события в прошлом и сохранения данного результата до настоящего времени.

- -니 : (아주낮춤으로) 물음을 나타내는 종결 어미.
  нет эквивалента
  (простой стиль) Финитное окончание предиката, указывающее на вопрос.

저+는 먹+[는 만큼] 살+이 찌+어서 식사량+을 줄이+어야겠+어요.

쪄서 줄여야겠어요

- **저 (местоимение)** : 말하는 사람이 듣는 사람에게 자신을 낮추어 가리키는 말.
  я
  Употребляется для обозначения говорящим самого себя, принижая себя перед слушающим.

- 는 : 문장 속에서 어떤 대상이 화제임을 나타내는 조사.
  нет эквивалента
  Частица, указывающая на то, что какой-либо объект является основной темой в предложении.

- **먹다 (глагол)** : 음식 등을 입을 통하여 배 속에 들여보내다.
  есть; кушать
  Принимать пищу во внутрь посредством ротовой полости.

• -는 만큼 : 뒤에 오는 말이 앞에 오는 말과 비례하거나 비슷한 정도 혹은 수량임을 나타내는 표현.
нет эквивалента
Выражение, указывающее на то, что некое действие или состояние качественно или количественно соотносимо с тем, что описано во впередистоящей части высказывания.

• **살 (имя существительное)** : 사람이나 동물의 몸에서 뼈를 둘러싸고 있는 부드러운 부분.
плоть; мясо; мышцы; кожа
Мягкая часть, оборачивающая кости в теле человека или животного.

• 이 : 어떤 상태나 상황의 대상이나 동작의 주체를 나타내는 조사.
нет эквивалента
Частица, показывающая какое-либо состояние, объект ситуации или субъект действия.

• **찌다 (глагол)** : 몸에 살이 붙어 뚱뚱해지다.
растолстеть; стать толстым; поправиться; набрать в весе
Набрать в весе и поправиться.

• -어서 : 이유나 근거를 나타내는 연결 어미.
нет эквивалента
Соединительное окончание предиката, указывающее на причину или обоснование чего-либо.

• **식사량 (имя существительное)** : 음식을 먹는 양.
количество пищи
Количество употребляемой еды или пищи.

• 을 : 동작이 직접적으로 영향을 미치는 대상을 나타내는 조사.
нет эквивалента
Частица, указывающая на объект, на который действие оказывает непосредственное влияние.

• **줄이다 (глагол)** : 수나 양을 원래보다 적게 하다.
уменьшать
Делать меньше изначального (о количестве, объёме чего-либо).

• -어야겠- : 앞의 말이 나타내는 행동에 대한 강한 의지를 나타내거나 그 행동을 할 필요가 있음을 완곡하게 말할 때 쓰는 표현.
нет эквивалента
Выражение, используемое для передачи твёрдой решимости говорящего совершить какое-либо действие или предположения о необходимости совершения чего-либо.

• -어요 : (두루높임으로) 어떤 사실을 서술하거나 질문, 명령, 권유함을 나타내는 종결 어미.
нет эквивалента
(нейтрально-вежливый стиль) Финитное окончание предиката в повествовательном, вопросительном или побудительном предложении. **<изложение>**

< 대화(разговор) > - 42

이 늦은 시간에 라면을 먹어?
이 느즌 시가네 라며늘 머거?
i neujeun sigane ramyeoneul meogeo?

야근하느라 저녁도 못 먹는 바람에 배고파 죽겠어.
야근하느라 저녁또 몯 멍는 바라메 배고파 죽께써.
yageunhaneura jeonyeokdo mot meongneun barame baegopa jukgesseo.

< 설명(объяснение) / 번역(перевод) >

이 늦+은 시간+에 라면+을 먹+어?

• **이 (атрибутивное слово)** : 말하는 사람에게 가까이 있거나 말하는 사람이 생각하고 있는 대상을 가리킬 때 쓰는 말.
этот; это
Слово, указывающее на что-либо, находящееся возле говорящего, или на то, о чём он думает.

• **늦다 (имя прилагательное)** : 적당한 때를 지나 있다. 또는 시기가 한창인 때를 지나 있다.
поздний
Представляющий конечный этап какого-либо отрезка времени.

• -은 : 앞의 말이 관형어의 기능을 하게 만들고 현재의 상태를 나타내는 어미.
нет эквивалента
Окончание, которое указывает на состояние лица или предмета в настоящем, преобразуя впередистоящее слово, словосочетание или придаточное предложение в определение.

• **시간 (имя существительное)** : 어떤 일을 하도록 정해진 때. 또는 하루 중의 어느 한 때.
пора; время
Подходящее время для выполнения какой-либо работы, а так же определённая часть дня.

• 에 : 앞말이 시간이나 때임을 나타내는 조사.
нет эквивалента
Окончание, указывающее на время или период времени.

• **라면 (имя существительное)** : 기름에 튀겨 말린 국수와 가루 스프가 들어 있어서 물에 끓이기만 하면 간편하게 먹을 수 있는 음식.
рамён; корейская лапша быстрого приготовления
Еда, быстрого приготовления, в состав которой входит пожаренная в масле и высушенная лапша и порошковый суп, которые достаточно немного поварить в воде.

• 을 : 동작이 직접적으로 영향을 미치는 대상을 나타내는 조사.
нет эквивалента
Частица, указывающая на объект, на который действие оказывает непосредственное влияние.

• **먹다 (глагол)** : 음식 등을 입을 통하여 배 속에 들여보내다.
есть; кушать
Принимать пищу во внутрь посредством ротовой полости.

• -어 : (두루낮춤으로) 어떤 사실을 서술하거나 물음, 명령, 권유를 나타내는 종결 어미.
нет эквивалента
(нейтральный стиль) Финитное окончание предиката в повествовательном, вопросительном или побудительном предложении. **<вопрос>**

야근하+느라고 저녁+도 못 먹+[는 바람에] 배고프(배고ㅍ)+[아 죽]+겠+어.
배고파 죽겠어

• **야근하다 (глагол)** : 퇴근 시간이 지나 밤늦게까지 일하다.
работать до поздна
Работать до поздней ночи, после окончания рабочего дня.

• -느라고 : 앞에 오는 말이 나타내는 행동이 뒤에 오는 말의 목적이나 원인이 됨을 나타내는 연결 어미.
нет эквивалента
Соединительное окончание, указывающее на то, действие, описанное в первой части предложения, является причиной или целью того, о чём говорится во второй части предложения.

• **저녁 (имя существительное)** : 저녁에 먹는 밥.
ужин
Еда, которую едят вечером.

• 도 : 극단적인 경우를 들어 다른 경우는 말할 것도 없음을 나타내는 조사.
нет эквивалента
Частица, указывающая на крайний случай и на его примере - на бессмысленность говорить о других.

• **못 (наречие)** : 동사가 나타내는 동작을 할 수 없게.
не [мочь]
Без возможности совершать какое-либо действие, выраженное глаголом.

• **먹다 (глагол)** : 음식 등을 입을 통하여 배 속에 들여보내다.
есть; кушать
Принимать пищу во внутрь посредством ротовой полости.

• -는 바람에 : 앞의 말이 나타내는 행동이나 상태가 뒤에 오는 말의 원인이나 이유가 됨을 나타내는 표현.
нет эквивалента
Выражение, указывающее на то, что действие, описанное в первой части предложения, является причиной или предпосылкой возникновения последующей ситуации.

• **배고프다 (имя прилагательное)** : 배 속이 빈 것을 느껴 음식이 먹고 싶다.
голодный
Испытывающий острую потребность в пище, сильное желание есть.

• -아 죽다 : 앞의 말이 나타내는 상태의 정도가 매우 심함을 나타내는 표현.
нет эквивалента
Выражение, указывающее на крайнюю степень проявления какого-либо чувства или состояния.

• -겠- : 미래의 일이나 추측을 나타내는 어미.
нет эквивалента
Суффикс, указывающий на предположение, на действие или состояние в будущем.

• -어 : (두루낮춤으로) 어떤 사실을 서술하거나 물음, 명령, 권유를 나타내는 종결 어미.
нет эквивалента
(нейтральный стиль) Финитное окончание предиката в повествовательном, вопросительном или побудительном предложении. **<изложение>**

< 대화(разговор) > - 43

겨울이 가면 봄이 오는 법이야. 힘들다고 포기하면 안 돼.
겨우리 가면 보미 오는 버비야. 힘들다고 포기하면 안 돼.
gyeouri gamyeon bomi oneun beobiya. himdeuldago pogihamyeon an dwae.

고마워. 네 말에 다시 힘이 나는 것 같아.
고마워. 네 마레 다시 히미 나는 걷 가타.
gomawo. ne mare dasi himi naneun geot gata.

< 설명(объяснение) / 번역(перевод) >

겨울+이 가+면 봄+이 오+[는 법이]+야.

힘들+다고 포기하+[면 안 되]+어.

포기하면 안 돼

• **겨울 (имя существительное)** : 네 계절 중의 하나로 가을과 봄 사이의 추운 계절.
зима
Самое холодное время из четырёх времён года, между осенью и весной.

• 이 : 어떤 상태나 상황의 대상이나 동작의 주체를 나타내는 조사.
нет эквивалента
Частица, показывающая какое-либо состояние, объект ситуации или субъект действия.

• **가다 (глагол)** : 시간이 지나거나 흐르다.
идти
Идти или протекать (о времени).

• -면 : 뒤에 오는 말에 대한 근거나 조건이 됨을 나타내는 연결 어미.
нет эквивалента
Соединительное окончание предиката, присоединяющее придаточное условия, указывающее на то, что является обоснованием или условием того, о чем говорится во второй части предложения.

• **봄 (имя существительное)** : 네 계절 중의 하나로 겨울과 여름 사이의 계절.
весна
Сезон, следующий после зимы, когда погода становится теплее, пробиваются новые ростки и расцветают цветы.

• 이 : 어떤 상태나 상황의 대상이나 동작의 주체를 나타내는 조사.
нет эквивалента
Частица, показывающая какое-либо состояние, объект ситуации или субъект действия.

• **오다 (глагол)** : 어떤 때나 계절 등이 닥치다.
нет эквивалента
Приходить (о каком-либо времени или сезоне).

• -는 법이다 : 앞의 말이 나타내는 동작이나 상태가 이미 그렇게 정해져 있거나 그런 것이 당연하다는 뜻을 나타내는 표현.
нет эквивалента
Выражение, указывающее на то, что некое действие или состояние является частью установленного порядка вещей или представляет собой нечто само собой разумеющееся.

• -야 : (두루낮춤으로) 어떤 사실에 대하여 서술하거나 물음을 나타내는 종결 어미.
нет эквивалента
(нейтральный стиль) Финитное окончание предиката в повествовательном или вопросительном предложении. **<изложение>**

• **힘들다 (имя прилагательное)** : 마음이 쓰이거나 수고가 되는 면이 있다.
трудный; сложный
Требующий заботы или большого труда.

• -다고 : 어떤 행위의 목적, 의도를 나타내거나 어떤 상황의 이유, 원인을 나타내는 연결 어미.
нет эквивалента
Соединительное окончание, указывающее на намерение, цель какого-либо действия или на причину какой-либо ситуации.

• **포기하다 (глагол)** : 하려던 일이나 생각을 중간에 그만두다.
бросать; оставлять
Прекращать на полпути дело или намерения, которые собирался осуществить.

• -면 안 되다 : 어떤 행동이나 상태를 금지하거나 제한함을 나타내는 표현.
нет эквивалента
Выражение, обозначающее запрет или ограничение какого-либо действия или состояния.

• -어 : (두루낮춤으로) 어떤 사실을 서술하거나 물음, 명령, 권유를 나타내는 종결 어미.
нет эквивалента
(нейтральный стиль) Финитное окончание предиката в повествовательном, вопросительном или побудительном предложении. **<приказ>**

고맙(고마우)+어.
고마워

너+의 말+에 다시 힘+이 나+[는 것 같]+아.
네

• **고맙다 (имя прилагательное)** : 남이 자신을 위해 무엇을 해주어서 마음이 흐뭇하고 보답하고 싶다.
благодарный
Чувствующий признательность за оказанное ему добро, выражающий признательность.

• -어 : (두루낮춤으로) 어떤 사실을 서술하거나 물음, 명령, 권유를 나타내는 종결 어미.
нет эквивалента
(нейтральный стиль) Финитное окончание предиката в повествовательном, вопросительном или побудительном предложении. **<изложение>**

• **너 (местоимение)** : 듣는 사람이 친구나 아랫사람일 때, 그 사람을 가리키는 말.
ты
Употребляется при указании на собеседника, если он является ровесником или человеком, младшим по возрасту или статусу.

• 의 : 앞의 말이 뒤의 말에 대하여 소유, 소속, 소재, 관계, 기원, 주체의 관계를 가짐을 나타내는 조사.
нет эквивалента
Частица, указывающая на то, что в предыдущем слове содержится значение собственности, принадлежности, сырья, источника, основы в отношении последующего.

• **말 (имя существительное)** : 생각이나 느낌을 표현하고 전달하는 사람의 소리.
голос
Звук воспроизводимый голосовыми связками при выражении мыслей, чувств и т.п.

• 에 : 앞말이 어떤 일의 원인임을 나타내는 조사.
нет эквивалента
Окончание, указывающее на причину какого-либо дела.

• **다시 (наречие)** : 방법이나 목표 등을 바꿔서 새로이.
снова; заново
По-новой, поменяв первоначальный метод или цель.

• **힘 (имя существительное)** : 용기나 자신감.
сила; усилие; дух; энергия
Мужество или уверенность.

• 이 : 어떤 상태나 상황의 대상이나 동작의 주체를 나타내는 조사.
нет эквивалента
Частица, показывающая какое-либо состояние, объект ситуации или субъект действия.

• **나다 (глагол)** : 어떤 감정이나 느낌이 생기다.
возникать
Появляться (о каких-либо чувствах или ощущении).

• -는 것 같다 : 추측을 나타내는 표현.
кажется, что …; вероятно; похоже
Выражение предположения.

• -아 : (두루낮춤으로) 어떤 사실을 서술하거나 물음, 명령, 권유를 나타내는 종결 어미.
нет эквивалента
(нейтральный стиль) Финитное окончание предиката в повествовательном, вопросительном или побудительном предложении. **<изложение>**

< 대화(разговор) > - 44

쟤는 도대체 여기 언제 온 거야?
쟤는 도대체 여기 언제 온 거야?
jyaeneun dodaeche yeogi eonje on geoya?

아까 네가 잠깐 조는 사이에 왔을걸.
아까 네가 잠깐 조는 사이에 와쓸껄.
akka nega jamkkan joneun saie wasseulgeol.

< 설명(объяснение) / 번역(перевод) >

쟤+는 도대체 여기 언제 오+[ㄴ 것(거)]+(이)+야?
온 거야

• **쟤 (аббревиатура)** : '저 아이'가 줄어든 말.
нет эквивалента
Сокращение от '저(вон тот) 아이(третье лицо)'.

• 는 : 문장 속에서 어떤 대상이 화제임을 나타내는 조사.
нет эквивалента
Частица, указывающая на то, что какой-либо объект является основной темой в предложении.

• **도대체 (наречие)** : 아주 궁금해서 묻는 말인데.
в самом деле; действительно
Очень любопытно, но всё-таки.

• **여기 (местоимение)** : 말하는 사람에게 가까운 곳을 가리키는 말.
здесь; тут; в этом месте
Слово, указывающее на место, близкое к говорящему.

• **언제 (наречие)** : 알지 못하는 어느 때에.
когда
Во время, которое неизвестно.

• **오다 (глагол)** : 무엇이 다른 곳에서 이곳으로 움직이다.
приходить; приезжать
Передвигаться с одного места в другое.

• -ㄴ 것 : 명사가 아닌 것을 문장에서 명사처럼 쓰이게 하거나 '이다' 앞에 쓰일 수 있게 할 때 쓰는 표현.

нет эквивалента

Выражение, позволяющее использовать в качестве существительного слово неименной части речи, которое также может употребляться перед глаголом-связкой '이다'.

• 이다 : 주어가 지시하는 대상의 속성이나 부류를 지정하는 뜻을 나타내는 서술격 조사.

нет эквивалента

Суффикс повествовательного падежа, выражающий смысл наименования свойства или разряда объекта, на который указывает подлежащее.

• -야 : (두루낮춤으로) 어떤 사실에 대하여 서술하거나 물음을 나타내는 종결 어미.

нет эквивалента

(нейтральный стиль) Финитное окончание предиката в повествовательном или вопросительном предложении. **<вопрос>**

아까 네+가 잠깐 졸(조)+[는 사이]+에 오+았+을걸.
조는 사이에 왔을걸

• **아까 (наречие)** : 조금 전에.

только что

Совсем недавно.

• **네 (местоимение)** : '너'에 조사 '가'가 붙을 때의 형태.

ты

Морфема, используемая в том случае, когда к корню '너' присоединяется частица '가'.

• 가 : 어떤 상태나 상황에 놓인 대상이나 동작의 주체를 나타내는 조사.

нет эквивалента

Окончание, указывающее на объект какой-либо ситуации, состояния или на лицо, выполняющее какое-либо действие.

• **잠깐 (наречие)** : 아주 짧은 시간 동안에.

на минутку; на секунду

На очень короткий промежуток времени.

• **졸다 (глагол)** : 완전히 잠이 들지는 않으면서 자꾸 잠이 들려는 상태가 되다.

дремать; клевать носом; задремать

Находиться в состоянии, когда постоянно засыпаешь, но при этом не погружаешься в глубокий сон.

• -는 사이 : 어떤 행동이나 상황이 일어나는 중간의 어느 짧은 시간을 나타내는 표현.
нет эквивалента
Выражение, указывающее на короткий промежуток времени, в течение которого происходит какое-либо действие или событие.

• 에 : 앞말이 시간이나 때임을 나타내는 조사.
нет эквивалента
Окончание, указывающее на время или период времени.

• **오다 (глагол)** : 무엇이 다른 곳에서 이곳으로 움직이다.
приходить; приезжать
Передвигаться с одного места в другое.

• -았- : 어떤 사건이 과거에 완료되었거나 그 사건의 결과가 현재까지 지속되는 상황을 나타내는 어미.
нет эквивалента
Окончание, указывающее на полное завершение какого-либо события в прошлом и сохранения данного результата до настоящего времени.

• -을걸 : (두루낮춤으로) 미루어 짐작하거나 추측함을 나타내는 종결 어미.
нет эквивалента
(нейтральный стиль) Окончание предиката, указывающее на догадку, предположение о чём-либо.

< 대화(разговор) > - 45

오빠, 저 내일 친구들이랑 스키 타러 갈 거예요.
오빠, 저 내일 친구드리랑 스키 타러 갈 꺼예요.
oppa, jeo naeil chingudeurirang seuki tareo gal geoyeyo.

그래? 자칫하면 다칠 수 있으니까 조심해라.
그래? 자치타면 다칠 쑤 이쓰니까 조심해라.
geurae? jachitamyeon dachil su isseunikka josimhaera.

< 설명(объяснение) / 번역(перевод) >

오빠, 저 내일 친구+들+이랑 스키 타+러 가+[ㄹ 것(거)]+이+에요.
갈 거예요

• **오빠 (имя существительное)** : 여자가 자기보다 나이 많은 남자를 다정하게 이르거나 부르는 말.
нет эквивалента
Слово, употребляемое при дружественном обращении женщины к мужчине старше её по возрасту или его упоминании.

• **저 (местоимение)** : 말하는 사람이 듣는 사람에게 자신을 낮추어 가리키는 말.
я
Употребляется для обозначения говорящим самого себя, принижая себя перед слушающим.

• **내일 (наречие)** : 오늘의 다음 날에.
завтра; завтрашний день
В день, следующий за сегодняшним.

• **친구 (имя существительное)** : 사이가 가까워 서로 친하게 지내는 사람.
друг; подруга; товарищ; коллега
Люди, имеющие близкие отношения, поддерживающие дружбу друг с другом.

• 들 : '복수'의 뜻을 더하는 접미사.
нет эквивалента
Суффикс со значением множественного числа.

• 이랑 : 어떤 일을 함께 하는 대상임을 나타내는 조사.
нет эквивалента
Частица, указывающая на объект, с которым выполняется какое-либо дело.

• **스키 (имя существительное)** : 눈 위로 미끄러져 가도록 나무나 플라스틱으로 만든 좁고 긴 기구.
лыжи
Приспособление из тонких и длинных деревянных или пластиковых досок, которые используются для скольжения по снегу.

• **타다 (глагол)** : 바닥이 미끄러운 곳에서 기구를 이용해 미끄러지다.
кататься
Используя устройство, передвигаться по скользкой поверхности.

• -러 : 가거나 오거나 하는 동작의 목적을 나타내는 연결 어미.
нет эквивалента
Соединительное окончание предиката, указывающее на цель движения.

• **가다 (глагол)** : 어떤 목적을 가지고 일정한 곳으로 움직이다.
идти; ехать
Передвигаться в определённое место с какой-либо целью.

• -ㄹ 것 : 명사가 아닌 것을 문장에서 명사처럼 쓰이게 하거나 '이다' 앞에 쓰일 수 있게 할 때 쓰는 표현.
нет эквивалента
Выражение, субстантивирующее предшествующее слово неименной части речи или группу слов, которое также может употребляться с глаголом-связкой '이다'.

• 이다 : 주어가 지시하는 대상의 속성이나 부류를 지정하는 뜻을 나타내는 서술격 조사.
нет эквивалента
Суффикс повествовательного падежа, выражающий смысл наименования свойства или разряда объекта, на который указывает подлежащее.

• -에요 : (두루높임으로) 어떤 사실을 서술하거나 질문함을 나타내는 종결 어미.
нет эквивалента
(нейтрально-вежливый стиль) Финитное окончание предиката в повествовательном или вопросительном предложении. **<изложение>**

그래?

자칫하+면 다치+[ㄹ 수 있]+으니까 조심하+여라.
다칠 수 있으니까 조심해라

• **그래 (восклицание)** : 상대편의 말에 대한 감탄이나 가벼운 놀라움을 나타낼 때 쓰는 말.
так ли; разве; да неужели
Восклицание, выражающее восторг или лёгкое удивление по поводу слов собеседника.

• **자칫하다 (глагол)** : 어쩌다가 조금 어긋나거나 잘못되다.
чуть что
(в кор. яз. является гл.) Случайно немного нарушиться или пойти не так, как надо.

• -면 : 뒤에 오는 말에 대한 근거나 조건이 됨을 나타내는 연결 어미.
нет эквивалента
Соединительное окончание предиката, присоединяющее придаточное условия, указывающее на то, что является обоснованием или условием того, о чем говорится во второй части предложения.

• **다치다 (глагол)** : 부딪치거나 맞거나 하여 몸이나 몸의 일부에 상처가 생기다. 또는 상처가 생기게 하다.
ранить, портить(ся)
Удариться или быть побитым и получить рану на теле или части тела. А так же нанести рану.

• -ㄹ 수 있다 : 어떤 행동이나 상태가 가능함을 나타내는 표현.
нет эквивалента
Выражение, указывающее на возможность осуществления какого-либо действия или состояния.

• -으니까 : 뒤에 오는 말에 대하여 앞에 오는 말이 원인이나 근거, 전제가 됨을 강조하여 나타내는 연결 어미.
нет эквивалента
Соединительное окончание, указывающее на то, что содержание первой части предложения является причиной, обоснованием, предпосылкой того, о чём говорится во второй части предложения.

• **조심하다 (глагол)** : 좋지 않은 일을 겪지 않도록 말이나 행동 등에 주의를 하다.
остерегаться; предостерегать; быть осторожным; быть осмотрительным
Проявлять осмотрительность в речах или поступках во избежание оплошностей или ошибок.

• -여라 : (아주낮춤으로) 명령을 나타내는 종결 어미.
нет эквивалента
(простой стиль) Финитное окончание предиката, выражающее повеление.

< 대화(разговор) > - 46

우산이 없는데 어떻게 하지?
우사니 엄는데 어떠케 하지?
usani eomneunde eotteoke haji?

그냥 비를 맞는 수밖에 없지, 뭐. 뛰어.
그냥 비를 만는 수바께 업찌, 뭐. 뛰어.
geunyang bireul manneun subakke eopji, mwo. ttwieo.

< 설명(объяснение) / 번역(перевод) >

우산+이 없+는데 어떻게 하+지?

• **우산 (имя существительное)** : 긴 막대 위에 지붕 같은 막을 펼쳐서 비가 올 때 손에 들고 머리 위를 가리는 도구.

зонт; зонтик

Ручное приспособление из длинной палки с матерчатым навесом в форме крыши, служащее для защиты от дождя.

• 이 : 어떤 상태나 상황의 대상이나 동작의 주체를 나타내는 조사.

нет эквивалента

Частица, показывающая какое-либо состояние, объект ситуации или субъект действия.

• **없다 (имя прилагательное)** : 어떤 물건을 가지고 있지 않거나 자격이나 능력 등을 갖추지 않은 상태이다.

не иметь

Состояние неимения какого-либо предмета, квалификации, способности и т.п.

• -는데 : 뒤의 말을 하기 위하여 그 대상과 관련이 있는 상황을 미리 말함을 나타내는 연결 어미.

нет эквивалента

Соединительное окончание, вводящее некую предварительную информацию об объекте, о котором говорится в последующей части предложения.

• **어떻게 (наречие)** : 어떤 방법으로. 또는 어떤 방식으로.

как

Каким способом. Или каким образом.

• **하다 (глагол)** : 어떤 방식으로 행위를 이루다.
поступать
Делать что-либо каким-либо образом.

• -지 : (두루낮춤으로) 말하는 사람이 듣는 사람에게 친근함을 나타내며 물을 때 쓰는 종결 어미.
нет эквивалента
(нейтральный стиль) Финитное окончание предиката, показывающее доверительный тон в разговоре между говорящим и слушающим.

그냥 비+를 맞+[는 수밖에 없]+지, 뭐.

뛰+어.

• **그냥 (наречие)** : 그런 모양으로 그대로 계속하여.
непрерывно; беспрестанно
Продолжительно, неизменно и одинаково.

• **비 (имя существительное)** : 높은 곳에서 구름을 이루고 있던 수증기가 식어서 뭉쳐 떨어지는 물방울.
дождь
Атмосферные осадки, выпадающие из облаков в виде капель воды.

• 를 : 동작이 직접적으로 영향을 미치는 대상을 나타내는 조사.
нет эквивалента
Частица, указывающая на объект, на который непосредственно распространяется влияние действия.

• **맞다 (глагол)** : 내리는 눈이나 비 등이 닿는 것을 그대로 받다.
получить; попасть
Попасть под снег, дождь и т.п.

• -는 수밖에 없다 : 그것 말고는 다른 방법이나 가능성이 없음을 나타내는 표현.
нет эквивалента
Выражение, указывающее на отсутствие другого выхода или иной возможности, помимо данного действия или состояния.

• -지 : (두루낮춤으로) 말하는 사람이 자신에 대한 이야기나 자신의 생각을 친근하게 말할 때 쓰는 종결 어미.
нет эквивалента
(нейтральный стиль) Финитное окончание предиката, используемое в речи говорящего о самом себе или выражении своей мысли.

- **뭐 (восклицание)** : 더 이상 여러 말 할 것 없다는 뜻으로 어떤 사실을 체념하여 받아들이며 하는 말.
  что; что ж; ну что ж
  Восклицание, выражающее отсутствие необходимости что-либо еще говорить и принятие какого-либо факта.

- **뛰다 (глагол)** : 발을 재빠르게 움직여 빨리 나아가다.
  бежать; бегать; быстро перемещаться; мчаться; нестись
  Быстро идти вперёд, энергично передвигая ноги.

- -어 : (두루낮춤으로) 어떤 사실을 서술하거나 물음, 명령, 권유를 나타내는 종결 어미.
  нет эквивалента
  (нейтральный стиль) Финитное окончание предиката в повествовательном, вопросительном или побудительном предложении. **<приказ>**

< 대화(разговор) > - 47

지우는 성격이 참 좋은 것 같아요.
지우는 성껴기 참 조은 걷 가타요.
jiuneun seonggyeogi cham joeun geot gatayo.

맞아요. 걔는 아무리 일이 바빠도 인상 한 번 찌푸리는 적이 없어요.
마자요. 걔는 아무리 이리 바빠도 인상 한 번 찌푸리는 저기 업써요.
majayo. gyaeneun amuri iri bappado insang han beon jjipurineun jeogi eopseoyo.

< 설명(объяснение) / 번역(перевод) >

지우+는 성격+이 참 좋+[은 것 같]+아요.

• **지우 (имя существительное)** : имя человека

• 는 : 문장 속에서 어떤 대상이 화제임을 나타내는 조사.
нет эквивалента
Частица, указывающая на то, что какой-либо объект является основной темой в предложении.

• **성격 (имя существительное)** : 개인이 가지고 있는 고유한 성질이나 품성.
характер
Особенности, которыми обладает индивидуальный человек.

• 이 : 어떤 상태나 상황의 대상이나 동작의 주체를 나타내는 조사.
нет эквивалента
Частица, показывающая какое-либо состояние, объект ситуации или субъект действия.

• **참 (наречие)** : 사실이나 이치에 조금도 어긋남이 없이 정말로.
истинно; правдиво; справедливо; реалистично; откровенно
Правдиво, без малейших расхождений с реальностью или фактом.

• **좋다 (имя прилагательное)** : 성격 등이 원만하고 착하다.
хороший
Приличный и добрый (о характере и т.п.).

• -은 것 같다 : 추측을 나타내는 표현.
кажется, что …; вероятно; похоже
Выражение предположения.

• -아요 : (두루높임으로) 어떤 사실을 서술하거나 질문, 명령, 권유함을 나타내는 종결 어미.
нет эквивалента
(нейтрально-вежливый стиль) Финитное окончание предиката в повествовательном, вопросительном или побудительном предложении. **<изложение>**

맞+아요.

걔+는 아무리 일+이 바쁘(바ㅃ)+아도 인상 한 번 찌푸리+[는 적이 없]+어요.
바빠도

• **맞다 (глагол)** : 그렇거나 옳다.
быть правильным
Быть верным.

• -아요 : (두루높임으로) 어떤 사실을 서술하거나 질문, 명령, 권유함을 나타내는 종결 어미.
нет эквивалента
(нейтрально-вежливый стиль) Финитное окончание предиката в повествовательном, вопросительном или побудительном предложении. **<изложение>**

• **걔 (аббревиатура)** : '그 아이'가 줄어든 말.
нет эквивалента
Сокращение от '그(тот) 아이(третье лицо)'.

• 는 : 문장 속에서 어떤 대상이 화제임을 나타내는 조사.
нет эквивалента
Частица, указывающая на то, что какой-либо объект является основной темой в предложении.

• **아무리 (наречие)** : 정도가 매우 심하게.
как бы ни; какой бы ни
Состояние весьма усиленное.

• **일 (имя существительное)** : 무엇을 이루려고 몸이나 정신을 사용하는 활동. 또는 그 활동의 대상.
работа
Занятие, во время которого используешь свои физические и духовные силы для достижения чего-либо.

• 이 : 어떤 상태나 상황의 대상이나 동작의 주체를 나타내는 조사.
нет эквивалента
Частица, показывающая какое-либо состояние, объект ситуации или субъект действия.

• **바쁘다 (имя прилагательное)** : 할 일이 많거나 시간이 없어서 다른 것을 할 여유가 없다.
очень занятой; очень спешный
Не имеющий свободного времени по причине большого количества дел или отсутствия времени.

• -아도 : 앞에 오는 말을 가정하거나 인정하지만 뒤에 오는 말에는 관계가 없거나 영향을 끼치지 않음을 나타내는 연결 어미.
нет эквивалента
Соединительное окончание со значением уступки, указывающее на то, что некий факт или обстоятельство, признание, допущение или предположение которого содержится в первой части предложения, не влияет или не имеет отношения к тому, о чём говорится во второй части.

• **인상 (имя существительное)** : 사람 얼굴의 생김새.
выражение лица; облик; физиономия
Выражение или облик лица.

• **한 (атрибутивное слово)** : 하나의.
нет эквивалента
Один.

• **번 (имя существительное)** : 일의 횟수를 세는 단위.
раз
Зависимое существительное для счёта количества дел.

• **찌푸리다 (глагол)** : 얼굴의 근육이나 눈살 등을 몹시 찡그리다.
хмуриться; темнеть; мрачнеть (о лице)
Сильно кривиться (о выражении лица).

• -는 적이 없다 : 앞의 말이 나타내는 동작이 진행되거나 그 상태가 나타나는 때가 없음을 나타내는 표현.
нет эквивалента
Выражение, указывающее на то, что некое действие или состояние ни разу не имело место в прошлом.

• -어요 : (두루높임으로) 어떤 사실을 서술하거나 질문, 명령, 권유함을 나타내는 종결 어미.
нет эквивалента
(нейтрально-вежливый стиль) Финитное окончание предиката в повествовательном, вопросительном или побудительном предложении. **<изложение>**

< 대화(разговор) > - 48

명절에 한복 입어 본 적 있어요?
명저레 한복 이버 본 적 이써요?
myeongjeore hanbok ibeo bon jeok isseoyo?

그럼요. 어렸을 때 부모님하고 고향에 내려가면서 입었었죠.
그러묘. 어려쓸 때 부모님하고 고향에 내려가면서 이버썯쬬.
geureomyo. eoryeosseul ttae bumonimhago gohyange naeryeogamyeonseo ibeosseotjyo.

< 설명(объяснение) / 번역(перевод) >

명절+에 한복 입+[어 보]+[ㄴ 적 있]+어요?
입어 본 적 있어요

• **명절 (имя существительное)** : 설이나 추석 등 해마다 일정하게 돌아와 전통적으로 즐기거나 기념하는 날.
праздник
День, который каждый год наступает в определённое время и традиционно отмечается и празднуется (Новый год по лунному календарю или День урожая и т.п.).

• 에 : 앞말이 시간이나 때임을 나타내는 조사.
нет эквивалента
Окончание, указывающее на время или период времени.

• **한복 (имя существительное)** : 한국의 전통 의복.
ханбок
Корейский национальный костюм.

• **입다 (глагол)** : 옷을 몸에 걸치거나 두르다.
надевать; одевать[ся]
Натягивать или накидывать одежду на тело.

• -어 보다 : 앞의 말이 나타내는 행동을 이전에 경험했음을 나타내는 표현.
нет эквивалента
Выражение, указывающее на наличие опыта совершения данного действия в прошлом.

• -ㄴ 적 있다 : 앞의 말이 나타내는 동작이 일어나거나 그 상태가 나타난 때가 있음을 나타내는 표현.
нет эквивалента
Выражение, указывающее на то, что данное действие или состояние уже имело место в прошлом.

• -어요 : (두루높임으로) 어떤 사실을 서술하거나 질문, 명령, 권유함을 나타내는 종결 어미.
нет эквивалента
(нейтрально-вежливый стиль) Финитное окончание предиката в повествовательном, вопросительном или побудительном предложении. **<вопрос>**

그럼+요.

<u>어리+었+[을 때]</u> 부모님+하고 고향+에 내려가+면서 입+었었+죠.
어렸을 때

• **그럼 (восклицание)** : 말할 것도 없이 당연하다는 뜻으로 대답할 때 쓰는 말.
конечно; разумеется; несомненно
Слово, используемое при ответе, когда что-либо и без слов само собой разумеется.

• 요 : 높임의 대상인 상대방에게 존대의 뜻을 나타내는 조사.
нет эквивалента
Частица, показывающая вежливое отношение к противоположной стороне, являющейся объектом уважения.

• **어리다 (имя прилагательное)** : 나이가 적다.
маленький; малолетний
Имеющий мало лет от роду.

• -었- : 사건이 과거에 일어났음을 나타내는 어미.
нет эквивалента
Окончание прошедшего времени.

• -을 때 : 어떤 행동이나 상황이 일어나는 동안이나 그 시기 또는 그러한 일이 일어난 경우를 나타내는 표현.
когда
Выражение, указывающее на момент или период во времени, когда происходит некое событие, либо случай возникновения такого события.

• **부모님 (имя существительное)** : (높이는 말로) 부모.
отец и мать
(уважит.) родители.

- 하고 : 어떤 일을 함께 하는 대상임을 나타내는 조사.
  нет эквивалента
  Частица, указывающая на то, что с данным объектом производится какая-либо работа.

- **고향 (имя существительное)** : 태어나서 자란 곳.
  родина; родные места
  Место, где родился и вырос.

- 에 : 앞말이 목적지이거나 어떤 행위의 진행 방향임을 나타내는 조사.
  нет эквивалента
  Окончание, указывающее на направленность какого-либо действия или цели.

- **내려가다 (глагол)** : 도심이나 중심지에서 지방으로 가다.
  нет эквивалента
  Ехать из городского района в провинциальные районы.

- -면서 : 두 가지 이상의 동작이나 상태가 함께 일어남을 나타내는 연결 어미.
  нет эквивалента
  Соединительное окончание предиката, указывающее на одновременность двух или более действий или состояний.

- **입다 (глагол)** : 옷을 몸에 걸치거나 두르다.
  надевать; одевать[ся]
  Натягивать или накидывать одежду на тело.

- -었었- : 현재와 비교하여 다르거나 현재로 이어지지 않는 과거의 사건을 나타내는 어미.
  нет эквивалента
  Окончание прошедшего времени, указывающее на действие или состояние, которое завершилось в прошлом и не имеет отношения к настоящему или не имеет продолжения в настоящем.

- -죠 : (두루높임으로) 말하는 사람이 자신에 대한 이야기나 자신의 생각을 친근하게 말할 때 쓰는 종결 어미.
  нет эквивалента
  (нейтрально-вежливый стиль) Финитное окончание предиката, используемое в речи говорящего о самом себе или выражении своей мысли.

< 대화(разговор) > - 49

왜 이렇게 늦었어? 한참 기다렸잖아.
왜 이러케 느저써? 한참 기다렫짜나.
wae ireoke neujeosseo? hancham gidaryeotjana.

미안해, 오후에도 이렇게 차가 막히는 줄 몰랐어.
미안해, 오후에도 이러케 차가 마키는 줄 몰라써.
mianhae, ohuedo ireoke chaga makineun jul mollasseo.

< 설명(объяснение) / 번역(перевод) >

왜 이렇+게 늦+었+어?

한참 기다리+었+잖아.
기다렸잖아

• **왜 (наречие)** : 무슨 이유로. 또는 어째서.
почему; зачем
По какой причине.

• **이렇다 (имя прилагательное)** : 상태, 모양, 성질 등이 이와 같다.
такой
Подобный; следующий (о состоянии, виде, качестве и т.п.).

• -게 : 앞의 말이 뒤에서 가리키는 일의 목적이나 결과, 방식, 정도 등이 됨을 나타내는 연결 어미.
нет эквивалента
Соединительное окончание предиката, указывающее на то, описанное в первой части предложения действие или состояние является целью, результатом, образом действия, степенью и т.п. того, о чём говорится в последующей главной части предложения.

• **늦다 (глагол)** : 정해진 때보다 지나다.
запаздывать; опаздывать
Проходить (о назначенном времени).

• -었- : 어떤 사건이 과거에 완료되었거나 그 사건의 결과가 현재까지 지속되는 상황을 나타내는 어미.
нет эквивалента
Окончание, указывающее на полное завершение какого-либо события в прошлом и сохранения данного результата до настоящего времени.

• -어 : (두루낮춤으로) 어떤 사실을 서술하거나 물음, 명령, 권유를 나타내는 종결 어미.
нет эквивалента
(нейтральный стиль) Финитное окончание предиката в повествовательном, вопросительном или побудительном предложении. **<вопрос>**

• **한참 (имя существительное)** : 시간이 꽤 지나는 동안.
некоторое время; длительное время
Длительный промежуток времени.

• **기다리다 (глагол)** : 사람, 때가 오거나 어떤 일이 이루어질 때까지 시간을 보내다.
ждать; ожидать; подождать
Проводить время до прихода какого-либо человека, наступления определённого времени или завершения какого-либо дела.

• -었- : 어떤 사건이 과거에 완료되었거나 그 사건의 결과가 현재까지 지속되는 상황을 나타내는 어미.
нет эквивалента
Окончание, указывающее на полное завершение какого-либо события в прошлом и сохранения данного результата до настоящего времени.

• -잖아 : (두루낮춤으로) 어떤 상황에 대해 말하는 사람이 상대방에게 확인하거나 정정해 주듯이 말함을 나타내는 표현.
нет эквивалента
(нейтральный стиль) Выражение, используемое при обращении к собеседнику с уточнением или поправкой.

미안하+여.
미안해

오후+에+도 이렇+게 차+가 막히+[는 줄] 모르(몰ㄹ)+았+어.
몰랐어

• **미안하다 (имя прилагательное)** : 남에게 잘못을 하여 마음이 편치 못하고 부끄럽다.
чувствовать себя неловко; быть смущённым
Допустив ошибку по отношению к другим, чувствовать дискомфорт в душе и стыд.

• -여 : (두루낮춤으로) 어떤 사실을 서술하거나 물음, 명령, 권유를 나타내는 종결 어미.
нет эквивалента
(нейтральный стиль) Финитное окончание предиката в повествовательном, вопросительном или побудительном предложении. **<изложение>**

• **오후 (имя существительное)** : 정오부터 해가 질 때까지의 동안.
время после полудня
Промежуток времени от середины дня (двенадцати часов) и до заката солнца.

• 에 : 앞말이 시간이나 때임을 나타내는 조사.
нет эквивалента
Окончание, указывающее на время или период времени.

• 도 : 일반적이지 않은 경우나 의외의 경우를 강조함을 나타내는 조사.
нет эквивалента
Частица, акцентирующая внимание на необычном или неожиданном случае.

• **이렇다 (имя прилагательное)** : 상태, 모양, 성질 등이 이와 같다.
такой
Подобный; следующий (о состоянии, виде, качестве и т.п.).

• -게 : 앞의 말이 뒤에서 가리키는 일의 목적이나 결과, 방식, 정도 등이 됨을 나타내는 연결 어미.
нет эквивалента
Соединительное окончание предиката, указывающее на то, описанное в первой части предложения действие или состояние является целью, результатом, образом действия, степенью и т.п. того, о чём говорится в последующей главной части предложения.

• **차 (имя существительное)** : 바퀴가 달려 있어 사람이나 짐을 실어 나르는 기관.
автомобиль; повозка
Средство передвижения человека или груза на колёсном ходу.

• 가 : 어떤 상태나 상황에 놓인 대상이나 동작의 주체를 나타내는 조사.
нет эквивалента
Окончание, указывающее на объект какой-либо ситуации, состояния или на лицо, выполняющее какое-либо действие.

• **막히다 (глагол)** : 길에 차가 많아 차가 제대로 가지 못하게 되다.
создать пробку
Скапливаться на дороге, мешая нормальному движению (о транспортных средствах).

• -는 줄 : 어떤 사실이나 상태에 대해 알고 있거나 모르고 있음을 나타내는 표현.
нет эквивалента
Выражение, указывающее на наличие или отсутствие какого-либо знания или умения.

• **모르다 (глагол)** : 사람이나 사물, 사실 등을 알지 못하거나 이해하지 못하다.
не знать; не понимать
Не знать или не понимать людей, предметы, факты и т.п.

• -았- : 어떤 사건이 과거에 완료되었거나 그 사건의 결과가 현재까지 지속되는 상황을 나타내는 어미.
нет эквивалента
Окончание, указывающее на полное завершение какого-либо события в прошлом и сохранения данного результата до настоящего времени.

• -어 : (두루낮춤으로) 어떤 사실을 서술하거나 물음, 명령, 권유를 나타내는 종결 어미.
нет эквивалента
(нейтральный стиль) Финитное окончание предиката в повествовательном, вопросительном или побудительном предложении. **<изложение>**

< 대화(разговор) > - 50

지아 씨, 하던 일은 다 됐어요?
지아 씨, 하던 이른 다 돼써요?
jia ssi, hadeon ireun da dwaesseoyo?

네, 잠깐만요. 지금 마무리하는 중이에요.
네, 잠깐마뇨. 지금 마무리하는 중이에요.
ne, jamkkanmanyo. jigeum mamurihaneun jungieyo.

< 설명(объяснение) / 번역(перевод) >

지아 씨, 하+던 일+은 다 되+었+어요?

됐어요

• **지아 (имя существительное)** : имя человека

• **씨 (имя существительное)** : 그 사람을 높여 부르거나 이르는 말.
господин; госпожа
Слово, приписываемое к имени или фамилии в знак уважения.

• **하다 (глагол)** : 어떤 행동이나 동작, 활동 등을 행하다.
делать
Выполнять какое-либо действие, движение, работу и т.п.

• -던 : 앞의 말이 관형어의 기능을 하게 만들고 사건이나 동작이 과거에 완료되지 않고 중단되었음을 나타내는 어미.
нет эквивалента
Окончание, которое указывает на незавершённое, прерванное действие в прошлом, преобразуя впередистоящее слово, словосочетание или придаточное предложение в определение.

• **일 (имя существительное)** : 무엇을 이루려고 몸이나 정신을 사용하는 활동. 또는 그 활동의 대상.
работа
Занятие, во время которого используешь свои физические и духовные силы для достижения чего-либо.

• 은 : 문장 속에서 어떤 대상이 화제임을 나타내는 조사.
нет эквивалента
Частица, показывающая то, что какой-то объект является главной темой в предложении.

• **다 (наречие)** : 남거나 빠진 것이 없이 모두.
всё; все
Весь, полный, без изъятия, целиком.

• **되다 (глагол)** : 어떤 사물이나 현상이 생겨나거나 만들어지다.
становиться
Появляться или создаваться (о каких-либо предметах или явлениях).

• -었- : 어떤 사건이 과거에 완료되었거나 그 사건의 결과가 현재까지 지속되는 상황을 나타내는 어미.
нет эквивалента
Окончание, указывающее на полное завершение какого-либо события в прошлом и сохранения данного результата до настоящего времени.

• -어요 : (두루높임으로) 어떤 사실을 서술하거나 질문, 명령, 권유함을 나타내는 종결 어미.
нет эквивалента
(нейтрально-вежливый стиль) Финитное окончание предиката в повествовательном, вопросительном или побудительном предложении.

네, 잠깐+만+요.

지금 마무리하+[는 중이]+에요.

• **네 (восклицание)** : 윗사람의 물음이나 명령 등에 긍정하여 대답할 때 쓰는 말.
да
Слово, употребляемое при утвердительном ответе на вопрос, приказ и т.п. старшего по возрасту или положению человека.

• **잠깐 (имя существительное)** : 아주 짧은 시간 동안.
минутка; секунда; совсем чуть-чуть; чуточку
Очень короткий промежуток времени.

• 만 : 무엇을 강조하는 뜻을 나타내는 조사.
только; исключительно; единственно
Частица, акцентирующая что-либо.

• 요 : 높임의 대상인 상대방에게 존대의 뜻을 나타내는 조사.
нет эквивалента
Частица, показывающая вежливое отношение к противоположной стороне, являющейся объектом уважения.

• **지금 (наречие)** : 말을 하고 있는 바로 이때에. 또는 그 즉시에.
сейчас; в это время
В то время, когда говоришь; прямо сейчас.

• **마무리하다 (глагол)** : 일을 끝내다.
завершать
Подводить дело к концу.

• -는 중이다 : 어떤 일이 진행되고 있음을 나타내는 표현.
нет эквивалента
Выражение, обозначающее процесс совершения какого-либо действия.

• -에요 : (두루높임으로) 어떤 사실을 서술하거나 질문함을 나타내는 종결 어미.
нет эквивалента
(нейтрально-вежливый стиль) Финитное окончание предиката в повествовательном или вопросительном предложении. **<изложение>**

< 대화(разговор) > - 51

추워? 내 옷 벗어 줄까?
추워? 내 옫 버서 줄까?
chuwo? nae ot beoseo julkka?

괜찮아. 너도 추위를 많이 타는데 괜히 멋있는 척하지 않아도 돼.
괜차나. 너도 추위를 마니 타는데 괜히 머신는 처카지 아나도 돼.
gwaenchana. neodo chuwireul mani taneunde gwaenhi meosinneun cheokaji anado dwae.

< 설명(объяснение) / 번역(перевод) >

춥(추우)+어?
추워

나+의 옷 벗+[어 주]+ㄹ까?
내 벗어 줄까

• **춥다 (имя прилагательное)** : 몸으로 느끼기에 기온이 낮다.
холодный
Имеющий низкую температуру.

• -어 : (두루낮춤으로) 어떤 사실을 서술하거나 물음, 명령, 권유를 나타내는 종결 어미.
нет эквивалента
(нейтральный стиль) Финитное окончание предиката в повествовательном, вопросительном или побудительном предложении. **<вопрос>**

• **나 (местоимение)** : 말하는 사람이 친구나 아랫사람에게 자기를 가리키는 말.
я
Выражение, которым называют себя в разговоре с ровесниками или младшими людьми.

• 의 : 앞의 말이 뒤의 말에 대하여 소유, 소속, 소재, 관계, 기원, 주체의 관계를 가짐을 나타내는 조사.
нет эквивалента
Частица, указывающая на то, что в предыдущем слове содержится значение собственности, принадлежности, сырья, источника, основы в отношении последующего.

• **옷 (имя существительное)** : 사람의 몸을 가리고 더위나 추위 등으로부터 보호하며 멋을 내기 위하여 입는 것.

одежда; платье

То, что одевается для того, чтобы закрывать тело человека, защищать от жары (стужи) или щеголять этим.

• **벗다 (глагол)** : 사람이 몸에 지닌 물건이나 옷 등을 몸에서 떼어 내다.

снимать

Удалять с тела предметы одежды, обувь, украшения и т.п.

• -어 주다 : 남을 위해 앞의 말이 나타내는 행동을 함을 나타내는 표현.

нет эквивалента

Выражение, указывающее на то, что описанное действие выполняется в интересах другого лица.

• -ㄹ까 : (두루낮춤으로) 듣는 사람의 의사를 물을 때 쓰는 종결 어미.

нет эквивалента

(нейтральный стиль) Финитное окончание, употребляемое при выражении мыслей или предположения говорящего или при обращении к слушающему с вопросом о намерении и желании совершить что-то.

괜찮+아.

너+도 추위+를 많이 타+는데 괜히 멋있+[는 척하]+[지 않]+[아도 되]+어.

멋있는 척하지 않아도 돼

• **괜찮다 (имя прилагательное)** : 별 문제가 없다.

нормальный; сносный; благополучный; хороший; удовлетворительный; приемлемый

Не имеющий особых проблем.

• -아 : (두루낮춤으로) 어떤 사실을 서술하거나 물음, 명령, 권유를 나타내는 종결 어미.

нет эквивалента

(нейтральный стиль) Финитное окончание предиката в повествовательном, вопросительном или побудительном предложении. **<изложение>**

• **너 (местоимение)** : 듣는 사람이 친구나 아랫사람일 때, 그 사람을 가리키는 말.

ты

Употребляется при указании на собеседника, если он является ровесником или человеком, младшим по возрасту или статусу.

• 도 : 이미 있는 어떤 것에 다른 것을 더하거나 포함함을 나타내는 조사.
нет эквивалента
Частица, указывающая на прибавление или включение чего-либо во что-либо уже имеющееся.

• **추위 (имя существительное)** : 주로 겨울철의 추운 기운이나 추운 날씨.
холод
Низкая температура воздуха или погода с такой температурой, обычно в зимнее время года.

• 를 : 동작이 직접적으로 영향을 미치는 대상을 나타내는 조사.
нет эквивалента
Частица, указывающая на объект, на который непосредственно распространяется влияние действия.

• **많이 (наречие)** : 수나 양, 정도 등이 일정한 기준보다 넘게.
много
Превышая определённую норму (о числе, количестве, степени и т.п.).

• **타다 (глагол)** : 날씨나 계절의 영향을 쉽게 받다.
нет эквивалента
Легко поддаваться влиянию времени года (о погоде).

• -는데 : 뒤의 말을 하기 위하여 그 대상과 관련이 있는 상황을 미리 말함을 나타내는 연결 어미.
нет эквивалента
Соединительное окончание, вводящее некую предварительную информацию об объекте, о котором говорится в последующей части предложения.

• **괜히 (наречие)** : 특별한 이유나 실속이 없게.
напрасно; зря; беспричинно
Без особой причины и без всякой пользы.

• **멋있다 (имя прилагательное)** : 매우 좋거나 훌륭하다.
привлекательный; прелестный; замечательный
Очень хороший, выдающийся.

• -는 척하다 : 실제로 그렇지 않은데도 어떤 행동이나 상태를 거짓으로 꾸밈을 나타내는 표현.
Притворяться; делать вид
выражение, означающее, что ранее сказанное поведение или состояние придумано, надумано и не является действительным.

• -지 않다 : 앞의 말이 나타내는 행위나 상태를 부정하는 뜻을 나타내는 표현.
нет эквивалента
Выражение, обозначающее отрицание какого-либо действия или состояния.

• -아도 되다 : 어떤 행동에 대한 허락이나 허용을 나타낼 때 쓰는 표현.
нет эквивалента
Выражение, указывающее на согласие или разрешение совершить какое-либо действие.

• -어 : (두루낮춤으로) 어떤 사실을 서술하거나 물음, 명령, 권유를 나타내는 종결 어미.
нет эквивалента
(нейтральный стиль) Финитное окончание предиката в повествовательном, вопросительном или побудительном предложении. **<изложение>**

< 대화(разговор) > - 52

어제 친구들이 너 몰래 생일 파티를 준비해서 깜짝 놀랐다면서?
어제 친구드리 너 몰래 생일 파티를 준비해서 깜짝 놀랃따면서?
eoje chingudeuri neo mollae saengil patireul junbihaeseo kkamjjak nollatdamyeonseo?

사실은 미리 눈치를 챘었는데 그래도 놀라는 체했지.
사시른 미리 눈치를 채썬는데 그래도 놀라는 체핻찌.
sasireun miri nunchireul chaesseonneunde geuraedo nollaneun chehaetji.

< 설명(объяснение) / 번역(перевод) >

어제 친구+들+이 너 몰래 생일 파티+를 준비하+여서 깜짝 놀라+았+다면서?
준비해서 놀랐다면서

• **어제 (наречие)** : 오늘의 하루 전날에.
вчера
За день до сегодня.

• **친구 (имя существительное)** : 사이가 가까워 서로 친하게 지내는 사람.
друг; подруга; товарищ; коллега
Люди, имеющие близкие отношения, поддерживающие дружбу друг с другом.

• 들 : '복수'의 뜻을 더하는 접미사.
нет эквивалента
Суффикс со значением множественного числа.

• 이 : 어떤 상태나 상황의 대상이나 동작의 주체를 나타내는 조사.
нет эквивалента
Частица, показывающая какое-либо состояние, объект ситуации или субъект действия.

• **너 (местоимение)** : 듣는 사람이 친구나 아랫사람일 때, 그 사람을 가리키는 말.
ты
Употребляется при указании на собеседника, если он является ровесником или человеком, младшим по возрасту или статусу.

• **몰래 (наречие)** : 남이 알지 못하게.
тайно; тайком; скрытно; втайне; украдкой
Незаметно от других.

- **생일 (имя существительное)** : 사람이 세상에 태어난 날.
  день рождения
  День, когда человек родился на свет.

- **파티 (имя существительное)** : 친목을 도모하거나 무엇을 기념하기 위한 잔치나 모임.
  званый вечер; вечеринка
  Банкет или собрание для того, чтобы завести дружбу или отпраздновать что-либо.

- 를 : 동작이 직접적으로 영향을 미치는 대상을 나타내는 조사.
  нет эквивалента
  Частица, указывающая на объект, на который непосредственно распространяется влияние действия.

- **준비하다 (глагол)** : 미리 마련하여 갖추다.
  готовить; приготовлять
  Заблаговременно приготовлять.

- -여서 : 이유나 근거를 나타내는 연결 어미.
  нет эквивалента
  Соединительное окончание предиката, указывающее на причину или обоснование чего-либо.

- **깜짝 (наречие)** : 갑자기 놀라는 모양.
  нет эквивалента
  О резком, сильном испуге.

- **놀라다 (глагол)** : 뜻밖의 일을 당하거나 무서워서 순간적으로 긴장하거나 가슴이 뛰다.
  пугаться
  Перепугаться из-за чего-либо неожиданного или удивиться.

- -았- : 사건이 과거에 일어났음을 나타내는 어미.
  нет эквивалента
  Окончание прошедшего времени.

- -다면서 : (두루낮춤으로) 말하는 사람이 들어서 아는 사실을 확인하여 물음을 나타내는 종결 어미.
  нет эквивалента
  (нейтральный стиль) Окончание, употребляемое в вопросительных предложениях со значением уточнения и перепроверки услышанного факта.

사실+은 미리 눈치+를 채+었었+는데 그러+어도 놀라+[는 체하]+였+지.

챘었는데　　그래도　　놀라는 체했지

• **사실 (имя существительное)** : 겉으로 드러나지 않은 일을 솔직하게 말할 때 쓰는 말.
правда; на самом деле; (сказать) по правде
Слово, используемое при высказывании правды, которая изначально скрывалась.

• 은 : 문장 속에서 어떤 대상이 화제임을 나타내는 조사.
нет эквивалента
Частица, показывающая то, что какой-то объект является главной темой в предложении.

• **미리 (наречие)** : 어떤 일이 있기 전에 먼저.
заранее; заблаговременно
Прежде; до чего-либо; предварительно.

• **눈치 (имя существительное)** : 상대가 말하지 않아도 그 사람의 마음이나 일의 상황을 이해하고 아는 능력.
догадливость; смекалка
Способность понимать чувства другого человека или ситуацию без объяснения.

• 를 : 동작이 직접적으로 영향을 미치는 대상을 나타내는 조사.
нет эквивалента
Частица, указывающая на объект, на который непосредственно распространяется влияние действия.

• **채다 (глагол)** : 사정이나 형편을 재빨리 미루어 헤아리거나 깨닫다.
замечать; догадываться
Быстро распознавать или понимать положение или ситуацию.

• -었었- : 현재와 비교하여 다르거나 현재로 이어지지 않는 과거의 사건을 나타내는 어미.
нет эквивалента
Окончание прошедшего времени, указывающее на действие или состояние, которое завершилось в прошлом и не имеет отношения к настоящему или не имеет продолжения в настоящем.

• -는데 : 뒤의 말을 하기 위하여 그 대상과 관련이 있는 상황을 미리 말함을 나타내는 연결 어미.
нет эквивалента
Соединительное окончание, вводящее некую предварительную информацию об объекте, о котором говорится в последующей части предложения.

• **그러다 (глагол)** : 앞에서 일어난 일이나 말한 것과 같이 그렇게 하다.
так делать
Делать так, как было сказано ранее. Или так, как уже было сделано.

• -어도 : 앞에 오는 말을 가정하거나 인정하지만 뒤에 오는 말에는 관계가 없거나 영향을 끼치지 않음을 나타내는 연결 어미.

нет эквивалента

Соединительное окончание со значением уступки, указывающее на то, что некий факт или обстоятельство, признание, допущение или предположение которого содержится в первой части предложения, не влияет или не имеет отношения к тому, о чём говорится во второй части.

• **놀라다 (глагол)** : 뜻밖의 일을 당하거나 무서워서 순간적으로 긴장하거나 가슴이 뛰다.

пугаться

Перепугаться из-за чего-либо неожиданного или удивиться.

• -는 체하다 : 실제로 그렇지 않은데도 어떤 행동이나 상태를 거짓으로 꾸밈을 나타내는 표현.

притворяться; делать вид

Выражение, обозначающее притворное действие или состояние.

• -였- : 사건이 과거에 일어났음을 나타내는 어미.

нет эквивалента

Окончание прошедшего времени.

• -지 : (두루낮춤으로) 말하는 사람이 자신에 대한 이야기나 자신의 생각을 친근하게 말할 때 쓰는 종결 어미.

нет эквивалента

(нейтральный стиль) Финитное окончание предиката, используемое в речи говорящего о самом себе или выражении своей мысли.

< 대화(разговор) > - 53

영화를 보는 것이 취미라고 하셨는데 영화를 자주 보세요?
영화를 보는 거시 취미라고 하션는데 영화를 자주 보세요?
yeonghwareul boneun geosi chwimirago hasyeonneunde yeonghwareul jaju boseyo?

일주일에 한 편 이상 보니까 자주 보는 편이죠.
일쭈이레 한 편 이상 보니까 자주 보는 펴니죠.
iljuire han pyeon isang bonikka jaju boneun pyeonijyo.

< 설명(объяснение) / 번역(перевод) >

영화+를 보+[는 것]+이 취미+(이)+라고 하+시+었+는데 영화+를 자주 보+세요?
취미라고 하셨는데

• **영화 (имя существительное)** : 일정한 의미를 갖고 움직이는 대상을 촬영하여 영사기로 영사막에 비추어서 보게 하는 종합 예술.
кино; фильм; кинофильм
Вид искусства, произведения которого создаются с помощью киносъёмки и демонстрируются путём вывода движущегося изображения на экран.

• 를 : 동작이 직접적으로 영향을 미치는 대상을 나타내는 조사.
нет эквивалента
Частица, указывающая на объект, на который непосредственно распространяется влияние действия.

• **보다 (глагол)** : 눈으로 대상을 즐기거나 감상하다.
смотреть; рассматривать
Любоваться или просматривать объект глазами.

• -는 것 : 명사가 아닌 것을 문장에서 명사처럼 쓰이게 하거나 '이다' 앞에 쓰일 수 있게 할 때 쓰는 표현.
нет эквивалента
Выражение, субстантивирующее предшествующее слово неименной части речи или группу слов, которое также может употребляться с глаголом-связкой '이다'.

• 이 : 어떤 상태나 상황의 대상이나 동작의 주체를 나타내는 조사.
нет эквивалента
Частица, показывающая какое-либо состояние, объект ситуации или субъект действия.

• **취미 (имя существительное)** : 좋아하여 재미로 즐겨서 하는 일.
хобби
Увлечение, любимое занятие для себя.

• 이다 : 주어가 지시하는 대상의 속성이나 부류를 지정하는 뜻을 나타내는 서술격 조사.
нет эквивалента
Суффикс повествовательного падежа, выражающий смысл наименования свойства или разряда объекта, на который указывает подлежащее.

• -라고 : 다른 사람에게서 들은 내용을 간접적으로 전달하거나 주어의 생각, 의견 등을 나타내는 표현.
нет эквивалента
Выражение, употребляемое для оформления косвенной речи при передаче чужих слов или мыслей.

• **하다 (глагол)** : 무엇에 대해 말하다.
обсуждать
Говорить о чём-либо.

• -시- : 어떤 동작이나 상태의 주체를 높이는 뜻을 나타내는 어미.
нет эквивалента
Гонорифический глагольный суффикс, указывающий на почтительное отношение к субъекту какого-либо состояния или действия.

• -었- : 사건이 과거에 일어났음을 나타내는 어미.
нет эквивалента
Окончание прошедшего времени.

• -는데 : 뒤의 말을 하기 위하여 그 대상과 관련이 있는 상황을 미리 말함을 나타내는 연결 어미.
нет эквивалента
Соединительное окончание, вводящее некую предварительную информацию об объекте, о котором говорится в последующей части предложения.

• **영화 (имя существительное)** : 일정한 의미를 갖고 움직이는 대상을 촬영하여 영사기로 영사막에 비추어서 보게 하는 종합 예술.
кино; фильм; кинофильм
Вид искусства, произведения которого создаются с помощью киносъёмки и демонстрируются путём вывода движущегося изображения на экран.

• 를 : 동작이 직접적으로 영향을 미치는 대상을 나타내는 조사.
нет эквивалента
Частица, указывающая на объект, на который непосредственно распространяется влияние действия.

• **자주 (наречие)** : 같은 일이 되풀이되는 간격이 짧게.
часто
Многоразовая повторяемость чего-либо с коротким интервалом.

• **보다 (глагол)** : 눈으로 대상을 즐기거나 감상하다.
смотреть; рассматривать
Любоваться или просматривать объект глазами.

• -세요 : (두루높임으로) 설명, 의문, 명령, 요청의 뜻을 나타내는 종결 어미.
нет эквивалента
(нейтрально-вежливый стиль) Финитное окончание предиката в повествовательном, вопросительном или побудительном предложении. **<вопрос>**

일주일+에 한 편 이상 보+니까 자주 보+[는 편이]+죠.

• **일주일 (имя существительное)** : 월요일부터 일요일까지 칠 일. 또는 한 주일.
неделя
Семь дней от понедельника до воскресенья. Одна неделя.

• 에 : 앞말이 기준이 되는 대상이나 단위임을 나타내는 조사.
нет эквивалента
Окончание, указывающее на объект или единицу измерения, которые являются стандартом.

• **한 (атрибутивное слово)** : 하나의.
нет эквивалента
Один.

• **편 (имя существительное)** : 책이나 문학 작품, 또는 영화나 연극 등을 세는 단위.
раздел; том; часть
Единица исчисления книг, культурных произведений, а также кинофильмов и театральных представлений.

• **이상 (имя существительное)** : 수량이나 정도가 일정한 기준을 포함하여 그보다 많거나 나은 것.
свыше; более; больше; сверх
То, что лучше или больше определённого количества или степени.

• **보다 (глагол)** : 눈으로 대상을 즐기거나 감상하다.
смотреть; рассматривать
Любоваться или просматривать объект глазами.

• -니까 : 뒤에 오는 말에 대하여 앞에 오는 말이 원인이나 근거, 전제가 됨을 강조하여 나타내는 연결 어미.

нет эквивалента

Соединительное окончание, указывающее на то, что содержание первой части предложения является причиной, обоснованием, предпосылкой того, о чём говорится во второй части предложения.

• **자주 (наречие)** : 같은 일이 되풀이되는 간격이 짧게.

часто

Многоразовая повторяемость чего-либо с коротким интервалом.

• **보다 (глагол)** : 눈으로 대상을 즐기거나 감상하다.

смотреть; рассматривать

Любоваться или просматривать объект глазами.

• -는 편이다 : 어떤 사실을 단정적으로 말하기보다는 대체로 어떤 쪽에 가깝다거나 속한다고 말할 때 쓰는 표현.

нет эквивалента

Выражение, употребляемое при обозначении не столько конечной характеристики какого-либо объекта или явления, сколько его принадлежности или близости некому классу подобных объектов или явлений по определённому признаку.

• -죠 : (두루높임으로) 말하는 사람이 자신에 대한 이야기나 자신의 생각을 친근하게 말할 때 쓰는 종결 어미.

нет эквивалента

(нейтрально-вежливый стиль) Финитное окончание предиката, используемое в речи говорящего о самом себе или выражении своей мысли.

< 대화(разговор) > - 54

지아 씨, 이번 대회 우승을 축하합니다.
지아 씨, 이번 대회 우승을 추카함니다.
jia ssi, ibeon daehoe useungeul chukahamnida.

고맙습니다. 제가 음악을 계속하는 한 이 우승의 감격은 잊지 못할 것입니다.
고맙씁니다. 제가 으마글 계소카는 한 이 우승의(우승에) 감겨근 읻찌 모탈 꺼심니다.
gomapseumnida. jega eumageul gyesokaneun han i useungui(useunge) gamgyeogeun itji motal geosimnida.

< 설명(объяснение) / 번역(перевод) >

지아 씨, 이번 대회 우승+을 축하하+ㅂ니다.
축하합니다

• **지아 (имя существительное)** : имя человека

• **씨 (имя существительное)** : 그 사람을 높여 부르거나 이르는 말.
господин; госпожа
Слово, приписываемое к имени или фамилии в знак уважения.

• **이번 (имя существительное)** : 곧 돌아올 차례. 또는 막 지나간 차례.
этот (раз)
Порядок, который скоро настанет или только что миновал.

• **대회 (имя существительное)** : 여러 사람이 실력이나 기술을 겨루는 행사.
соревнование; состязание; игры
Мероприятие, на котором несколько людей соревнуются, показывая свои способности или навыки.

• **우승 (имя существительное)** : 경기나 시합에서 상대를 모두 이겨 일 위를 차지함.
победа
Первое место, которое занимают в соревновании, игре или состязании, побив или опередив всех противников.

• 을 : 동작이 직접적으로 영향을 미치는 대상을 나타내는 조사.
нет эквивалента
Частица, указывающая на объект, на который действие оказывает непосредственное влияние.

• **축하하다 (глагол)** : 남의 좋은 일에 대하여 기쁜 마음으로 인사하다.
поздравлять кого-либо; приветствовать кого-либо
Приветствовать и радоваться хорошим событиям, произошедшим с кем-либо.

• -ㅂ니다 : (아주높임으로) 현재의 동작이나 상태, 사실을 정중하게 설명함을 나타내는 종결 어미.
нет эквивалента
(формально-вежливый стиль) Финитное окончание предиката, употребляемое при описании событий, действий или состояний в форме настоящего времени в ситуациях вежливого общения.

고맙+습니다.

제+가 음악+을 계속하+[는 한]

이 우승+의 감격+은 잊+[지 못하]+[ㄹ 것]+이+ㅂ니다.

잊지 못할 것입니다

• **고맙다 (имя прилагательное)** : 남이 자신을 위해 무엇을 해주어서 마음이 흐뭇하고 보답하고 싶다.
благодарный
Чувствующий признательность за оказанное ему добро, выражающий признательность.

• -습니다 : (아주높임으로) 현재의 동작이나 상태, 사실을 정중하게 설명함을 나타내는 종결 어미.
нет эквивалента
(формально-вежливый стиль) Финитное окончание предиката, употребляемое при описании события, действия или состояния в форме настоящего времени в ситуациях вежливого общения.

• **제 (местоимение)** : 말하는 사람이 자신을 낮추어 가리키는 말인 '저'에 조사 '가'가 붙을 때의 형태.
я
Форма, когда к '저' (вежливая форма '나') присоединяется падежное окончание '가'.

• 가 : 어떤 상태나 상황에 놓인 대상이나 동작의 주체를 나타내는 조사.
нет эквивалента
Окончание, указывающее на объект какой-либо ситуации, состояния или на лицо, выполняющее какое-либо действие.

• **음악 (имя существительное)** : 목소리나 악기로 박자와 가락이 있게 소리 내어 생각이나 감정을 표현하는 예술.
музыка
Искусство, воплощающееся в звуках голоса или музыкальных инструментов, исполняющих определённую мелодию под соответствующий ритм, и через которые выражаются мысли, чувства, эмоции.

• 을 : 동작이 직접적으로 영향을 미치는 대상을 나타내는 조사.
нет эквивалента
Частица, указывающая на объект, на который действие оказывает непосредственное влияние.

• **계속하다 (глагол)** : 끊지 않고 이어 나가다.
продолжать
Действовать дальше, не прерывая начатого.

• -는 한 : 앞에 오는 말이 뒤의 행위나 상태에 대해 전제나 조건이 됨을 나타내는 표현.
нет эквивалента
Выражение, указывающее на то, что что-либо является условием или предпосылкой последующего действия или состояния.

• **이 (атрибутивное слово)** : 말하는 사람에게 가까이 있거나 말하는 사람이 생각하고 있는 대상을 가리킬 때 쓰는 말.
этот; это
Слово, указывающее на что-либо, находящееся возле говорящего, или на то, о чём он думает.

• **우승 (имя существительное)** : 경기나 시합에서 상대를 모두 이겨 일 위를 차지함.
победа
Первое место, которое занимают в соревновании, игре или состязании, побив или опередив всех противников.

• 의 : 앞의 말이 뒤의 말에 대하여 속성이나 수량을 한정하거나 같은 자격임을 나타내는 조사.
нет эквивалента
Частица, указывающая на ограниченные свойства или количество или одинаковые признаки, выраженные в предыдущем слове по отношению к последующему.

• **감격 (имя существительное)** : 마음에 깊이 느끼어 매우 감동함. 또는 그 감동.
волнение; умиление
Получение глубокого впечатления. Или подобное чувство.

• 은 : 강조의 뜻을 나타내는 조사.
нет эквивалента
Частица, выражающая смысл акцентирования.

• **잊다 (глагол)** : 한번 알았던 것을 기억하지 못하거나 기억해 내지 못하다.
забывать
Не помнить что-либо, что когда-то знал или помнил.

• -지 못하다 : 앞의 말이 나타내는 행동을 할 능력이 없거나 주어의 의지대로 되지 않음을 나타내는 표현.
нет эквивалента
Выражение, указывающее на неспособность совершить какое-либо действи

• -ㄹ 것 : 명사가 아닌 것을 문장에서 명사처럼 쓰이게 하거나 '이다' 앞에 쓰일 수 있게 할 때 쓰는 표현.
нет эквивалента
Выражение, субстантивирующее предшествующее слово неименной части речи или группу слов, которое также может употребляться с глаголом-связкой '이다'.

• 이다 : 주어가 지시하는 대상의 속성이나 부류를 지정하는 뜻을 나타내는 서술격 조사.
нет эквивалента
Суффикс повествовательного падежа, выражающий смысл наименования свойства или разряда объекта, на который указывает подлежащее.

• -ㅂ니다 : (아주높임으로) 현재의 동작이나 상태, 사실을 정중하게 설명함을 나타내는 종결 어미.
нет эквивалента
(формально-вежливый стиль) Финитное окончание предиката, употребляемое при описании событий, действий или состояний в форме настоящего времени в ситуациях вежливого общения.

< 대화(разговор) > - 55

지아 씨, 영화 홍보는 어떻게 되고 있어요?
지아 씨, 영화 홍보는 어떠케 되고 이써요?
jia ssi, yeonghwa hongboneun eotteoke doego isseoyo?

길거리 홍보 활동을 벌이는 한편 관객을 초대해서 무료 시사회를 하기로 했어요.
길꺼리 홍보 활동을 버리는 한편 관개글 초대해서 무료 시사회를 하기로 해써요.
gilgeori hongbo hwaldongeul beorineun hanpyeon gwangaegeul chodaehaeseo muryo sisahoereul hagiro haesseoyo.

< 설명(объяснение) / 번역(перевод) >

지아 씨, 영화 홍보+는 어떻게 되+[고 있]+어요?

• **지아 (имя существительное)** : имя человека

• **씨 (имя существительное)** : 그 사람을 높여 부르거나 이르는 말.
господин; госпожа
Слово, приписываемое к имени или фамилии в знак уважения.

• **영화 (имя существительное)** : 일정한 의미를 갖고 움직이는 대상을 촬영하여 영사기로 영사막에 비추어서 보게 하는 종합 예술.
кино; фильм; кинофильм
Вид искусства, произведения которого создаются с помощью киносъёмки и демонстрируются путём вывода движущегося изображения на экран.

• **홍보 (имя существительное)** : 널리 알림. 또는 그 소식.
широкое оповещение (извещение); гласность; рекламирование
Широкое оповещение. А также такое известие.

• 는 : 문장 속에서 어떤 대상이 화제임을 나타내는 조사.
нет эквивалента
Частица, указывающая на то, что какой-либо объект является основной темой в предложении.

• **어떻게 (наречие)** : 어떤 방법으로. 또는 어떤 방식으로.
как
Каким способом. Или каким образом.

• **되다 (глагол)** : 일이 잘 이루어지다.
получаться
Хорошо получаться (о работе).

• -고 있다 : 앞의 말이 나타내는 행동이 계속 진행됨을 나타내는 표현.
нет эквивалента
Выражение, указывающее на длительность действия.

• -어요 : (두루높임으로) 어떤 사실을 서술하거나 질문, 명령, 권유함을 나타내는 종결 어미.
нет эквивалента
(нейтрально-вежливый стиль) Финитное окончание предиката в повествовательном, вопросительном или побудительном предложении. **<вопрос>**

길거리 홍보 활동+을 벌이+[는 한편]

관객+을 초대하+여서 무료 시사회+를 하+[기로 하]+였+어요.
초대해서 하기로 했어요

• **길거리 (имя существительное)** : 사람이나 차가 다니는 길.
улица
Дорога, по которой ездят автомобили или ходят пешеходы.

• **홍보 (имя существительное)** : 널리 알림. 또는 그 소식.
широкое оповещение (извещение); гласность; рекламирование
Широкое оповещение. А также такое известие.

• **활동 (имя существительное)** : 어떤 일에서 좋은 결과를 거두기 위해 힘씀.
действия; поступок; деятельность
Приложение сил для выполнения какой-либо задачи или с целью получения какого-либо результата.

• 을 : 동작이 직접적으로 영향을 미치는 대상을 나타내는 조사.
нет эквивалента
Частица, указывающая на объект, на который действие оказывает непосредственное влияние.

• **벌이다 (глагол)** : 일을 계획하여 시작하거나 펼치다.
начинать
Заранее запланировав что-либо, приступить к осуществлению данного плана.

• -는 한편 : 앞의 말이 나타내는 일을 하는 동시에 다른 쪽에서 또 다른 일을 함을 나타내는 표현.
в то же время
Выражение, указывающее на то, что, одновременно с выполнением какого-либо действия, с другой стороны выполняется также другое действие.

• **관객 (имя существительное)** : 운동 경기, 영화, 연극, 음악회, 무용 공연 등을 구경하는 사람.
зритель
Человек, который пришёл посмотреть спортивную игру, фильм, спектакль, концерт, танцевальное представление и т.п

• 을 : 동작이 직접적으로 영향을 미치는 대상을 나타내는 조사.
нет эквивалента
Частица, указывающая на объект, на который действие оказывает непосредственное влияние.

• **초대하다 (глагол)** : 다른 사람에게 어떤 자리, 모임, 행사 등에 와 달라고 요청하다.
приглашать
Просить кого-либо прийти куда-либо, на какое-либо собрание, мероприятие и т.п.

• -여서 : 앞의 말과 뒤의 말이 순차적으로 일어남을 나타내는 연결 어미.
нет эквивалента
Соединительное окончание предиката, указывающее на последовательность действий.

• **무료 (имя существительное)** : 요금이 없음.
бесплатный
Не требующий оплаты.

• **시사회 (имя существительное)** : 영화나 광고 등을 일반에게 보이기 전에 몇몇 사람들에게 먼저 보이고 평가를 받기 위한 모임.
предварительный просмотр; рекламный показ
Собрание для показа фильма, рекламы и т.п. нескольким людям и получения их оценки перед тем, как выпустить их на общий показ.

• 를 : 동작이 직접적으로 영향을 미치는 대상을 나타내는 조사.
нет эквивалента
Частица, указывающая на объект, на который непосредственно распространяется влияние действия.

• **하다 (глагол)** : 어떤 행동이나 동작, 활동 등을 행하다.
делать
Выполнять какое-либо действие, движение, работу и т.п.

- -기로 하다 : 앞의 말이 나타내는 행동을 할 것을 결심하거나 약속함을 나타내는 표현.

  нет эквивалента

  Выражение, указывающее на принятие решения или обещание совершить какое-либо действие.

- -였- : 어떤 사건이 과거에 완료되었거나 그 사건의 결과가 현재까지 지속되는 상황을 나타내는 어미.

  нет эквивалента

  Окончание, указывающее на полное завершение какого-либо события в прошлом и сохранения данного результата до настоящего времени.

- -어요 : (두루높임으로) 어떤 사실을 서술하거나 질문, 명령, 권유함을 나타내는 종결 어미.

  нет эквивалента

  (нейтрально-вежливый стиль) Финитное окончание предиката в повествовательном, вопросительном или побудительном предложении. **<изложение>**

< 대화(разговор) > - 56

왜 절뚝거리면서 걸어요?
왜 절뚝꺼리면서 거러요?
wae jeolttukgeorimyeonseo georeoyo?

예전에 교통사고로 다리를 다쳤는데 평소에 괜찮다가도 비만 오면 다시 아파요.
예저네 교통사고로 다리를 다쳔는데 평소에 괜찬다가도 비만 오면 다시 아파요.
yejeone gyotongsagoro darireul dacheonneunde pyeongsoe gwaenchantagado biman omyeon dasi apayo.

< 설명(объяснение) / 번역(перевод) >

왜 절뚝거리+면서 걷(걸)+어요?
걸어요

- **왜 (наречие)** : 무슨 이유로. 또는 어째서.
  почему; зачем
  По какой причине.

- **절뚝거리다 (глагол)** : 한쪽 다리가 짧거나 다쳐서 자꾸 중심을 잃고 절다.
  хромать
  Волочить одну ногу из-за повреждения или из-за того, что она короче другой.

- -면서 : 두 가지 이상의 동작이나 상태가 함께 일어남을 나타내는 연결 어미.
  нет эквивалента
  Соединительное окончание предиката, указывающее на одновременность двух или более действий или состояний.

- **걷다 (глагол)** : 바닥에서 발을 번갈아 떼어 옮기면서 움직여 위치를 옮기다.
  идти пешком; шагать
  Двигаться и переходить в другое место, по очереди передвигая ноги по полу.

- -어요 : (두루높임으로) 어떤 사실을 서술하거나 질문, 명령, 권유함을 나타내는 종결 어미.
  нет эквивалента
  (нейтрально-вежливый стиль) Финитное окончание предиката в повествовательном, вопросительном или побудительном предложении. **<вопрос>**

예전+에 교통사고+로 다리+를 다치+었+는데
다쳤는데

평소+에 괜찮+다가도 비+만 오+면 다시 아프(아ㅍ)+아요.
아파요

• **예전 (имя существительное)** : 꽤 시간이 흐른 지난날.
далёкое прошлое
Минувшие дни, после которых прошёл довольно большой промежуток времени.

• 에 : 앞말이 시간이나 때임을 나타내는 조사.
нет эквивалента
Окончание, указывающее на время или период времени.

• **교통사고 (имя существительное)** : 자동차나 기차 등이 다른 교통 기관과 부딪치거나 사람을 치는 사고.
автомобильная авария; дорожно-транспортное происшествие
Авария, происходящая в результате столкновения автомашин, поездов и т.п. с другими видами транспорта или пешеходами.

• 로 : 어떤 일의 원인이나 이유를 나타내는 조사.
нет эквивалента
Частица, указывающая на причину или мотив какого-либо дела.

• **다리 (имя существительное)** : 사람이나 동물의 몸통 아래에 붙어, 서고 걷고 뛰는 일을 하는 신체 부위.
нога
Нижняя конечность тела человека или животного, позволяющая стоять, ходить или бегать.

• 를 : 동작이 직접적으로 영향을 미치는 대상을 나타내는 조사.
нет эквивалента
Частица, указывающая на объект, на который непосредственно распространяется влияние действия.

• **다치다 (глагол)** : 부딪치거나 맞거나 하여 몸이나 몸의 일부에 상처가 생기다. 또는 상처가 생기게 하다.
ранить, портить(ся)
Удариться или быть побитым и получить рану на теле или части тела. А так же нанести рану.

• -었- : 사건이 과거에 일어났음을 나타내는 어미.
нет эквивалента
Окончание прошедшего времени.

• -는데 : 뒤의 말을 하기 위하여 그 대상과 관련이 있는 상황을 미리 말함을 나타내는 연결 어미.
нет эквивалента
Соединительное окончание, вводящее некую предварительную информацию об объекте, о котором говорится в последующей части предложения.

• **평소 (имя существительное)** : 특별한 일이 없는 보통 때.
обычное время; повседневное время
Обычное время, в котором не происходит особых событий.

• 에 : 앞말이 시간이나 때임을 나타내는 조사.
нет эквивалента
Окончание, указывающее на время или период времени.

• **괜찮다 (имя прилагательное)** : 별 문제가 없다.
нормальный; сносный; благополучный; хороший; удовлетворительный; приемлемый
Не имеющий особых проблем.

• -다가도 : 앞의 말이 나타내는 행위나 상태가 다른 행위나 상태로 쉽게 바뀜을 나타내는 표현.
нет эквивалента
Выражение, указывающее на беспрепятственную смену одного действия или состояния другим.

• **비 (имя существительное)** : 높은 곳에서 구름을 이루고 있던 수증기가 식어서 뭉쳐 떨어지는 물방울.
дождь
Атмосферные осадки, выпадающие из облаков в виде капель воды.

• 만 : 앞의 말이 어떤 것에 대한 조건임을 나타내는 조사.
только; всего лишь
Частица, указывающая на какие-либо условия касательно предыдущих слов.

• **오다 (глагол)** : 비, 눈 등이 내리거나 추위 등이 닥치다.
нет эквивалента
Идти (о дожде, снеге и т. п.) или наступать (о холодах).

• -면 : 뒤에 오는 말에 대한 근거나 조건이 됨을 나타내는 연결 어미.
нет эквивалента
Соединительное окончание предиката, присоединяющее придаточное условия, указывающее на то, что является обоснованием или условием того, о чем говорится во второй части предложения.

• **다시 (наречие)** : 같은 말이나 행동을 반복해서 또.
ещё; опять
Снова повторяя одни и те же слова или действия.

• **아프다 (имя прилагательное)** : 다치거나 병이 생겨 통증이나 괴로움을 느끼다.
болеть
Чувствовать боль или мучение в результате полученной травмы или заболевания.

• -아요 : (두루높임으로) 어떤 사실을 서술하거나 질문, 명령, 권유함을 나타내는 종결 어미.
нет эквивалента
(нейтрально-вежливый стиль) Финитное окончание предиката в повествовательном, вопросительном или побудительном предложении. **<изложение>**

< 대화(разговор) > - 57

한국어를 잘하게 된 방법이 뭐니?
한구거를 잘하게 된 방버비 뭐니?
hangugeoreul jalhage doen bangbeobi mwoni?

한국 음악을 좋아해서 많이 듣다 보니까 한국어를 잘하게 됐어.
한국 으마글 조아해서 마니 듣따 보니까 한구거를 잘하게 돼써.
hanguk eumageul joahaeseo mani deutda bonikka hangugeoreul jalhage dwaesseo.

< 설명(объяснение) / 번역(перевод) >

한국어+를 잘하+[게 되]+ㄴ 방법+이 뭐+(이)+니?
잘하게 된　　　　뭐니

• **한국어 (имя существительное)** : 한국에서 사용하는 말.
корейский язык
Язык, который используют в Республике Корея.

• 를 : 동작이 직접적으로 영향을 미치는 대상을 나타내는 조사.
нет эквивалента
Частица, указывающая на объект, на который непосредственно распространяется влияние действия.

• **잘하다 (глагол)** : 익숙하고 솜씨가 있게 하다.
хорошо делать; быть умелым; быть искусным; быть способным
Выполнять что-либо с умением или иметь талант к чему-либо.

• -게 되다 : 앞의 말이 나타내는 상태나 상황이 됨을 나타내는 표현.
нет эквивалента
Выражение, указывающее на возникновение некой ситуации или достижение какого-либо состояния.

• -ㄴ : 앞의 말이 관형어의 기능을 하게 만들고 사건이나 동작이 완료되어 그 상태가 유지되고 있음을 나타내는 어미.
нет эквивалента
Окончание, которое указывает на завершенное постоянное действие или событие, преобразуя впередистоящее слово, словосочетание или придаточное предложение в определение.

• **방법 (имя существительное)** : 어떤 일을 해 나가기 위한 수단이나 방식.
способ
Метод или средство выполнения какой-либо работы.

• 이 : 어떤 상태나 상황의 대상이나 동작의 주체를 나타내는 조사.
нет эквивалента
Частица, показывающая какое-либо состояние, объект ситуации или субъект действия.

• **뭐 (местоимение)** : 모르는 사실이나 사물을 가리키는 말.
что
Используется для указания на неизвестный предмет или факт.

• 이다 : 주어가 지시하는 대상의 속성이나 부류를 지정하는 뜻을 나타내는 서술격 조사.
нет эквивалента
Суффикс повествовательного падежа, выражающий смысл наименования свойства или разряда объекта, на который указывает подлежащее.

• -니 : (아주낮춤으로) 물음을 나타내는 종결 어미.
нет эквивалента
(простой стиль) Финитное окончание предиката, указывающее на вопрос.

한국 음악+을 좋아하+여서 많이 듣+[다(가) 보]+니까
좋아해서 **듣다 보니까**

한국어+를 잘하+[게 되]+었+어.
잘하게 됐어

• **한국 (имя существительное)** : 아시아 대륙의 동쪽에 있는 나라. 한반도와 그 부속 섬들로 이루어져 있으며, 대한민국이라고도 부른다. 1950년에 일어난 육이오 전쟁 이후 휴전선을 사이에 두고 국토가 둘로 나뉘었다. 언어는 한국어이고, 수도는 서울이다.
Корея
Государство, расположенное в восточной части Азии, состоящее из полуострова и прилегающих островов. Официальное название - Республика Корея. В результате войны Корейской войны, начавшейся в 1950 году, территория полуострова разделена на две части, северную и южную. Официальный язык- корейский, столица- город Сеул.

• **음악 (имя существительное)** : 목소리나 악기로 박자와 가락이 있게 소리 내어 생각이나 감정을 표현하는 예술.

музыка

Искусство, воплощающееся в звуках голоса или музыкальных инструментов, исполняющих определённую мелодию под соответствующий ритм, и через которые выражаются мысли, чувства, эмоции.

• 을 : 동작이 직접적으로 영향을 미치는 대상을 나타내는 조사.

нет эквивалента

Частица, указывающая на объект, на который действие оказывает непосредственное влияние.

• **좋아하다 (глагол)** : 무엇에 대하여 좋은 느낌을 가지다.

любить; нравиться

Испытывать положительные чувства к кому-, чему-либо.

• -여서 : 이유나 근거를 나타내는 연결 어미.

нет эквивалента

Соединительное окончание предиката, указывающее на причину или обоснование чего-либо.

• **많이 (наречие)** : 수나 양, 정도 등이 일정한 기준보다 넘게.

много

Превышая определённую норму (о числе, количестве, степени и т.п.).

• **듣다 (глагол)** : 귀로 소리를 알아차리다.

слышать; слушать

Распознавать звуки ушами.

• -다가 보다 : 앞에 오는 말이 나타내는 행동을 하는 과정에서 뒤에 오는 말이 나타내는 사실을 새로 깨닫게 됨을 나타내는 표현.

нет эквивалента

Выражение, указывающее на обнаружение или осознание факта, представленного во второй части предложения, в процессе совершения действия, описанного в первой части предложения.

• -니까 : 뒤에 오는 말에 대하여 앞에 오는 말이 원인이나 근거, 전제가 됨을 강조하여 나타내는 연결 어미.

нет эквивалента

Соединительное окончание, указывающее на то, что содержание первой части предложения является причиной, обоснованием, предпосылкой того, о чём говорится во второй части предложения.

• **한국어 (имя существительное)** : 한국에서 사용하는 말.
корейский язык
Язык, который используют в Республике Корея.

• 를 : 동작이 직접적으로 영향을 미치는 대상을 나타내는 조사.
нет эквивалента
Частица, указывающая на объект, на который непосредственно распространяется влияние действия.

• **잘하다 (глагол)** : 익숙하고 솜씨가 있게 하다.
хорошо делать; быть умелым; быть искусным; быть способным
Выполнять что-либо с умением или иметь талант к чему-либо.

• -게 되다 : 앞의 말이 나타내는 상태나 상황이 됨을 나타내는 표현.
нет эквивалента
Выражение, указывающее на возникновение некой ситуации или достижение какого-либо состояния.

• -었- : 어떤 사건이 과거에 완료되었거나 그 사건의 결과가 현재까지 지속되는 상황을 나타내는 어미.
нет эквивалента
Окончание, указывающее на полное завершение какого-либо события в прошлом и сохранения данного результата до настоящего времени.

• -어 : (두루낮춤으로) 어떤 사실을 서술하거나 물음, 명령, 권유를 나타내는 종결 어미.
нет эквивалента
(нейтральный стиль) Финитное окончание предиката в повествовательном, вопросительном или побудительном предложении. **<изложение>**

< 대화(разговор) > - 58

너 이 영화 봤어?
너 이 영화 봐써?
neo i yeonghwa bwasseo?

나는 못 보고 우리 형이 봤는데 내용이 엄청 슬프다고 그러더라.
나는 몯 보고 우리 형이 봔는데 내용이 엄청 슬프다고 그러더라.
naneun mot bogo uri hyeongi bwanneunde naeyongi eomcheong seulpeudago geureodeora.

< 설명(объяснение) / 번역(перевод) >

너 이 영화 보+았+어?
봤어

• **너 (местоимение)** : 듣는 사람이 친구나 아랫사람일 때, 그 사람을 가리키는 말.
ты
Употребляется при указании на собеседника, если он является ровесником или человеком, младшим по возрасту или статусу.

• **이 (атрибутивное слово)** : 말하는 사람에게 가까이 있거나 말하는 사람이 생각하고 있는 대상을 가리킬 때 쓰는 말.
этот; это
Слово, указывающее на что-либо, находящееся возле говорящего, или на то, о чём он думает.

• **영화 (имя существительное)** : 일정한 의미를 갖고 움직이는 대상을 촬영하여 영사기로 영사막에 비추어서 보게 하는 종합 예술.
кино; фильм; кинофильм
Вид искусства, произведения которого создаются с помощью киносъёмки и демонстрируются путём вывода движущегося изображения на экран.

• **보다 (глагол)** : 눈으로 대상을 즐기거나 감상하다.
смотреть; рассматривать
Любоваться или просматривать объект глазами.

• -았- : 어떤 사건이 과거에 완료되었거나 그 사건의 결과가 현재까지 지속되는 상황을 나타내는 어미.
нет эквивалента
Окончание, указывающее на полное завершение какого-либо события в прошлом и сохранения данного результата до настоящего времени.

• -어 : (두루낮춤으로) 어떤 사실을 서술하거나 물음, 명령, 권유를 나타내는 종결 어미.
нет эквивалента
(нейтральный стиль) Финитное окончание предиката в повествовательном, вопросительном или побудительном предложении. **<вопрос>**

나+는 못 보+고 우리 형+이 보+았+는데 내용+이 엄청 슬프+다고 그러+더라.
봤는데

• **나 (местоимение)** : 말하는 사람이 친구나 아랫사람에게 자기를 가리키는 말.
я
Выражение, которым называют себя в разговоре с ровесниками или младшими людьми.

• 는 : 어떤 대상이 다른 것과 대조됨을 나타내는 조사.
нет эквивалента
Частица, указывающая на то, что какой-либо объект сравнивают с другим.

• **못 (наречие)** : 동사가 나타내는 동작을 할 수 없게.
не [мочь]
Без возможности совершать какое-либо действие, выраженное глаголом.

• **보다 (глагол)** : 눈으로 대상을 즐기거나 감상하다.
смотреть; рассматривать
Любоваться или просматривать объект глазами.

• -고 : 두 가지 이상의 대등한 사실을 나열할 때 쓰는 연결 어미.
нет эквивалента
Соединительное окончание предиката, используемое при перечислении двух и более равноправных фактов.

• **우리 (местоимение)** : 말하는 사람이 자기보다 높지 않은 사람에게 자기와 관련된 것을 친근하게 나타낼 때 쓰는 말.
мы; наш
Слово, используемое для выражения близости в чём-либо, связанном с говорящим и его собеседником, если он не намного старше или выше по социальному статусу.

• **형 (имя существительное)** : 남자가 형제나 친척 형제들 중에서 자기보다 나이가 많은 남자를 이르거나 부르는 말.
старший брат
Слово, указывающее или называющее родного или состоящего в родственных отношениях брата, старшего по возрасту.

• 이 : 어떤 상태나 상황의 대상이나 동작의 주체를 나타내는 조사.
нет эквивалента
Частица, показывающая какое-либо состояние, объект ситуации или субъект действия.

• **보다 (глагол)** : 눈으로 대상을 즐기거나 감상하다.
смотреть; рассматривать
Любоваться или просматривать объект глазами.

• -았- : 어떤 사건이 과거에 완료되었거나 그 사건의 결과가 현재까지 지속되는 상황을 나타내는 어미.
нет эквивалента
Окончание, указывающее на полное завершение какого-либо события в прошлом и сохранения данного результата до настоящего времени.

• -는데 : 뒤의 말을 하기 위하여 그 대상과 관련이 있는 상황을 미리 말함을 나타내는 연결 어미.
нет эквивалента
Соединительное окончание, вводящее некую предварительную информацию об объекте, о котором говорится в последующей части предложения.

• **내용 (имя существительное)** : 말, 글, 그림, 영화 등의 줄거리. 또는 그것들로 전하고자 하는 것.
содержание
Короткая версия разговора, текста, фильма и т.п., а так же что-либо, что этим хотят сказать.

• 이 : 어떤 상태나 상황의 대상이나 동작의 주체를 나타내는 조사.
нет эквивалента
Частица, показывающая какое-либо состояние, объект ситуации или субъект действия.

• **엄청 (наречие)** : 양이나 정도가 아주 지나치게.
очень; громадно; невообразимо; огромно; непомерно; чересчур; слишком
Чрезмерно (о количестве или степени).

• **슬프다 (имя прилагательное)** : 눈물이 날 만큼 마음이 아프고 괴롭다.
печальный; грустный; скорбный; горестный
До слёз полный грусти, вызывающий грустное настроение.

• -다고 : 다른 사람에게서 들은 내용을 간접적으로 전달하거나 주어의 생각, 의견 등을 나타내는 표현.
нет эквивалента
Выражение, употребляемое для оформления косвенной речи при передачи чужих слов или мыслей.

• **그러다 (глагол)** : 그렇게 말하다.

нет эквивалента

Сказать таким образом.

• -더라 : (아주낮춤으로) 말하는 이가 직접 경험하여 새롭게 알게 된 사실을 지금 전달함을 나타내는 종결 어미.

нет эквивалента

(простой стиль) Финитное окончание, употребляемое при сообщении о фактах или событиях в прошлом, лично увиденных или испытанных говорящим.

< 대화(разговор) > - 59

뭘 만들기에 이렇게 냄새가 좋아요?
뭘 만들기에 이러케 냄새가 조아요?
mwol mandeulgie ireoke naemsaega joayo?

지우가 입맛이 없다길래 이것저것 만드는 중이에요.
지우가 임마시 업따길래 이걷쩌걷 만드는 중이에요.
jiuga immasi eopdagillae igeotjeogeot mandeuneun jungieyo.

< 설명(объяснение) / 번역(перевод) >

뭐+를 만들+기에 이렇+게 냄새+가 좋+아요?
뭘

• **뭐 (местоимение)** : 모르는 사실이나 사물을 가리키는 말.
что
Используется для указания на неизвестный предмет или факт.

• 를 : 동작이 직접적으로 영향을 미치는 대상을 나타내는 조사.
нет эквивалента
Частица, указывающая на объект, на который непосредственно распространяется влияние действия.

• **만들다 (глагол)** : 힘과 기술을 써서 없던 것을 생기게 하다.
создавать; формировать
Делать что-либо несуществовавшее до сих пор, используя силу и технологии.

• -기에 : 뒤에 오는 말의 원인이나 근거를 나타내는 연결 어미.
нет эквивалента
Соединительное окончание предиката, указывающее на причину или основание действия, описанного во второй части предложения.

• **이렇다 (имя прилагательное)** : 상태, 모양, 성질 등이 이와 같다.
такой
Подобный; следующий (о состоянии, виде, качестве и т.п.).

• -게 : 앞의 말이 뒤에서 가리키는 일의 목적이나 결과, 방식, 정도 등이 됨을 나타내는 연결 어미.
нет эквивалента
Соединительное окончание предиката, указывающее на то, описанное в первой части предложения действие или состояние является целью, результатом, образом действия, степенью и т.п. того, о чём говорится в последующей главной части предложения.

• **냄새 (имя существительное)** : 코로 맡을 수 있는 기운.
запах
Ощущение, которое можно почувствовать носом.

• 가 : 어떤 상태나 상황에 놓인 대상이나 동작의 주체를 나타내는 조사.
нет эквивалента
Окончание, указывающее на объект какой-либо ситуации, состояния или на лицо, выполняющее какое-либо действие.

• **좋다 (имя прилагательное)** : 어떤 일이나 대상이 마음에 들고 만족스럽다.
нет эквивалента
Приходящийся по душе, удовлетворительный (о каком-либо деле или объекте).

• -아요 : (두루높임으로) 어떤 사실을 서술하거나 질문, 명령, 권유함을 나타내는 종결 어미.
нет эквивалента
(нейтрально-вежливый стиль) Финитное окончание предиката в повествовательном, вопросительном или побудительном предложении. **<вопрос>**

지우+가 입맛+이 없+다길래 이것저것 만들(만드)+[는 중이]+에요.

만드는 중이에요

• **지우 (имя существительное)** : имя человека

• 가 : 어떤 상태나 상황에 놓인 대상이나 동작의 주체를 나타내는 조사.
нет эквивалента
Окончание, указывающее на объект какой-либо ситуации, состояния или на лицо, выполняющее какое-либо действие.

• **입맛 (имя существительное)** : 음식을 먹을 때 입에서 느끼는 맛. 또는 음식을 먹고 싶은 욕구.
аппетит; вкус
Желание есть или ощущение, возникающее в процессе приема пищи.

• 이 : 어떤 상태나 상황의 대상이나 동작의 주체를 나타내는 조사.
нет эквивалента
Частица, показывающая какое-либо состояние, объект ситуации или субъект действия.

- **없다 (имя прилагательное)** : 어떤 사실이나 현상이 현실로 존재하지 않는 상태이다.
  не быть
  Состояние несуществования какого-либо факта или явления в действительности.

- -다길래 : 뒤 내용의 이유나 근거로 다른 사람에게 들은 사실을 말할 때 쓰는 표현.
  нет эквивалента
  Выражение, используемое для указание на то, что говорящий узнал о каком-то факте от другого лица, и это послужило причиной или обоснованием некого действия, описанного в последующей части предложения.

- **이것저것 (имя существительное)** : 분명하게 정해지지 않은 여러 가지 사물이나 일.
  то и это; то и сё; всё
  Несколько неясных, неопределённых предметов, вопросов и т.п.

- **만들다 (глагол)** : 힘과 기술을 써서 없던 것을 생기게 하다.
  создавать; формировать
  Делать что-либо несуществовавшее до сих пор, используя силу и технологии.

- -는 중이다 : 어떤 일이 진행되고 있음을 나타내는 표현.
  нет эквивалента
  Выражение, обозначающее процесс совершения какого-либо действия.

- -에요 : (두루높임으로) 어떤 사실을 서술하거나 질문함을 나타내는 종결 어미.
  нет эквивалента
  (нейтрально-вежливый стиль) Финитное окончание предиката в повествовательном или вопросительном предложении. **<изложение>**

< 대화(разговор) > - 60

설명서를 아무리 봐도 무슨 말인지 잘 모르겠죠?
설명서를 아무리 봐도 무슨 마린지 잘 모르겓쬬?
seolmyeongseoreul amuri bwado museun marinji jal moreugetjyo?

그래도 자꾸 읽다 보니 조금씩 이해가 되던걸요.
그래도 자꾸 익따 보니 조금씩 이해가 되던거료.
geuraedo jakku ikda boni jogeumssik ihaega doedeongeoryo.

< 설명(объяснение) / 번역(перевод) >

설명서+를 아무리 보+아도 무슨 말+이+ㄴ지 잘 모르+겠+죠?
봐도 **말인지**

• **설명서 (имя существительное)** : 일이나 사물의 내용, 이유, 사용법 등을 설명한 글.
инструкция; пояснительная записка
Письменное объяснение содержания, назначения, способа применения чего-либо.

• 를 : 동작이 직접적으로 영향을 미치는 대상을 나타내는 조사.
нет эквивалента
Частица, указывающая на объект, на который непосредственно распространяется влияние действия.

• **아무리 (наречие)** : 비록 그렇다 하더라도.
как бы ни; даже если
Даже если предположить.

• **보다 (глагол)** : 책이나 신문, 지도 등의 글자나 그림, 기호 등을 읽고 내용을 이해하다.
читать; просматривать; рассматривать
Читать и понимать буквы, картины, знаки и т.п. содержание книг, газет, карт и т.п.

• -아도 : 앞에 오는 말을 가정하거나 인정하지만 뒤에 오는 말에는 관계가 없거나 영향을 끼치지 않음을 나타내는 연결 어미.
нет эквивалента
Соединительное окончание со значением уступки, указывающее на то, что некий факт или обстоятельство, признание, допущение или предположение которого содержится в первой части предложения, не влияет или не имеет отношения к тому, о чём говорится во второй части.

• **무슨 (атрибутивное слово)** : 확실하지 않거나 잘 모르는 일, 대상, 물건 등을 물을 때 쓰는 말.
какой; который
Слово, используемое при вопросе относительно каких-либо неопределённых или неизвестных дел, объектов, предметов.

• **말 (имя существительное)** : 단어나 구나 문장.
выражение
Слово, фраза или предложение.

• 이다 : 주어가 지시하는 대상의 속성이나 부류를 지정하는 뜻을 나타내는 서술격 조사.
нет эквивалента
Суффикс повествовательного падежа, выражающий смысл наименования свойства или разряда объекта, на который указывает подлежащее.

• -ㄴ지 : 뒤에 오는 말의 내용에 대한 막연한 이유나 판단을 나타내는 연결 어미.
нет эквивалента
Соединительное предикативное окончание, указывающее на неопределённую причину или оценку говорящим того, о чём говорится во второй части предложения.

• **잘 (наречие)** : 분명하고 정확하게.
нет эквивалента
Ясно и точно.

• **모르다 (глагол)** : 사람이나 사물, 사실 등을 알지 못하거나 이해하지 못하다.
не знать; не понимать
Не знать или не понимать людей, предметы, факты и т.п.

• -겠- : 미래의 일이나 추측을 나타내는 어미.
нет эквивалента
Суффикс, указывающий на предположение, на действие или состояние в будущем.

• -죠 : (두루높임으로) 말하는 사람이 듣는 사람에게 친근함을 나타내며 물을 때 쓰는 종결 어미.
нет эквивалента
(нейтрально-вежливый стиль) Финитное окончание предиката, показывающее доверительный тон в разговоре между говорящим и слушающим.

그렇+어도 자꾸 읽+[다(가) 보]+니 조금씩 이해+가 되+던걸요.
그래도 읽다 보니

• **그렇다 (имя прилагательное)** : 상태, 모양, 성질 등이 그와 같다.
такой
Имеющий подобное состояние, вид, свойства и т.п.

• -어도 : 앞에 오는 말을 가정하거나 인정하지만 뒤에 오는 말에는 관계가 없거나 영향을 끼치지 않음을 나타내는 연결 어미.

нет эквивалента

Соединительное окончание со значением уступки, указывающее на то, что некий факт или обстоятельство, признание, допущение или предположение которого содержится в первой части предложения, не влияет или не имеет отношения к тому, о чём говорится во второй части.

• **자꾸 (наречие)** : 여러 번 계속하여.

всё время

Непрерывно несколько раз.

• **읽다 (глагол)** : 글을 보고 뜻을 알다.

читать

Воспринимать письменную речь по её значению.

• -다가 보다 : 앞에 오는 말이 나타내는 행동을 하는 과정에서 뒤에 오는 말이 나타내는 사실을 새로 깨닫게 됨을 나타내는 표현.

нет эквивалента

Выражение, указывающее на обнаружение или осознание факта, представленного во второй части предложения, в процессе совершения действия, описанного в первой части предложения.

• -니 : 뒤에 오는 말에 대하여 앞에 오는 말이 원인이나 근거, 전제가 됨을 나타내는 연결 어미.

нет эквивалента

Соединительное окончание, указывающее на то, что содержание первой части предложения является причиной, обоснованием, предпосылкой того, о чём говорится во второй части предложения.

• **조금씩 (наречие)** : 적은 정도로 계속해서.

понемногу

В небольшом количестве.

• **이해 (имя существительное)** : 무엇이 어떤 것인지를 앎. 또는 무엇이 어떤 것이라고 받아들임.

понимание

Знание, что есть что-либо. Принимать что-либо за то, что оно есть.

• 가 : 어떤 상태나 상황에 놓인 대상이나 동작의 주체를 나타내는 조사.

нет эквивалента

Окончание, указывающее на объект какой-либо ситуации, состояния или на лицо, выполняющее какое-либо действие.

• **되다 (глагол)** : 어떠한 심리적인 상태에 있다.

быть

Быть в каком-либо психологическом состоянии.

• -던걸요 : (두루높임으로) 과거의 사실에 대한 자기 생각이나 주장을 설명하듯 말하거나 그 근거를 댈 때 쓰는 표현.

нет эквивалента

(нейтрально-вежливый стиль) Выражение, употребляемое для выражения говорящим своих мыслей и чувств или обоснования своего мнения о каком-либо событии или факте в прошлом.

< 대화(разговор) > - 61

저는 이번에 개봉한 영화가 재미있던데요.
저는 이버네 개봉한 영화가 재미읻떤데요.
jeoneun ibeone gaebonghan yeonghwaga jaemiitdeondeyo.

그래도 원작이 더 재미있지 않나요?
그래도 원자기 더 재미읻찌 안나요?
geuraedo wonjagi deo jaemiitji annayo?

< 설명(объяснение) / 번역(перевод) >

저+는 이번+에 개봉하+ㄴ 영화+가 재미있+던데요.
개봉한

- **저 (местоимение)** : 말하는 사람이 듣는 사람에게 자신을 낮추어 가리키는 말.
  я
  Употребляется для обозначения говорящим самого себя, принижая себя перед слушающим.

- 는 : 문장 속에서 어떤 대상이 화제임을 나타내는 조사.
  нет эквивалента
  Частица, указывающая на то, что какой-либо объект является основной темой в предложении.

- **이번 (имя существительное)** : 곧 돌아올 차례. 또는 막 지나간 차례.
  этот (раз)
  Порядок, который скоро настанет или только что миновал.

- 에 : 앞말이 시간이나 때임을 나타내는 조사.
  нет эквивалента
  Окончание, указывающее на время или период времени.

- **개봉하다 (глагол)** : 새 영화를 처음으로 상영하다.
  показывать премьеру
  Впервые показывать новый фильм.

• -ㄴ : 앞의 말이 관형어의 기능을 하게 만들고 사건이나 동작이 완료되어 그 상태가 유지되고 있음을 나타내는 어미.

нет эквивалента

Окончание, которое указывает на завершенное постоянное действие или событие, преобразуя впередистоящее слово, словосочетание или придаточное предложение в определение.

• **영화 (имя существительное)** : 일정한 의미를 갖고 움직이는 대상을 촬영하여 영사기로 영사막에 비추어서 보게 하는 종합 예술.

кино; фильм; кинофильм

Вид искусства, произведения которого создаются с помощью киносъёмки и демонстрируются путём вывода движущегося изображения на экран.

• 가 : 어떤 상태나 상황에 놓인 대상이나 동작의 주체를 나타내는 조사.

нет эквивалента

Окончание, указывающее на объект какой-либо ситуации, состояния или на лицо, выполняющее какое-либо действие.

• **재미있다 (имя прилагательное)** : 즐겁고 유쾌한 느낌이 있다.

интересный; увлекательный; нескучный; ненудный; радостный

Представляющий или возбуждающий интерес.

• -던데요 : (두루높임으로) 과거에 직접 경험한 사실을 전달하여 듣는 사람의 반응을 기대함을 나타내는 표현.

нет эквивалента

(нейтрально-вежливый стиль) Выражение, употребляемое при сообщении чего-либо слушающему в ожидании реакции или отклика от него.

그렇+어도 원작+이 더 재미있+[지 않]+나요?
그래도

• **그렇다 (имя прилагательное)** : 상태, 모양, 성질 등이 그와 같다.

такой

Имеющий подобное состояние, вид, свойства и т.п.

• -어도 : 앞에 오는 말을 가정하거나 인정하지만 뒤에 오는 말에는 관계가 없거나 영향을 끼치지 않음을 나타내는 연결 어미.

нет эквивалента

Соединительное окончание со значением уступки, указывающее на то, что некий факт или обстоятельство, признание, допущение или предположение которого содержится в первой части предложения, не влияет или не имеет отношения к тому, о чём говорится во второй части.

• **원작 (имя существительное)** : 연극이나 영화의 대본으로 만들거나 다른 나라 말로 고치기 전의 원래 작품.

оригинал; оригинальное произведение

Произведение до перевода его на иностранный язык; или преобразования его в сценарий пьесы или фильма.

• 이 : 어떤 상태나 상황의 대상이나 동작의 주체를 나타내는 조사.

нет эквивалента

Частица, показывающая какое-либо состояние, объект ситуации или субъект действия.

• **더 (наречие)** : 비교의 대상이나 어떤 기준보다 정도가 크게, 그 이상으로.

более; больше

В большей степени, чем определённый уровень или сравниваемый объект.

• **재미있다 (имя прилагательное)** : 즐겁고 유쾌한 느낌이 있다.

интересный; увлекательный; нескучный; ненудный; радостный

Представляющий или возбуждающий интерес.

• -지 않다 : 앞의 말이 나타내는 행위나 상태를 부정하는 뜻을 나타내는 표현.

нет эквивалента

Выражение, обозначающее отрицание какого-либо действия или состояния.

• -나요 : (두루높임으로) 앞의 내용에 대해 상대방에게 물어볼 때 쓰는 표현.

нет эквивалента

(нейтрально-вежливый стиль) Выражение, употребляемое при обращении с вопросом к собеседнику.

< 대화(разговор) > - 62

이 집 강아지가 밤마다 너무 짖어서 저희가 잠을 잘 못 자요.
이 집 강아지가 밤마다 너무 지저서 저히가 자믈 잘 몯 자요.
i jip gangajiga bammada neomu jijeoseo jeohiga jameul jal mot jayo.

정말 죄송합니다. 못 짖도록 하는데도 그게 쉽지가 않네요.
정말 죄송함니다. 몯 짇또록 하는데도 그게 쉽찌가 안네요.
jeongmal joesonghamnida. mot jitdorok haneundedo geuge swipjiga anneyo.

< 설명(объяснение) / 번역(перевод) >

이 집 강아지+가 밤+마다 너무 짖+어서 저희+가 잠+을 잘 못 자+(아)요.
자요

• **이 (атрибутивное слово)** : 말하는 사람에게 가까이 있거나 말하는 사람이 생각하고 있는 대상을 가리킬 때 쓰는 말.
этот; это
Слово, указывающее на что-либо, находящееся возле говорящего, или на то, о чём он думает.

• **집 (имя существительное)** : 사람이나 동물이 추위나 더위 등을 막고 그 속에 들어 살기 위해 지은 건물.
дом; жилище
Помещение, защищающее от холода и жары, в котором можно проживать человеку или животному.

• **강아지 (имя существительное)** : 개의 새끼.
щенок
Детёныш собаки.

• 가 : 어떤 상태나 상황에 놓인 대상이나 동작의 주체를 나타내는 조사.
нет эквивалента
Окончание, указывающее на объект какой-либо ситуации, состояния или на лицо, выполняющее какое-либо действие.

• **밤 (имя существительное)** : 해가 진 후부터 다음 날 해가 뜨기 전까지의 어두운 동안.
ночь
Тёмное время суток от захода до восхода солнца.

• 마다 : 하나하나 빠짐없이 모두의 뜻을 나타내는 조사.
каждый
Окончание, указывающее на каждого без исключения.

• **너무 (наречие)** : 일정한 정도나 한계를 훨씬 넘어선 상태로.
очень; чересчур
Состояние чрезмерного превышения определенного уровня или рубежа.

• **짖다 (глагол)** : 개가 크게 소리를 내다.
лаять
Громко издавать лай (о собаке).

• -어서 : 이유나 근거를 나타내는 연결 어미.
нет эквивалента
Соединительное окончание предиката, указывающее на причину или обоснование чего-либо.

• **저희 (местоимение)** : 말하는 사람이 자기보다 높은 사람에게 자기를 포함한 여러 사람들을 가리키는 말.
я; мы
Выражение, употребляемое при указании нескольких людей, включая себя, в присутствии людей, старших или вышестоящих по отношению к говорящему.

• 가 : 어떤 상태나 상황에 놓인 대상이나 동작의 주체를 나타내는 조사.
нет эквивалента
Окончание, указывающее на объект какой-либо ситуации, состояния или на лицо, выполняющее какое-либо действие.

• **잠 (имя существительное)** : 눈을 감고 몸과 정신의 활동을 멈추고 한동안 쉬는 상태.
сон
Состояние отдыха на протяжении некоторого времени с закрытыми глазами и остановкой всякого движения.

• 을 : 서술어의 명사형 목적어임을 나타내는 조사.
нет эквивалента
Частица, указывающая на дополнение излагательного характера к сказуемому.

• **잘 (наречие)** : 충분히 만족스럽게.
нет эквивалента
Достаточно, довольно.

• **못 (наречие)** : 동사가 나타내는 동작을 할 수 없게.
не [мочь]
Без возможности совершать какое-либо действие, выраженное глаголом.

• **자다 (глагол)** : 눈을 감고 몸과 정신의 활동을 멈추고 한동안 쉬는 상태가 되다.
спать
Находиться в состоянии отдыха в течение некоторого времени с закрытыми глазами и остановкой деятельности тела и разума.

• -아요 : (두루높임으로) 어떤 사실을 서술하거나 질문, 명령, 권유함을 나타내는 종결 어미.
нет эквивалента
(нейтрально-вежливый стиль) Финитное окончание предиката в повествовательном, вопросительном или побудительном предложении. **<изложение>**

정말 죄송하+ㅂ니다.
죄송합니다

못 짖+[도록 하]+는데도 그것(그거)+이 쉽+[지+가 않]+네요.
그게

• **정말 (наречие)** : 거짓이 없이 진짜로.
действительно; вправду; честно
Правда, без лжи.

• **죄송하다 (имя прилагательное)** : 죄를 지은 것처럼 몹시 미안하다.
извиняться
Приносить кому-либо извинения за совершённый проступок.

• -ㅂ니다 : (아주높임으로) 현재의 동작이나 상태, 사실을 정중하게 설명함을 나타내는 종결 어미.
нет эквивалента
(формально-вежливый стиль) Финитное окончание предиката, употребляемое при описании событий, действий или состояний в форме настоящего времени в ситуациях вежливого общения.

• **못 (наречие)** : 동사가 나타내는 동작을 할 수 없게.
не [мочь]
Без возможности совершать какое-либо действие, выраженное глаголом.

• **짖다 (глагол)** : 개가 크게 소리를 내다.
лаять
Громко издавать лай (о собаке).

• -도록 하다 : 남에게 어떤 행동을 하도록 시키거나 물건이 어떤 작동을 하게 만듦을 나타내는 표현.
нет эквивалента
Выражение, указывающее на принуждение и побуждение кого-либо выполнить данное действие или приведение в действие какого-либо предмета.

• -는데도 : 앞에 오는 말이 나타내는 상황에 상관없이 뒤에 오는 말이 나타내는 상황이 일어남을 나타내는 표현.
нет эквивалента
Выражение со значением уступки, указывающее на то, что описанная в главном предложении ситуация возникает вопреки или независимо от ситуации, описанной в придаточном предложении.

• **그것 (местоимение)** : 앞에서 이미 이야기한 대상을 가리키는 말.
это
Указывает на предмет или факт, который был ранее указан.

• 이 : 어떤 상태나 상황의 대상이나 동작의 주체를 나타내는 조사.
нет эквивалента
Частица, показывающая какое-либо состояние, объект ситуации или субъект действия.

• **쉽다 (имя прилагательное)** : 하기에 힘들거나 어렵지 않다.
лёгкий
Не требуемый затрат или особых усилий для выполнения.

• -지 않다 : 앞의 말이 나타내는 행위나 상태를 부정하는 뜻을 나타내는 표현.
нет эквивалента
Выражение, обозначающее отрицание какого-либо действия или состояния.

• 가 : 앞의 말을 강조하는 뜻을 나타내는 조사.
нет эквивалента
Окончание, употребляемое для усиления значения.

• -네요 : (두루높임으로) 말하는 사람이 직접 경험하여 새롭게 알게 된 사실에 대해 감탄함을 나타낼 때 쓰는 표현.
нет эквивалента
(нейтрально-вежливый стиль) Выражение, указывающее на восклицание при личном обнаружении какого-либо факта.

< 대화(разговор) > - 63

메일 보냈습니다. 확인 좀 부탁 드립니다.
메일 보낻씀니다. 화긴 좀 부탁 드림니다.
meil bonaetseumnida. hwagin jom butak deurimnida.

네. 보내 주신 자료를 검토하고 다시 연락 드리도록 하겠습니다.
네. 보내 주신 자료를 검토하고 다시 열락 드리도록 하겓씀니다.
ne. bonae jusin jaryoreul geomtohago dasi yeollak deuridorok hagetseumnida.

< 설명(объяснение) / 번역(перевод) >

메일 보내+었+습니다.
보냈습니다

확인 좀 부탁 드리+ㅂ니다.
드립니다

- **메일 (имя существительное)** : 인터넷이나 통신망으로 주고받는 편지.
  электронное письмо
  Письмо, которое отправляют и принимают через Интернет.

- **보내다 (глагол)** : 내용이 전달되게 하다.
  отправить; передавать
  Передавать какое-либо содержание.

- -었- : 어떤 사건이 과거에 완료되었거나 그 사건의 결과가 현재까지 지속되는 상황을 나타내는 어미.
  нет эквивалента
  Окончание, указывающее на полное завершение какого-либо события в прошлом и сохранения данного результата до настоящего времени.

- -습니다 : (아주높임으로) 현재의 동작이나 상태, 사실을 정중하게 설명함을 나타내는 종결 어미.
  нет эквивалента
  (формально-вежливый стиль) Финитное окончание предиката, употребляемое при описании события, действия или состояния в форме настоящего времени в ситуациях вежливого общения.

• **확인 (имя существительное)** : 틀림없이 그러한지를 알아보거나 인정함.
проверка
Удостоверение в правдивости чего-либо.

• **좀 (наречие)** : 주로 부탁이나 동의를 구할 때 부드러운 느낌을 주기 위해 넣는 말.
нет эквивалента
Выражение, употребляющееся для придания мягкости при обращении к кому-либо с просьбой или в поисках согласия, одобрения.

• **부탁 (имя существительное)** : 어떤 일을 해 달라고 하거나 맡김.
просьба
Обращение к кому-либо, призывающее удовлетворить какие-либо нужды, исполнить какое-нибудь желание того, кто просит.

• **드리다 (глагол)** : 윗사람에게 어떤 말을 하거나 인사를 하다.
сообщать; докладывать
Говорить что-либо взрослому человеку или здороваться с ним.

• -ㅂ니다 : (아주높임으로) 현재의 동작이나 상태, 사실을 정중하게 설명함을 나타내는 종결 어미.
нет эквивалента
(формально-вежливый стиль) Финитное окончание предиката, употребляемое при описании событий, действий или состояний в форме настоящего времени в ситуациях вежливого общения.

네.

보내+[(어) 주]+시+ㄴ 자료+를 검토하+고 다시 연락 드리+[도록 하]+겠+습니다.
보내 주신

• **네 (восклицание)** : 윗사람의 물음이나 명령 등에 긍정하여 대답할 때 쓰는 말.
да
Слово, употребляемое при утвердительном ответе на вопрос, приказ и т.п. старшего по возрасту или положению человека.

• **보내다 (глагол)** : 내용이 전달되게 하다.
отправить; передавать
Передавать какое-либо содержание.

• -어 주다 : 남을 위해 앞의 말이 나타내는 행동을 함을 나타내는 표현.
нет эквивалента
Выражение, указывающее на то, что описанное действие выполняется в интересах другого лица.

• -시- : 어떤 동작이나 상태의 주체를 높이는 뜻을 나타내는 어미.
нет эквивалента
Гонорифический глагольный суффикс, указывающий на почтительное отношение к субъекту какого-либо состояния или действия.

• -ㄴ : 앞의 말이 관형어의 기능을 하게 만들고 사건이나 동작이 완료되어 그 상태가 유지되고 있음을 나타내는 어미.
нет эквивалента
Окончание, которое указывает на завершенное постоянное действие или событие, преобразуя впередистоящее слово, словосочетание или придаточное предложение в определение.

• **자료 (имя существительное)** : 연구나 조사를 하는 데 기본이 되는 재료.
материал
Материалы, составляющие основу при исследованиях или изучении чего-либо.

• 를 : 동작이 직접적으로 영향을 미치는 대상을 나타내는 조사.
нет эквивалента
Частица, указывающая на объект, на который непосредственно распространяется влияние действия.

• **검토하다 (глагол)** : 어떤 사실이나 내용을 자세히 따져서 조사하고 분석하다.
рассматривать
Проводить тщательное исследование, делать анализ какого-либо факта или содержания.

• -고 : 앞의 말과 뒤의 말이 차례대로 일어남을 나타내는 연결 어미.
нет эквивалента
Соединительное окончание предиката, указывающее на последовательность действий.

• **다시 (наречие)** : 다음에 또.
опять; снова
Ещё раз.

• **연락 (имя существительное)** : 어떤 사실을 전하여 알림.
связь; контакт
Передача сообщений, новостей другому.

• **드리다 (глагол)** : 윗사람에게 어떤 말을 하거나 인사를 하다.
сообщать; докладывать
Говорить что-либо взрослому человеку или здороваться с ним.

• -도록 하다 : 말하는 사람이 어떤 행위를 할 것이라는 의지나 다짐을 나타내는 표현.
нет эквивалента
Выражение, употребляемое для передачи решимости или констатации намерения говорящего совершить какое-либо действие.

• -겠- : 완곡하게 말하는 태도를 나타내는 어미.
нет эквивалента
Суффикс глагола или прилагательного, употребляемый для смягчения категоричности высказывания.

• -습니다 : (아주높임으로) 현재의 동작이나 상태, 사실을 정중하게 설명함을 나타내는 종결 어미.
нет эквивалента
(формально-вежливый стиль) Финитное окончание предиката, употребляемое при описании события, действия или состояния в форме настоящего времени в ситуациях вежливого общения.

< 대화(разговор) > - 64

이제 아홉 신데 벌써 자려고?
이제 아홉 신데 벌써 자려고?
ije ahop sinde beolsseo jaryeogo?

시험 기간에 도서관 자리 잡기가 어려워서 내일 일찍 일어나려고요.
시험 기가네 도서관 자리 잡끼가 어려워서 내일 일찍 이러나려고요.
siheom gigane doseogwan jari japgiga eoryeowoseo naeil iljjik ireonaryeogoyo.

< 설명(объяснение) / 번역(перевод) >

이제 아홉 시+(이)+ㄴ데 벌써 자+려고?
신데

- **이제 (наречие)** : 말하고 있는 바로 이때에.
  теперь
  В момент разговора.

- **아홉 (атрибутивное слово)** : 여덟에 하나를 더한 수의.
  девять
  Число, следующее за восемью.

- **시 (имя существительное)** : 하루를 스물넷으로 나누었을 때 그 하나를 나타내는 시간의 단위.
  час
  Зависимое существительное для счёта времени при разделении его на 24 часа.

- 이다 : 주어가 지시하는 대상의 속성이나 부류를 지정하는 뜻을 나타내는 서술격 조사.
  нет эквивалента
  Суффикс повествовательного падежа, выражающий смысл наименования свойства или разряда объекта, на который указывает подлежащее.

- -ㄴ데 : 뒤의 말을 하기 위하여 그 대상과 관련이 있는 상황을 미리 말함을 나타내는 연결 어미.
  нет эквивалента
  Соединительное окончание, вводящее некую предварительную информацию об объекте, о котором говорится в последующей части предложения.

• **벌써 (наречие)** : 생각보다 빠르게.
уже
Быстрее, чем ожидалось.

• **자다 (глагол)** : 눈을 감고 몸과 정신의 활동을 멈추고 한동안 쉬는 상태가 되다.
спать
Находиться в состоянии отдыха в течение некоторого времени с закрытыми глазами и остановкой деятельности тела и разума.

• -려고 : (두루낮춤으로) 어떤 주어진 상황에 대하여 의심이나 반문을 나타내는 종결 어미.
нет эквивалента
(нейтральный стиль) Окончание предиката, указывающее на сомнение или встречный вопрос по поводу сложившегося положения дел.

시험 기간+에 도서관 자리 잡+기+가 어렵(어려우)+어서 내일 일찍 일어나+려고요.
어려워서

• **시험 (имя существительное)** : 문제, 질문, 실제의 행동 등의 일정한 절차에 따라 지식이나 능력을 검사하고 평가하는 일.
экзамен; испытание; проба
Проверка и оценка знаний или способностей, осуществляемые в соответствии с установленной процедурой в виде вопросов, тестов, практических действий и т.п.

• **기간 (имя существительное)** : 어느 일정한 때부터 다른 일정한 때까지의 동안.
период времени
Промежуток времени от одного определённого времени до другого.

• 에 : 앞말이 시간이나 때임을 나타내는 조사.
нет эквивалента
Окончание, указывающее на время или период времени.

• **도서관 (имя существительное)** : 책과 자료 등을 많이 모아 두고 사람들이 빌려 읽거나 공부를 할 수 있게 마련한 시설.
библиотека
Помещение для хранения и выдачи читателям книг, периодики и т.п.

• **자리 (имя существительное)** : 사람이 앉을 수 있도록 만들어 놓은 곳.
сиденье
Сторона, приготовленная для того, чтобы человек мог сесть.

• **잡다 (глагол)** : 자리, 방향, 시기 등을 정하다.
решить; назначить
Определить место, направление, дату и т.п.

• -기 : 앞의 말이 명사의 기능을 하게 하는 어미.
нет эквивалента
Окончание, позволяющее впередистоящему слову или выражению выполнять функцию имени существительного.

• 가 : 어떤 상태나 상황에 놓인 대상이나 동작의 주체를 나타내는 조사.
нет эквивалента
Окончание, указывающее на объект какой-либо ситуации, состояния или на лицо, выполняющее какое-либо действие.

• **어렵다 (имя прилагательное)** : 하기가 복잡하거나 힘이 들다.
трудный; тяжёлый
Запутанный, отбирающий много сил.

• -어서 : 이유나 근거를 나타내는 연결 어미.
нет эквивалента
Соединительное окончание предиката, указывающее на причину или обоснование чего-либо.

• **내일 (наречие)** : 오늘의 다음 날에.
завтра; завтрашний день
В день, следующий за сегодняшним.

• **일찍 (наречие)** : 정해진 시간보다 빠르게.
рано; раньше
Прежде определенного, указанного момента времени.

• **일어나다 (глагол)** : 잠에서 깨어나다.
просыпаться; вставать
Просыпаться после сна.

• -려고요 : (두루높임으로) 어떤 행동을 할 의도나 욕망을 가지고 있음을 나타내는 표현.
нет эквивалента
(нейтрально-вежливый стиль) Выражение, указывающее на наличие желания или намерения выполнить какое-либо действие.

< 대화(разговор) > - 65

나 지금 마트에 가려고 하는데 혹시 필요한 거 있니?
나 지금 마트에 가려고 하는데 혹씨 피료한 거 인니?
na jigeum mateue garyeogo haneunde hoksi piryohan geo inni?

그럼 오는 길에 휴지 좀 사다 줄래?
그럼 오는 기레 휴지 좀 사다 줄래?
geureom oneun gire hyuji jom sada jullae?

< 설명(объяснение) / 번역(перевод) >

나 지금 마트+에 가+[려고 하]+는데 혹시 필요하+[ㄴ 것(거)] 있+니?
필요한 거

• **나 (местоимение)** : 말하는 사람이 친구나 아랫사람에게 자기를 가리키는 말.
я
Выражение, которым называют себя в разговоре с ровесниками или младшими людьми.

• **지금 (наречие)** : 말을 하고 있는 바로 이때에. 또는 그 즉시에.
сейчас; в это время
В то время, когда говоришь; прямо сейчас.

• **마트 (имя существительное)** : 각종 생활용품을 판매하는 대형 매장.
универмаг; магазин
Большой магазин, где продают разные товары бытового назначения.

• 에 : 앞말이 목적지이거나 어떤 행위의 진행 방향임을 나타내는 조사.
нет эквивалента
Окончание, указывающее на направленность какого-либо действия или цели.

• **가다 (глагол)** : 한 곳에서 다른 곳으로 장소를 이동하다.
ходить; уходить; идти
Передвигаться с одного места на другое.

• -려고 하다 : 앞의 말이 나타내는 행동을 할 의도나 의향이 있음을 나타내는 표현.
собираться; намереваться
Выражение, указывающее на стремление или намерение выполнить обозначенное действие.

• -는데 : 뒤의 말을 하기 위하여 그 대상과 관련이 있는 상황을 미리 말함을 나타내는 연결 어미.
нет эквивалента
Соединительное окончание, вводящее некую предварительную информацию об объекте, о котором говорится в последующей части предложения.

• **혹시 (наречие)** : 그러리라 생각하지만 분명하지 않아 말하기를 망설일 때 쓰는 말.
случайно
Выражение, используемое в случае, когда думаешь, что будет так, но сомневаещься сказать из-за неточности.

• **필요하다 (имя прилагательное)** : 꼭 있어야 하다.
нужный; необходимый; надобный
Такой, в котором имеется нужда, необходимость, надобность.

• -ㄴ 것 : 명사가 아닌 것을 문장에서 명사처럼 쓰이게 하거나 '이다' 앞에 쓰일 수 있게 할 때 쓰는 표현.
нет эквивалента
Выражение, позволяющее использовать в качестве существительного слово неименной части речи, которое также может употребляться перед глаголом-связкой '이다'.

• **있다 (имя прилагательное)** : 사람, 동물, 물체 등이 존재하는 상태이다.
быть
Существовать (о человеке, животном, веществе и т.п.).

• -니 : (아주낮춤으로) 물음을 나타내는 종결 어미.
нет эквивалента
(простой стиль) Финитное окончание предиката, указывающее на вопрос.

그럼 오+[는 길에] 휴지 좀 사+(아)다 주+ㄹ래?
사다 줄래

• **그럼 (наречие)** : 앞의 내용을 받아들이거나 그 내용을 바탕으로 하여 새로운 주장을 할 때 쓰는 말.
тогда; в таком случае
Выражение, которое используют, когда соглашаются с чем-либо вышеупомянутым или же когда выдвигают новое утверждение, основываясь на вышеупомянутом.

• **오다 (глагол)** : 무엇이 다른 곳에서 이곳으로 움직이다.
приходить; приезжать
Передвигаться с одного места в другое.

• -는 길에 : 어떤 일을 하는 도중이나 기회임을 나타내는 표현.
по дороге; по пути; в ходе; в процессе
Выражение, указывающее на то, что некое действие совершается мимоходом, в ходе совершения другого действия или попутно с ним.

• **휴지 (имя существительное)** : 더러운 것을 닦는 데 쓰는 얇은 종이.
бумажная салфетка; туалетная бумага
Тонкая бумага, используемая в гигиенических целях.

• **좀 (наречие)** : 주로 부탁이나 동의를 구할 때 부드러운 느낌을 주기 위해 넣는 말.
нет эквивалента
Выражение, употребляющееся для придания мягкости при обращении к кому-либо с просьбой или в поисках согласия, одобрения.

• **사다 (глагол)** : 돈을 주고 어떤 물건이나 권리 등을 자기 것으로 만들다.
покупать
Приобретать что-либо за деньги.

• -아다 : 어떤 행동을 한 뒤 그 행동의 결과를 가지고 뒤의 말이 나타내는 행동을 이어 함을 나타내는 연결 어미.
нет эквивалента
Соединительное окончание, указывающее на то, что действие второй части предложения совершается вслед за результатом завершения действия первой части предложения.

• **주다 (глагол)** : 물건 등을 남에게 건네어 가지거나 쓰게 하다.
давать
Предоставлять что-либо кому-либо для использования.

• -ㄹ래 : (두루낮춤으로) 앞으로 어떤 일을 하려고 하는 자신의 의사를 나타내거나 그 일에 대하여 듣는 사람의 의사를 물어봄을 나타내는 종결 어미.
нет эквивалента
(нейтральный стиль) Финитное окончание, употребляемое при указании на намерение говорящего совершить какое-либо действие или при обращении к слушающему с вопросом о намерении или желании совершить данное действие.

< 대화(разговор) > - 66

오늘 회의 몇 시부터 시작하지?
오늘 회이 멷 시부터 시자카지?
oneul hoei myeot sibuteo sijakaji?

지금 시작하려고 하니까 빨리 준비하고 와.
지금 시자카려고 하니까 빨리 준비하고 와.
jigeum sijakaryeogo hanikka ppalli junbihago wa.

< 설명(объяснение) / 번역(перевод) >

오늘 회의 몇 시+부터 시작하+지?

• **오늘 (имя существительное)** : 지금 지나가고 있는 이날.
сегодня
Этот текущий день.

• **회의 (имя существительное)** : 여럿이 모여 의논함. 또는 그런 모임.
собрание
Собирание всех вместе и обговаривание какого-либо дела. Или подобное собрание.

• **몇 (атрибутивное слово)** : 잘 모르는 수를 물을 때 쓰는 말.
сколько
Вопросительное слово, используемое при незнании точного количества.

• **시 (имя существительное)** : 하루를 스물넷으로 나누었을 때 그 하나를 나타내는 시간의 단위.
час
Зависимое существительное для счёта времени при разделении его на 24 часа.

• 부터 : 어떤 일의 시작이나 처음을 나타내는 조사.
нет эквивалента
Окончание, указывающее на начало какой-либо области или какого-либо события.

• **시작하다 (глагол)** : 어떤 일이나 행동의 처음 단계를 이루거나 이루게 하다.
начинать
Приступать впервые к осуществлению какого-либо дела или действия или осущетсвлять что-либо.

• -지 : (두루낮춤으로) 말하는 사람이 듣는 사람에게 친근함을 나타내며 물을 때 쓰는 종결 어미.
нет эквивалента
(нейтральный стиль) Финитное окончание предиката, показывающее доверительный тон в разговоре между говорящим и слушающим.

지금 시작하+[려고 하]+니까 빨리 준비하+고 오+아.
와

• **지금 (наречие)** : 말을 하고 있는 바로 이때에. 또는 그 즉시에.
сейчас; в это время
В то время, когда говоришь; прямо сейчас.

• **시작하다 (глагол)** : 어떤 일이나 행동의 처음 단계를 이루거나 이루게 하다.
начинать
Приступать впервые к осуществлению какого-либо дела или действия или осущетсвлять что-либо.

• -려고 하다 : 앞의 말이 나타내는 일이 곧 일어날 것 같거나 시작될 것임을 나타내는 표현.
собираться
Выражение, указывающее на видимость того, что вот-вот должно произойти или начаться какое-либо действие или событие.

• -니까 : 뒤에 오는 말에 대하여 앞에 오는 말이 원인이나 근거, 전제가 됨을 강조하여 나타내는 연결 어미.
нет эквивалента
Соединительное окончание, указывающее на то, что содержание первой части предложения является причиной, обоснованием, предпосылкой того, о чём говорится во второй части предложения.

• **빨리 (наречие)** : 걸리는 시간이 짧게.
быстро
За короткий срок.

• **준비하다 (глагол)** : 미리 마련하여 갖추다.
готовить; приготовлять
Заблаговременно приготовлять.

• -고 : 앞의 말과 뒤의 말이 차례대로 일어남을 나타내는 연결 어미.
нет эквивалента
Соединительное окончание предиката, указывающее на последовательность действий.

• **오다 (глагол)** : 무엇이 다른 곳에서 이곳으로 움직이다.
приходить; приезжать
Передвигаться с одного места в другое.

• -아 : (두루낮춤으로) 어떤 사실을 서술하거나 물음, 명령, 권유를 나타내는 종결 어미.
нет эквивалента
(нейтральный стиль) Финитное окончание предиката в повествовательном, вопросительном или побудительном предложении. **<приказ>**

< 대화(разговор) > - 67

장마도 끝났으니 이제 정말 더워지려나 봐.
장마도 끈나쓰니 이제 정말 더워지려나 봐.
jangmado kkeunnasseuni ije jeongmal deowojiryeona bwa.

맞아. 오늘 아침에 걸어오는데 땀이 줄줄 나더라.
마자. 오늘 아치메 거러오는데 따미 줄줄 나더라.
maja. oneul achime georeooneunde ttami juljul nadeora.

< 설명(объяснение) / 번역(перевод) >

장마+도 끝나+았+으니 이제 정말 더워지+[려나 보]+아.
끝났으니 더워지려나 봐

• **장마 (имя существительное)** : 여름철에 여러 날 계속해서 비가 오는 현상이나 날씨. 또는 그 비.
муссонный дождь; сезон дождей
Дождливая погода летом в течение нескольких дней. А так же сами дожди.

• 도 : 이미 있는 어떤 것에 다른 것을 더하거나 포함함을 나타내는 조사.
нет эквивалента
Частица, указывающая на прибавление или включение чего-либо во что-либо уже имеющееся.

• **끝나다 (глагол)** : 정해진 기간이 모두 지나가다.
заканчиваться
Проходить (об определённом промежутке времени).

• -았- : 어떤 사건이 과거에 완료되었거나 그 사건의 결과가 현재까지 지속되는 상황을 나타내는 어미.
нет эквивалента
Окончание, указывающее на полное завершение какого-либо события в прошлом и сохранения данного результата до настоящего времени.

• -으니 : 뒤에 오는 말에 대하여 앞에 오는 말이 원인이나 근거, 전제가 됨을 나타내는 연결 어미.
нет эквивалента
Соединительное окончание, указывающее на то, что содержание первой части предложения является причиной, обоснованием, предпосылкой того, о чём говорится во второй части предложения.

• **이제 (наречие)** : 지금부터 앞으로.
теперь; с этого момента
В будущем, начиная с этого момента.

• **정말 (наречие)** : 거짓이 없이 진짜로.
действительно; вправду; честно
Правда, без лжи.

• **더워지다 (глагол)** : 온도가 올라가다. 또는 그로 인해 더위나 뜨거움을 느끼다.
становиться жарче; теплеть; нагреваться
Становиться жарче. Ощущать повышение температуры или жару.

• -려나 보다 : 앞의 말이 나타내는 일이 일어날 것이라고 추측함을 나타내는 표현.
похоже, будет; видимо, собирается; по-видимому, собирается
Выражение, указывающее на предположение того, что произойдёт описанное действие или событие.

• -아 : (두루낮춤으로) 어떤 사실을 서술하거나 물음, 명령, 권유를 나타내는 종결 어미.
нет эквивалента
(нейтральный стиль) Финитное окончание предиката в повествовательном, вопросительном или побудительном предложении. **<изложение>**

맞+아.

오늘 아침+에 걸어오+는데 땀+이 줄줄 나+더라.

• **맞다 (глагол)** : 그렇거나 옳다.
быть правильным
Быть верным.

• -아 : (두루낮춤으로) 어떤 사실을 서술하거나 물음, 명령, 권유를 나타내는 종결 어미.
нет эквивалента
(нейтральный стиль) Финитное окончание предиката в повествовательном, вопросительном или побудительном предложении. **<изложение>**

• **오늘 (имя существительное)** : 지금 지나가고 있는 이날.
сегодня
Этот текущий день.

• **아침 (имя существительное)** : 날이 밝아올 때부터 해가 떠올라 하루의 일이 시작될 때쯤까지의 시간.

утро

Время суток, начинающееся примерно с восхода солнца, время начала дневных работ.

• 에 : 앞말이 시간이나 때임을 나타내는 조사.

нет эквивалента

Окончание, указывающее на время или период времени.

• **걸어오다 (глагол)** : 목적지를 향하여 다리를 움직여서 이동하여 오다.

прийти пешком; приходить пешком

Идти, передвигаясь к направленной цели.

• -는데 : 뒤의 말을 하기 위하여 그 대상과 관련이 있는 상황을 미리 말함을 나타내는 연결 어미.

нет эквивалента

Соединительное окончание, вводящее некую предварительную информацию об объекте, о котором говорится в последующей части предложения.

• **땀 (имя существительное)** : 덥거나 몸이 아프거나 긴장을 했을 때 피부를 통해 나오는 짭짤한 맑은 액체.

пот

Солёная бесцветная жидкость, выделяемая подкожными железами при жаре, болезни, волнении и т.п.

• 이 : 어떤 상태나 상황의 대상이나 동작의 주체를 나타내는 조사.

нет эквивалента

Частица, показывающая какое-либо состояние, объект ситуации или субъект действия.

• **줄줄 (наречие)** : 굵은 물줄기 등이 계속 흐르는 소리. 또는 그 모양.

ручьём; потоками; журча

Звукоподражательное слово, имитирующее звук непрерывно текущей струи. Или подобное образоподражательное слово.

• **나다 (глагол)** : 몸에서 땀, 피, 눈물 등이 흐르다.

течь

Выделяться из тела, вытекать (о поте, крови, слезах и т. п.).

• -더라 : (아주낮춤으로) 말하는 이가 직접 경험하여 새롭게 알게 된 사실을 지금 전달함을 나타내는 종결 어미.

нет эквивалента

(простой стиль) Финитное окончание, употребляемое при сообщении о фактах или событиях в прошлом, лично увиденных или испытанных говорящим.

< 대화(разговор) > - 68

나는 아내를 위해서 대신 죽을 수도 있을 것 같아.
나는 아내를 위해서 대신 주글 쑤도 이쓸 껃 가타.
naneun anaereul wihaeseo daesin jugeul sudo isseul geot gata.

네가 아내를 정말 사랑하는구나.
네가 아내를 정말 사랑하는구나.
nega anaereul jeongmal saranghaneunguna.

< 설명(объяснение) / 번역(перевод) >

나+는 아내+[를 위해서] 대신 죽+[을 수+도 있]+[을 것 같]+아.

• **나 (местоимение)** : 말하는 사람이 친구나 아랫사람에게 자기를 가리키는 말.
я
Выражение, которым называют себя в разговоре с ровесниками или младшими людьми.

• 는 : 문장 속에서 어떤 대상이 화제임을 나타내는 조사.
нет эквивалента
Частица, указывающая на то, что какой-либо объект является основной темой в предложении.

• **아내 (имя существительное)** : 결혼하여 남자의 짝이 된 여자.
жена, супруга
Женщина, ставшая второй половиной мужчины после свадьбы.

• 를 위해서 : 어떤 대상에게 이롭게 하거나 어떤 목표나 목적을 이루려고 함을 나타내는 표현.
для; ради
Выражение, указывающее на выполнение какого-либо дела, цели или принесение пользы кому-либо или чему-либо.

• **대신 (имя существительное)** : 어떤 대상이 맡던 구실을 다른 대상이 새로 맡음. 또는 그렇게 새로 맡은 대상.
вместо; взамен; за кого-либо; за что-либо; от имени
Заменяя, замещая кого-либо или что-либо. А также сам замещающий объект.

• **죽다 (глагол)** : 생물이 생명을 잃다.
умереть; погибнуть; скончаться
Перестать жить (о живом организме).

• -을 수 있다 : 어떤 행동이나 상태가 가능함을 나타내는 표현.
иметь возможность сделать
Выражение, указывающее на возможность выполнения какого либо дела.

• 도 : 극단적인 경우를 들어 다른 경우는 말할 것도 없음을 나타내는 조사.
нет эквивалента
Частица, указывающая на крайний случай и на его примере - на бессмысленность говорить о других.

• -을 것 같다 : 추측을 나타내는 표현.
кажется, что …; вероятно; похоже
Выражение предположения.

• -아 : (두루낮춤으로) 어떤 사실을 서술하거나 물음, 명령, 권유를 나타내는 종결 어미.
нет эквивалента
(нейтральный стиль) Финитное окончание предиката в повествовательном, вопросительном или побудительном предложении. **<изложение>**

네+가 아내+를 정말 사랑하+는구나.

• **네 (местоимение)** : '너'에 조사 '가'가 붙을 때의 형태.
ты
Морфема, используемая в том случае, когда к корню '너' присоединяется частица '가'.

• 가 : 어떤 상태나 상황에 놓인 대상이나 동작의 주체를 나타내는 조사.
нет эквивалента
Окончание, указывающее на объект какой-либо ситуации, состояния или на лицо, выполняющее какое-либо действие.

• **아내 (имя существительное)** : 결혼하여 남자의 짝이 된 여자.
жена, супруга
Женщина, ставшая второй половиной мужчины после свадьбы.

• 를 : 동작이 직접적으로 영향을 미치는 대상을 나타내는 조사.
нет эквивалента
Частица, указывающая на объект, на который непосредственно распространяется влияние действия.

- **정말 (наречие)** : 거짓이 없이 진짜로.
  действительно; вправду; честно
  Правда, без лжи.

- **사랑하다 (глагол)** : 상대에게 성적으로 매력을 느껴 열렬히 좋아하다.
  любить
  Нравиться, ощущать физическое влечение к человеку противоположного пола.

- -는구나 : (아주낮춤으로) 새롭게 알게 된 사실에 어떤 느낌을 실어 말함을 나타내는 종결 어미.
  нет эквивалента
  (простой стиль) Финитное окончание, выражающее эмоциональную реакцию говорящего при обнаружении какого-либо факта.

< 대화(разговор) > - 69

이 약은 하루에 몇 번이나 먹어야 하나요?
이 야근 하루에 면 버니나 머거야 하나요?
i yageun harue myeot beonina meogeoya hanayo?

아침저녁으로 두 번만 드시면 됩니다.
아침저녀그로 두 번만 드시면 됩니다.
achimjeonyeogeuro du beonman deusimyeon doemnida.

< 설명(объяснение) / 번역(перевод) >

이 약+은 하루+에 몇 번+이나 먹+[어야 하]+나요?

• **이 (атрибутивное слово)** : 말하는 사람에게 가까이 있거나 말하는 사람이 생각하고 있는 대상을 가리킬 때 쓰는 말.
этот; это
Слово, указывающее на что-либо, находящееся возле говорящего, или на то, о чём он думает.

• **약 (имя существительное)** : 병이나 상처 등을 낫게 하거나 예방하기 위하여 먹거나 바르거나 주사하는 물질.
лекарство; медикамент
Лечебное средство, которое принимают внутрь, мажут или вкалывают в организм в лечебных целях.

• 은 : 문장 속에서 어떤 대상이 화제임을 나타내는 조사.
нет эквивалента
Частица, показывающая то, что какой-то объект является главной темой в предложении.

• **하루 (имя существительное)** : 밤 열두 시부터 다음 날 밤 열두 시까지의 스물네 시간.
день; сутки
Промежуток времени от одной полуночи до другой равный 24 часам.

• 에 : 앞말이 기준이 되는 대상이나 단위임을 나타내는 조사.
нет эквивалента
Окончание, указывающее на объект или единицу измерения, которые являются стандартом.

• **몇 (атрибутивное слово)** : 잘 모르는 수를 물을 때 쓰는 말.
сколько
Вопросительное слово, используемое при незнании точного количества.

• **번 (имя существительное)** : 일의 횟수를 세는 단위.
раз
Зависимое существительное для счёта количества дел.

• 이나 : 수량이나 정도를 대강 짐작할 때 쓰는 조사.
нет эквивалента
Частица, используемая для ориентировочного предположения количества или уровня.

• **먹다 (глагол)** : 약을 입에 넣어 삼키다.
пить
Принимать медикаменты.

• -어야 하다 : 앞에 오는 말이 어떤 일을 하거나 어떤 상황에 이르기 위한 의무적인 행동이거나 필수적인 조건임을 나타내는 표현.
нет эквивалента
Выражение, указывающее на то, что некое действие или состояние является долгом или обязательным условием для осуществления того, о чём говорится в последующей части предложения.

• -나요 : (두루높임으로) 앞의 내용에 대해 상대방에게 물어볼 때 쓰는 표현.
нет эквивалента
(нейтрально-вежливый стиль) Выражение, употребляемое при обращении с вопросом к собеседнику.

아침저녁+으로 두 번+만 들(드)+시+[면 되]+ㅂ니다.
드시면 됩니다

• **아침저녁 (имя существительное)** : 아침과 저녁.
утро и вечер
Утро и вечер.

• 으로 : 시간을 나타내는 조사.
нет эквивалента
Частица, указывающая на время.

• **두 (атрибутивное слово)** : 둘의.
два
Два по количеству.

• **번 (имя существительное)** : 일의 횟수를 세는 단위.
раз
Зависимое существительное для счёта количества дел.

• 만 : 다른 것은 제외하고 어느 것을 한정함을 나타내는 조사.
только; просто; исключительно; единственно
Частица, указывающая на ограничение в чём-либо и исключение чего-либо.

• **들다 (глагол)** : (높임말로) 먹다.
есть; пить; принимать пищу
(вежл.) Есть, кушать.

• -시- : 어떤 동작이나 상태의 주체를 높이는 뜻을 나타내는 어미.
нет эквивалента
Гонорифический глагольный суффикс, указывающий на почтительное отношение к субъекту какого-либо состояния или действия.

• -면 되다 : 조건이 되는 어떤 행동을 하거나 어떤 상태만 갖추어지면 문제가 없거나 충분함을 나타내는 표현.
нет эквивалента
Выражение с условной конструкцией, обозначающее, что некое действие или событие, о котором говорится в придаточном условия, является достаточным, допустимым, удовлетворительным.

• -ㅂ니다 : (아주높임으로) 현재의 동작이나 상태, 사실을 정중하게 설명함을 나타내는 종결 어미.
нет эквивалента
(формально-вежливый стиль) Финитное окончание предиката, употребляемое при описании событий, действий или состояний в форме настоящего времени в ситуациях вежливого общения.

< 대화(разговор) > - 70

다음부터는 수업 시간에 떠들면 안 돼.
다음부터는 수업 시가네 떠들면 안 돼.
daeumbuteoneun sueop sigane tteodeulmyeon an dwae.

네, 선생님. 다음부터는 절대 떠들지 않을게요.
네, 선생님. 다음부터는 절대 떠들지 아늘께요.
ne, seonsaengnim. daeumbuteoneun jeoldae tteodeulji aneulgeyo.

< 설명(объяснение) / 번역(перевод) >

다음+부터+는 수업 시간+에 떠들+[면 안 되]+어.

떠들면 안 돼

- **다음 (имя существительное)** : 이번 차례의 바로 뒤.
  следующий
  Идущий сразу за данным.

- 부터 : 어떤 일의 시작이나 처음을 나타내는 조사.
  нет эквивалента
  Окончание, указывающее на начало какой-либо области или какого-либо события.

- 는 : 어떤 대상이 다른 것과 대조됨을 나타내는 조사.
  нет эквивалента
  Частица, указывающая на то, что какой-либо объект сравнивают с другим.

- **수업 (имя существительное)** : 교사가 학생에게 지식이나 기술을 가르쳐 줌.
  урок
  Обучение педагогом учеников знаниям или технике.

- **시간 (имя существительное)** : 어떤 일이 시작되어 끝날 때까지의 동안.
  пора
  Промежуток времени от начала какого-либо дела до его завершения.

- 에 : 앞말이 시간이나 때임을 나타내는 조사.
  нет эквивалента
  Окончание, указывающее на время или период времени.

- **떠들다 (глагол)** : 큰 소리로 시끄럽게 말하다.
  Шуметь
  говорить громким голосом.

- -면 안 되다 : 어떤 행동이나 상태를 금지하거나 제한함을 나타내는 표현.
  нет эквивалента
  Выражение, обозначающее запрет или ограничение какого-либо действия или состояния.

- -어 : (두루낮춤으로) 어떤 사실을 서술하거나 물음, 명령, 권유를 나타내는 종결 어미.
  нет эквивалента
  (нейтральный стиль) Финитное окончание предиката в повествовательном, вопросительном или побудительном предложении. **<приказ>**

네, 선생님.

다음+부터+는 절대 떠들+[지 않]+을게요.

• **네 (восклицание)** : 윗사람의 물음이나 명령 등에 긍정하여 대답할 때 쓰는 말.
да
Слово, употребляемое при утвердительном ответе на вопрос, приказ и т.п. старшего по возрасту или положению человека.

• **선생님 (имя существительное)** : (높이는 말로) 학생을 가르치는 사람.
учитель; преподаватель
(уважит.) Человек, обучающий учеников.

• **다음 (имя существительное)** : 이번 차례의 바로 뒤.
следующий
Идущий сразу за данным.

• 부터 : 어떤 일의 시작이나 처음을 나타내는 조사.
нет эквивалента
Окончание, указывающее на начало какой-либо области или какого-либо события.

• 는 : 어떤 대상이 다른 것과 대조됨을 나타내는 조사.
нет эквивалента
Частица, указывающая на то, что какой-либо объект сравнивают с другим.

• **절대 (наречие)** : 어떤 경우라도 반드시.
абсолютно; категорически
При любых обстоятельствах безусловно.

• **떠들다 (глагол)** : 큰 소리로 시끄럽게 말하다.
Шуметь
говорить громким голосом.

• -지 않다 : 앞의 말이 나타내는 행위나 상태를 부정하는 뜻을 나타내는 표현.
нет эквивалента
Выражение, обозначающее отрицание какого-либо действия или состояния.

• -을게요 : (두루높임으로) 말하는 사람이 어떤 행동을 할 것을 듣는 사람에게 약속하거나 의지를 나타내는 표현.
нет эквивалента
(нейтрально-вежливый стиль) Выражение, используемое, когда говорящий обещает сделать что-либо или сообщает слушателю о своих будущих действиях.

< 대화(разговор) > - 71

엄마, 할머니 댁은 아직 멀었어요?
엄마, 할머니 대근 아직 머러써요?
eomma, halmeoni daegeun ajik meoreosseoyo?

아냐. 다 와 가. 삼십 분만 더 가면 되니까 조금만 참아.
아냐. 다 와 가. 삼십 분만 더 가면 되니까 조금만 차마.
anya. da wa ga. samsip bunman deo gamyeon doenikka jogeumman chama.

< 설명(объяснение) / 번역(перевод) >

엄마, 할머니 댁+은 아직 멀+었+어요?

• **엄마 (имя существительное)** : 격식을 갖추지 않아도 되는 상황에서 어머니를 이르거나 부르는 말.
мама; мамочка; мамуля
Слово, употребляемое при обращении к матери или её упоминании в ситуации, не требующей соблюдения формальностей.

• **할머니 (имя существительное)** : 아버지의 어머니, 또는 어머니의 어머니를 이르거나 부르는 말.
бабушка
Слово, употребляемое при обращении к матери отца или матери матери или их упоминании.

• **댁 (имя существительное)** : (높이는 말로) 남의 집이나 가정.
дом
(уважит.) Дом или семья другого человека.

• 은 : 문장 속에서 어떤 대상이 화제임을 나타내는 조사.
нет эквивалента
Частица, показывающая то, что какой-то объект является главной темой в предложении.

• **아직 (наречие)** : 어떤 일이나 상태 또는 어떻게 되기까지 시간이 더 지나야 함을 나타내거나, 어떤 일이나 상태가 끝나지 않고 계속 이어지고 있음을 나타내는 말.
пока что; ещё; пока
Выражение, которое обозначает, что до выполнения чего-либо или до получения какой-либо формы необходимо чтобы прошло определённое время, или же что-либо продолжается и находится в незаконченном состоянии.

• **멀다 (имя прилагательное)** : 지금으로부터 시간이 많이 남아 있다. 오랜 시간이 필요하다.
не скоро; еще далеко
Такой, до которого осталось или требуется ещё много времени.

• -었- : 어떤 사건이 과거에 완료되었거나 그 사건의 결과가 현재까지 지속되는 상황을 나타내는 어미.
нет эквивалента
Окончание, указывающее на полное завершение какого-либо события в прошлом и сохранения данного результата до настоящего времени.

• -어요 : (두루높임으로) 어떤 사실을 서술하거나 질문, 명령, 권유함을 나타내는 종결 어미.
нет эквивалента
(нейтрально-вежливый стиль) Финитное окончание предиката в повествовательном, вопросительном или побудительном предложении. **<вопрос>**

아냐.

다 오+[아 가]+(아).
와 가

삼십 분+만 더 가+[면 되]+니까 조금+만 참+아.

• **아냐 (восклицание)** : 묻는 말에 대하여 강조하며, 또는 단호하게 부정하며 대답할 때 쓰는 말.
нет
Слово, используемое при холодном или усилительном ответе на вопрос.

• **다 (наречие)** : 행동이나 상태의 정도가 한정된 정도에 거의 가깝게.
почти; совсем
(в кор. яз. является нар.) Степень действия или состояния очень близки к какому-либо определённому действию или состоянию.

• **오다 (глагол)** : 가고자 하는 곳에 이르다.
доезжать; прибывать; доходить
Достигать желаемого места.

• -아 가다 : 앞의 말이 나타내는 행동이나 상태가 계속 진행됨을 나타내는 표현.
нет эквивалента
Выражение, указывающее на длительность действия или состояния.

• -아 : (두루낮춤으로) 어떤 사실을 서술하거나 물음, 명령, 권유를 나타내는 종결 어미.
нет эквивалента
(нейтральный стиль) Финитное окончание предиката в повествовательном, вопросительном или побудительном предложении. **<изложение>**

• **삼십 (атрибутивное слово)** : 서른의.
тридцать
Количественное числительное 'тридцать'.

• **분 (имя существительное)** : 한 시간의 60분의 1을 나타내는 시간의 단위.
минута
Единица измерения времени, равная 1/60 часа.

• 만 : 앞의 말이 어떤 것에 대한 조건임을 나타내는 조사.
только; всего лишь
Частица, указывающая на какие-либо условия касательно предыдущих слов.

• **더 (наречие)** : 보태어 계속해서.
еще (больше); более
В добавление и продолжение чего-либо.

• **가다 (глагол)** : 한 곳에서 다른 곳으로 장소를 이동하다.
ходить; уходить; идти
Передвигаться с одного места на другое.

• -면 되다 : 조건이 되는 어떤 행동을 하거나 어떤 상태만 갖추어지면 문제가 없거나 충분함을 나타내는 표현.
нет эквивалента
Выражение с условной конструкцией, обозначающее, что некое действие или событие, о котором говорится в придаточном условия, является достаточным, допустимым, удовлетворительным.

• -니까 : 뒤에 오는 말에 대하여 앞에 오는 말이 원인이나 근거, 전제가 됨을 강조하여 나타내는 연결 어미.
нет эквивалента
Соединительное окончание, указывающее на то, что содержание первой части предложения является причиной, обоснованием, предпосылкой того, о чём говорится во второй части предложения.

• **조금 (имя существительное)** : 짧은 시간 동안.
немного
В течение короткого времени.

• 만 : 말하는 사람이 기대하는 최소의 선을 나타내는 조사.
всего лишь; только; просто
Частица, указывающая на наименьшие ожидания говорящего.

• **참다 (глагол)** : 어떤 시간 동안을 견디고 기다리다.
терпеть; переносить
Терпеть и выжидать в течение какого-либо периода времени.

• -아 : (두루낮춤으로) 어떤 사실을 서술하거나 물음, 명령, 권유를 나타내는 종결 어미.
нет эквивалента
(нейтральный стиль) Финитное окончание предиката в повествовательном, вопросительном или побудительном предложении. **<приказ>**

< 대화(разговор) > - 72

부산까지는 시간이 꽤 오래 걸리니까 번갈아 가면서 운전하는 게 어때?
부산까지는 시가니 꽤 오래 걸리니까 번가라 가면서 운전하는 게 어때?
busankkajineun sigani kkwae orae geollinikka beongara gamyeonseo unjeonhaneun ge eottae?

그래. 그게 좋겠다.
그래. 그게 조켇따.
geurae. geuge joketda.

< 설명(объяснение) / 번역(перевод) >

부산+까지+는 시간+이 꽤 오래 걸리+니까 번갈+[아 가]+면서

운전하+[는 것(거)]+이 어떻+어?
운전하는 게 어때

• **부산 (имя существительное)** : 경상남도 동남부에 있는 광역시. 서울에 다음가는 대도시이며 한국 최대의 무역항이 있다.
Пусан
Город, расположенный на юго-восточной части провинции Кёнсаннамдо. По объёму второй после Сеула город в Корее, а также самый крупный торговый порт.

• 까지 : 어떤 범위의 끝임을 나타내는 조사.
нет эквивалента
Окончание, указывающее на завершение какой-либо области.

• 는 : 문장 속에서 어떤 대상이 화제임을 나타내는 조사.
нет эквивалента
Частица, указывающая на то, что какой-либо объект является основной темой в предложении.

• **시간 (имя существительное)** : 어떤 때에서 다른 때까지의 동안.
время
Промежуток от одной поры до другой.

• 이 : 어떤 상태나 상황의 대상이나 동작의 주체를 나타내는 조사.
нет эквивалента
Частица, показывающая какое-либо состояние, объект ситуации или субъект действия.

• **꽤 (наречие)** : 예상이나 기대 이상으로 상당히.
довольно; весьма
Гораздо больше, чем предполагалось или ожидалось.

• **오래 (наречие)** : 긴 시간 동안.
в течение длительного времени; в течение долгого срока; долговременно; долго
В течение большого промежутка времени.

• **걸리다 (глагол)** : 시간이 들다.
нет эквивалента
Занимать время.

• -니까 : 뒤에 오는 말에 대하여 앞에 오는 말이 원인이나 근거, 전제가 됨을 강조하여 나타내는 연결 어미.
нет эквивалента
Соединительное окончание, указывающее на то, что содержание первой части предложения является причиной, обоснованием, предпосылкой того, о чём говорится во второй части предложения.

• **번갈다 (глагол)** : 여럿이 어떤 일을 할 때, 일정한 시간 동안 한 사람씩 차례를 바꾸다.
по сменам; по очереди
заменяться по очереди по одному человеку при выполнении какой-либо работы.

• -아 가다 : 앞의 말이 나타내는 행동을 이따금 반복함과 동시에 또 다른 행동을 이어 함을 나타내는 표현.
нет эквивалента
Выражение, указывающее на повторяемость действия и его одновременность с другим действием.

• -면서 : 두 가지 이상의 동작이나 상태가 함께 일어남을 나타내는 연결 어미.
нет эквивалента
Соединительное окончание предиката, указывающее на одновременность двух или более действий или состояний.

• **운전하다 (глагол)** : 기계나 자동차를 움직이고 조종하다.
водить машину; быть за рулём
Водить автомобиль или какое-либо транспортное средство.

• -는 것 : 명사가 아닌 것을 문장에서 명사처럼 쓰이게 하거나 '이다' 앞에 쓰일 수 있게 할 때 쓰는 표현.
нет эквивалента
Выражение, субстантивирующее предшествующее слово неименной части речи или группу слов, которое также может употребляться с глаголом-связкой '이다'.

• 이 : 어떤 상태나 상황의 대상이나 동작의 주체를 나타내는 조사.
нет эквивалента
Частица, показывающая какое-либо состояние, объект ситуации или субъект действия.

• **어떻다 (имя прилагательное)** : 생각, 느낌, 상태, 형편 등이 어찌 되어 있다.
нет эквивалента
Какой (о состоянии, мыслях, чувстве, и т.п.).

• -어 : (두루낮춤으로) 어떤 사실을 서술하거나 물음, 명령, 권유를 나타내는 종결 어미.
нет эквивалента
(нейтральный стиль) Финитное окончание предиката в повествовательном, вопросительном или побудительном предложении. **<вопрос>**

그래.

그것(그거)+이 좋+겠+다.
그게

• **그래 (восклицание)** : '그렇게 하겠다, 그렇다, 알았다' 등 긍정하는 뜻으로, 대답할 때 쓰는 말.
да; так
'Так сделаю, да, понял' и т.п. в положительном значении, ответное слово 'Да'.

• **그것 (местоимение)** : 앞에서 이미 이야기한 대상을 가리키는 말.
это
Указывает на предмет или факт, который был ранее указан.

• 이 : 어떤 상태나 상황의 대상이나 동작의 주체를 나타내는 조사.
нет эквивалента
Частица, показывающая какое-либо состояние, объект ситуации или субъект действия.

• **좋다 (имя прилагательное)** : 어떤 일이나 대상이 마음에 들고 만족스럽다.
нет эквивалента
Приходящийся по душе, удовлетворительный (о каком-либо деле или объекте).

- -겠- : 미래의 일이나 추측을 나타내는 어미.

  нет эквивалента

  Суффикс, указывающий на предположение, на действие или состояние в будущем.

- -다 : (아주낮춤으로) 어떤 사건이나 사실, 상태를 서술함을 나타내는 종결 어미.

  нет эквивалента

  (простой стиль) Финитное окончание, выражающее изложение события или факта в настоящем времени.

< 대화(разговор) > - 73

처음 해 보는 일에 새롭게 도전하는 것이 두렵지 않으세요?
처음 해 보는 이레 새롭께 도전하는 거시 두렵찌 아느세요?
cheoeum hae boneun ire saeropge dojeonhaneun geosi duryeopji aneuseyo?

아니요. 더디지만 하나씩 알아 나가는 재미가 있어요.
아니요. 더디지만 하나씩 아라 나가는 재미가 이써요.
aniyo. deodijiman hanassik ara naganeun jaemiga isseoyo.

< 설명(объяснение) / 번역(перевод) >

처음 하+[여 보]+는 일+에 새롭+게 도전하+[는 것]+이 두렵+[지 않]+으세요?
해 보는

• **처음 (имя существительное)** : 차례나 시간상으로 맨 앞.
вначале; сначала; сперва; в первый раз; начало; источник; происхождение; первичная стадия
Самый первый по порядку или по времени.

• **하다 (глагол)** : 어떤 행동이나 동작, 활동 등을 행하다.
делать
Выполнять какое-либо действие, движение, работу и т.п.

• -여 보다 : 앞의 말이 나타내는 행동을 시험 삼아 함을 나타내는 표현.
нет эквивалента
Выражение, указывающее на пробу или попытку совершить какое-либо действие.

• -는 : 앞의 말이 관형어의 기능을 하게 만들고 사건이나 동작이 현재 일어남을 나타내는 어미.
нет эквивалента
Окончание, которое указывает на действие или событие в настоящем, преобразуя впередистоящее слово, словосочетание или придаточное предложение в определение.

• **일 (имя существительное)** : 무엇을 이루려고 몸이나 정신을 사용하는 활동. 또는 그 활동의 대상.
работа
Занятие, во время которого используешь свои физические и духовные силы для достижения чего-либо.

• 에 : 앞말이 어떤 행위나 감정 등의 대상임을 나타내는 조사.
нет эквивалента
Окончание, указывающее на объект какого-либо действия, чувства и т.п.

• **새롭다 (имя прилагательное)** : 지금까지의 것과 다르거나 있은 적이 없다.
новый
Отличающийся от чего-либо существовавшего до настоящего времени или не существовавший ранее.

• -게 : 앞의 말이 뒤에서 가리키는 일의 목적이나 결과, 방식, 정도 등이 됨을 나타내는 연결 어미.
нет эквивалента
Соединительное окончание предиката, указывающее на то, описанное в первой части предложения действие или состояние является целью, результатом, образом действия, степенью и т.п. того, о чём говорится в последующей главной части предложения.

• **도전하다 (глагол)** : (비유적으로) 가치 있는 것이나 목표한 것을 얻기 위해 어려움에 맞서다.
бросать вызов; пробовать
(перен.) Сталкиваться лицом к лицу с трудностями с целью достижения чего-либо ценного или поставленной задачи.

• -는 것 : 명사가 아닌 것을 문장에서 명사처럼 쓰이게 하거나 '이다' 앞에 쓰일 수 있게 할 때 쓰는 표현.
нет эквивалента
Выражение, субстантивирующее предшествующее слово неименной части речи или группу слов, которое также может употребляться с глаголом-связкой '이다'.

• 이 : 어떤 상태나 상황의 대상이나 동작의 주체를 나타내는 조사.
нет эквивалента
Частица, показывающая какое-либо состояние, объект ситуации или субъект действия.

• **두렵다 (имя прилагательное)** : 걱정되고 불안하다.
опасаться; бояться; ожидать (несчастья)
Испытывать опасение, беспокойство по поводу чего-либо.

• -지 않다 : 앞의 말이 나타내는 행위나 상태를 부정하는 뜻을 나타내는 표현.
нет эквивалента
Выражение, обозначающее отрицание какого-либо действия или состояния.

• -으세요 : (두루높임으로) 설명, 의문, 명령, 요청의 뜻을 나타내는 종결 어미.
нет эквивалента
(нейтрально-вежливый стиль) Финитное окончание предиката в повествовательном, вопросительном или побудительном предложении. **<вопрос>**

아니요.

더디+지만 하나+씩 알+[아 나가]+는 재미+가 있+어요.

• **아니요 (восклицание)** : 윗사람이 묻는 말에 대하여 부정하며 대답할 때 쓰는 말.
нет
Слово, используемое при отрицательном ответе на вопрос старшего по возрасту.

• **더디다 (имя прилагательное)** : 속도가 느려 무엇을 하는 데 걸리는 시간이 길다.
замедленный; медленный; тихий; неторопливый; опаздывающий; запаздывающий
Совершающийся с небольшой скоростью, неторопливо протекающий.

• -지만 : 앞에 오는 말을 인정하면서 그와 반대되거나 다른 사실을 덧붙일 때 쓰는 연결 어미.
нет эквивалента
Соединительное окончание, при котором в оформленной им придаточной части содержится допущение либо признание некого факта, а в последующей главной части следует противоречащий или не соответствующий ему факт.

• **하나 (имя числительное)** : 숫자를 셀 때 맨 처음의 수.
один
Самое первое число при подсчёте цифр.

• 씩 : '그 수량이나 크기로 나뉨'의 뜻을 더하는 접미사.
нет эквивалента
Суффикс со значением "деление на данное количество или на данный размер".

• **알다 (глагол)** : 교육이나 경험, 생각 등을 통해 사물이나 상황에 대한 정보 또는 지식을 갖추다.
знать
Владеть информацией или знаниями о предметах или ситуации через обучение, опыт, размышление и т.п.

• -아 나가다 : 앞의 말이 나타내는 행동을 계속 진행함을 나타내는 표현.
нет эквивалента
Выражение, указывающее на непрерывное продолжение действия.

• -는 : 앞의 말이 관형어의 기능을 하게 만들고 사건이나 동작이 현재 일어남을 나타내는 어미.
нет эквивалента
Окончание, которое указывает на действие или событие в настоящем, преобразуя впередистоящее слово, словосочетание или придаточное предложение в определение.

• **재미 (имя существительное)** : 어떤 것이 주는 즐거운 기분이나 느낌.
интерес
То, что вызывает чувство удовольствия, придаёт настроение.

• 가 : 어떤 상태나 상황에 놓인 대상이나 동작의 주체를 나타내는 조사.
нет эквивалента
Окончание, указывающее на объект какой-либо ситуации, состояния или на лицо, выполняющее какое-либо действие.

• **있다 (имя прилагательное)** : 사실이나 현상이 존재하다.
иметься
Существовать (о факте или явлении).

• -어요 : (두루높임으로) 어떤 사실을 서술하거나 질문, 명령, 권유함을 나타내는 종결 어미.
нет эквивалента
(нейтрально-вежливый стиль) Финитное окончание предиката в повествовательном, вопросительном или побудительном предложении. **<изложение>**

< 대화(разговор) > - 74

너 지우랑 화해했니?
너 지우랑 화해핸니?
neo jiurang hwahaehaenni?

아니. 난 지우한테 먼저 사과를 받아 낼 거야.
아니. 난 지우한테 먼저 사과를 바다 낼 꺼야.
ani. nan jiuhante meonjeo sagwareul bada nael geoya.

< 설명(объяснение) / 번역(перевод) >

너 지우+랑 화해하+였+니?
화해했니

• **너 (местоимение)** : 듣는 사람이 친구나 아랫사람일 때, 그 사람을 가리키는 말.
ты
Употребляется при указании на собеседника, если он является ровесником или человеком, младшим по возрасту или статусу.

• **지우 (имя существительное)** : имя человека

• 랑 : 누군가를 상대로 하여 어떤 일을 할 때 그 상대임을 나타내는 조사.
нет эквивалента
Частица, указывающая на то, что кто-либо является противоположной стороной при выполнении какого-либо дела.

• **화해하다 (глагол)** : 싸움을 멈추고 서로 가지고 있던 안 좋은 감정을 풀어 없애다.
примиряться; мириться; идти на примирение
Улаживать конфликт или разрешать проблему, раздор, неприятное мнение друг о друге.

• -였- : 어떤 사건이 과거에 완료되었거나 그 사건의 결과가 현재까지 지속되는 상황을 나타내는 어미.
нет эквивалента
Окончание, указывающее на полное завершение какого-либо события в прошлом и сохранения данного результата до настоящего времени.

• -니 : (아주낮춤으로) 물음을 나타내는 종결 어미.
нет эквивалента
(простой стиль) Финитное окончание предиката, указывающее на вопрос.

아니.

나+는 지우+한테 먼저 사과+를 받+[아 내]+[ㄹ 것(거)]+(이)+야.
난 **받아 낼 거야**

• **아니 (восклицание)** : 아랫사람이나 나이나 지위 등이 비슷한 사람이 물어보는 말에 대해 부정하여 대답할 때 쓰는 말.
нет
Слово, употребляющееся как отрицательный ответ на вопрос нижестоящего или приблизительно равного по возрасту и положению человека.

• **나 (местоимение)** : 말하는 사람이 친구나 아랫사람에게 자기를 가리키는 말.
я
Выражение, которым называют себя в разговоре с ровесниками или младшими людьми.

• 는 : 문장 속에서 어떤 대상이 화제임을 나타내는 조사.
нет эквивалента
Частица, указывающая на то, что какой-либо объект является основной темой в предложении.

• **지우 (имя существительное)** : имя человека

• 한테 : 어떤 행동의 주체이거나 비롯되는 대상임을 나타내는 조사.
нет эквивалента
Окончание, указывающее на лицо, выполняющее какое-либо действие или предмет, являющийся началом чего-либо.

• **먼저 (наречие)** : 시간이나 순서에서 앞서.
прежде; раньше
Ранее; заранее.

• **사과 (имя существительное)** : 자신의 잘못을 인정하며 용서해 달라고 빎.
извинение
Просьба о прощении за какую-либо ошибку, оплошность.

• 를 : 동작이 직접적으로 영향을 미치는 대상을 나타내는 조사.
нет эквивалента
Частица, указывающая на объект, на который непосредственно распространяется влияние действия.

• **받다 (глагол)** : 요구나 신청, 질문, 공격, 신호 등과 같은 작용을 당하거나 그에 응하다.
получать
Получать требования, заявления, вопросы, нападение, сигнал или отвечать на них.

• -아 내다 : 앞의 말이 나타내는 행동을 스스로의 힘으로 끝내 이룸을 나타내는 표현.
нет эквивалента
Выражение, указывающее на выполнение собственными силами какого-либо действия и достижения исчерпывающего результата.

• -ㄹ 것 : 명사가 아닌 것을 문장에서 명사처럼 쓰이게 하거나 '이다' 앞에 쓰일 수 있게 할 때 쓰는 표현.
нет эквивалента
Выражение, субстантивирующее предшествующее слово неименной части речи или группу слов, которое также может употребляться с глаголом-связкой '이다'.

• 이다 : 주어가 지시하는 대상의 속성이나 부류를 지정하는 뜻을 나타내는 서술격 조사.
нет эквивалента
Суффикс повествовательного падежа, выражающий смысл наименования свойства или разряда объекта, на который указывает подлежащее.

• -야 : (두루낮춤으로) 어떤 사실에 대하여 서술하거나 물음을 나타내는 종결 어미.
нет эквивалента
(нейтральный стиль) Финитное окончание предиката в повествовательном или вопросительном предложении. **<изложение>**

< 대화(разговор) > - 75

왜 교실에 안 들어가고 밖에 서 있어?
왜 교시레 안 드러가고 바께 서 이써?
wae gyosire an deureogago bakke seo isseo?

누가 문을 잠가 놓았는지 문이 안 열려요.
누가 무늘 잠가 노안는지 무니 안 열려요.
nuga muneul jamga noanneunji muni an yeollyeoyo.

< 설명(объяснение) / 번역(перевод) >

왜 교실+에 안 들어가+고 밖+에 서+[(어) 있]+어?
서 있어

• **왜 (наречие)** : 무슨 이유로. 또는 어째서.
почему; зачем
По какой причине.

• **교실 (имя существительное)** : 유치원, 초등학교, 중학교, 고등학교에서 교사가 학생들을 가르치는 방.
класс; аудитория
Помещение в детском саду, начальной, средней и старшей школе, где преподаватель обучает учеников.

• 에 : 앞말이 목적지이거나 어떤 행위의 진행 방향임을 나타내는 조사.
нет эквивалента
Окончание, указывающее на направленность какого-либо действия или цели.

• **안 (наречие)** : 부정이나 반대의 뜻을 나타내는 말.
не; нет; ни
Выражение, означающее отрицание или противоположность.

• **들어가다 (глагол)** : 밖에서 안으로 향하여 가다.
входить
Заходить снаружи вовнутрь.

• -고 : 앞의 말이 나타내는 행동이나 그 결과가 뒤에 오는 행동이 일어나는 동안에 그대로 지속됨을 나타내는 연결 어미.
нет эквивалента
Соединительное окончание предиката, указывающее на продолжение действия, описанного в первой части предложения, или на сохранение результата данного действия в течение времени выполнения действия, описанного во второй части предложения.

• **밖 (имя существительное)** : 선이나 경계를 넘어선 쪽.
вне
Сторона, переходящая линию или границу.

• 에 : 앞말이 어떤 장소나 자리임을 나타내는 조사.
нет эквивалента
Окончание, указывающее на какое-либо место или пространство.

• **서다 (глагол)** : 사람이나 동물이 바닥에 발을 대고 몸을 곧게 하다.
вставать; стоять
Выпрямлять тело, уперевшись ногами в пол (о человеке или животном).

• -어 있다 : 앞의 말이 나타내는 상태가 계속됨을 나타내는 표현.
нет эквивалента
Выражение, указывающее на длительность какого-либо состояния.

• -어 : (두루낮춤으로) 어떤 사실을 서술하거나 물음, 명령, 권유를 나타내는 종결 어미.
нет эквивалента
(нейтральный стиль) Финитное окончание предиката в повествовательном, вопросительном или побудительном предложении. **<вопрос>**

누(구)+가 문+을 잠그(잠ㄱ)+[아 놓]+았+는지 문+이 안 열리+어요.
누가 잠가 놓았는지 열려요

• **누구 (местоимение)** : 모르는 사람을 가리키는 말.
кто
Выражение, обозначающее кого-либо незнакомого.

• 가 : 어떤 상태나 상황에 놓인 대상이나 동작의 주체를 나타내는 조사.
нет эквивалента
Окончание, указывающее на объект какой-либо ситуации, состояния или на лицо, выполняющее какое-либо действие.

• **문 (имя существительное)** : 사람이 안과 밖을 드나들거나 물건을 넣고 꺼낼 수 있게 하기 위해 열고 닫을 수 있도록 만든 시설.

дверь

Створ, закрывающий отверстие в стене для входа и выхода из помещения, а также створка или несколько створок, затворяющих и растворяющих какой-либо предмет.

• 을 : 동작이 직접적으로 영향을 미치는 대상을 나타내는 조사.

нет эквивалента

Частица, указывающая на объект, на который действие оказывает непосредственное влияние.

• **잠그다 (глагол)** : 문 등을 자물쇠나 고리로 남이 열 수 없게 채우다.

запирать

Закрывать на замок или на крючок дверь и т.п.

• -아 놓다 : 앞의 말이 나타내는 행동을 끝내고 그 결과를 유지함을 나타내는 표현.

нет эквивалента

Выражение, указывающее на завершение какого-либо действия и сохранение его результатов.

• -았- : 어떤 사건이 과거에 완료되었거나 그 사건의 결과가 현재까지 지속되는 상황을 나타내는 어미.

нет эквивалента

Окончание, указывающее на полное завершение какого-либо события в прошлом и сохранения данного результата до настоящего времени.

• -는지 : 뒤에 오는 말의 내용에 대한 막연한 이유나 판단을 나타내는 연결 어미.

нет эквивалента

Соединительное предикативное окончание, указывающее на неопределённую причину или оценку говорящим того, о чём говорится во второй части предложения.

• **문 (имя существительное)** : 사람이 안과 밖을 드나들거나 물건을 넣고 꺼낼 수 있게 하기 위해 열고 닫을 수 있도록 만든 시설.

дверь

Створ, закрывающий отверстие в стене для входа и выхода из помещения, а также створка или несколько створок, затворяющих и растворяющих какой-либо предмет.

• 이 : 어떤 상태나 상황의 대상이나 동작의 주체를 나타내는 조사.

нет эквивалента

Частица, показывающая какое-либо состояние, объект ситуации или субъект действия.

• **안 (наречие)** : 부정이나 반대의 뜻을 나타내는 말.

не; нет; ни

Выражение, означающее отрицание или противоположность.

- **열리다 (глагол)** : 닫히거나 잠겨 있던 것이 트이거나 풀리다.
  открываться
  Разворачиваться (о том, что было закрыто или заперто).

- -어요 : (두루높임으로) 어떤 사실을 서술하거나 질문, 명령, 권유함을 나타내는 종결 어미.
  нет эквивалента
  (нейтрально-вежливый стиль) Финитное окончание предиката в повествовательном, вопросительном или побудительном предложении. **<изложение>**

< 대화(разговор) > - 76

오늘 행사는 아홉 시부터 시작인데 왜 벌써 가?
오늘 행사는 아홉 시부터 시자긴데 왜 벌써 가?
oneul haengsaneun ahop sibuteo sijaginde wae beolsseo ga?

준비할 게 많으니까 조금 일찍 와 달라는 부탁을 받았어.
준비할 께 마느니까 조금 일찍 와 달라는 부타글 바다써.
junbihal ge maneunikka jogeum iljjik wa dallaneun butageul badasseo.

< 설명(объяснение) / 번역(перевод) >

오늘 행사+는 아홉 시+부터 시작+이+ㄴ데 왜 벌써 가+(아)?
시작인데 가

• **오늘 (имя существительное)** : 지금 지나가고 있는 이날.
сегодня
Этот текущий день.

• **행사 (имя существительное)** : 목적이나 계획을 가지고 절차에 따라서 어떤 일을 시행함. 또는 그 일.
мероприятие; торжество; празднование
Последовательное выполнение действий, направленных на осуществление какой-либо цели или плана; данное действие.

• **는** : 문장 속에서 어떤 대상이 화제임을 나타내는 조사.
нет эквивалента
Частица, указывающая на то, что какой-либо объект является основной темой в предложении.

• **아홉 (атрибутивное слово)** : 여덟에 하나를 더한 수의.
девять
Число, следующее за восемью.

• **시 (имя существительное)** : 하루를 스물넷으로 나누었을 때 그 하나를 나타내는 시간의 단위.
час
Зависимое существительное для счёта времени при разделении его на 24 часа.

• 부터 : 어떤 일의 시작이나 처음을 나타내는 조사.
нет эквивалента
Окончание, указывающее на начало какой-либо области или какого-либо события.

• **시작 (имя существительное)** : 어떤 일이나 행동의 처음 단계를 이루거나 이루게 함. 또는 그런 단계.
начало
Первый момент, этап какого-либо действия, явления, процесса.

• 이다 : 주어가 지시하는 대상의 속성이나 부류를 지정하는 뜻을 나타내는 서술격 조사.
нет эквивалента
Суффикс повествовательного падежа, выражающий смысл наименования свойства или разряда объекта, на который указывает подлежащее.

• -ㄴ데 : 뒤의 말을 하기 위하여 그 대상과 관련이 있는 상황을 미리 말함을 나타내는 연결 어미.
нет эквивалента
Соединительное окончание, вводящее некую предварительную информацию об объекте, о котором говорится в последующей части предложения.

• **왜 (наречие)** : 무슨 이유로. 또는 어째서.
почему; зачем
По какой причине.

• **벌써 (наречие)** : 생각보다 빠르게.
уже
Быстрее, чем ожидалось.

• **가다 (глагол)** : 한 곳에서 다른 곳으로 장소를 이동하다.
ходить; уходить; идти
Передвигаться с одного места на другое.

• -아 : (두루낮춤으로) 어떤 사실을 서술하거나 물음, 명령, 권유를 나타내는 종결 어미.
нет эквивалента
(нейтральный стиль) Финитное окончание предиката в повествовательном, вопросительном или побудительном предложении. **<вопрос>**

준비하+[ㄹ 것(거)]+이 많+으니까 조금 일찍 오+[아 달]+라는 부탁+을 받+았+어.
준비할 게 와 달라는

• **준비하나 (глагол)** : 미리 마련하여 갖추다.
готовить; приготовлять
Заблаговременно приготовлять.

• -ㄹ 것 : 명사가 아닌 것을 문장에서 명사처럼 쓰이게 하거나 '이다' 앞에 쓰일 수 있게 할 때 쓰는 표현.
нет эквивалента
Выражение, субстантивирующее предшествующее слово неименной части речи или группу слов, которое также может употребляться с глаголом-связкой '이다'.

• 이 : 어떤 상태나 상황의 대상이나 동작의 주체를 나타내는 조사.
нет эквивалента
Частица, показывающая какое-либо состояние, объект ситуации или субъект действия.

• **많다 (имя прилагательное)** : 수나 양, 정도 등이 일정한 기준을 넘다.
много
Численность, количество, уровень и т.п. превышает стандарты.

• -으니까 : 뒤에 오는 말에 대하여 앞에 오는 말이 원인이나 근거, 전제가 됨을 강조하여 나타내는 연결 어미.
нет эквивалента
Соединительное окончание, указывающее на то, что содержание первой части предложения является причиной, обоснованием, предпосылкой того, о чём говорится во второй части предложения.

• **조금 (наречие)** : 시간이 짧게.
нет эквивалента
Коротко (о времени).

• **일찍 (наречие)** : 정해진 시간보다 빠르게.
рано; раньше
Прежде определенного, указанного момента времени.

• **오다 (глагол)** : 무엇이 다른 곳에서 이곳으로 움직이다.
приходить; приезжать
Передвигаться с одного места в другое.

• -아 달다 : 앞의 말이 나타내는 행동을 해 줄 것을 요구함을 나타내는 표현.
нет эквивалента
Выражение, указывающее на требование, просьбу говорящего к слушающему совершить какое-либо действие.

• -라는 : 명령이나 요청 등의 말을 인용하여 전달하면서 그 뒤에 오는 명사를 꾸며 줄 때 쓰는 표현.
нет эквивалента
Выражение, употребляемое при цитировании приказа или просьбы третьего лица, которое в предложении выполняет роль определения к последующему существительному.

- **부탁 (имя существительное)** : 어떤 일을 해 달라고 하거나 맡김.
  просьба
  Обращение к кому-либо, призывающее удовлетворить какие-либо нужды, исполнить какое-нибудь желание того, кто просит.

- 을 : 동작이 직접적으로 영향을 미치는 대상을 나타내는 조사.
  нет эквивалента
  Частица, указывающая на объект, на который действие оказывает непосредственное влияние.

- **받다 (глагол)** : 요구나 신청, 질문, 공격, 신호 등과 같은 작용을 당하거나 그에 응하다.
  получать
  Получать требования, заявления, вопросы, нападение, сигнал или отвечать на них.

- -았- : 어떤 사건이 과거에 완료되었거나 그 사건의 결과가 현재까지 지속되는 상황을 나타내는 어미.
  нет эквивалента
  Окончание, указывающее на полное завершение какого-либо события в прошлом и сохранения данного результата до настоящего времени.

- -어 : (두루낮춤으로) 어떤 사실을 서술하거나 물음, 명령, 권유를 나타내는 종결 어미.
  нет эквивалента
  (нейтральный стиль) Финитное окончание предиката в повествовательном, вопросительном или побудительном предложении. **<изложение>**

< 대화(разговор) > - 77

이 옷 한번 입어 봐도 되죠?
이 옫 한번 이버 봐도 되죠?
i ot hanbeon ibeo bwado doejyo?

그럼요, 손님. 탈의실은 이쪽입니다.
그러묘, 손님. 타리시른 이쪼김니다.
geureomyo, sonnim. tarisireun ijjogimnida.

< 설명(объяснение) / 번역(перевод) >

이 옷 한번 입+[어 보]+[아도 되]+죠?

입어 봐도 되죠

• **이 (атрибутивное слово)** : 말하는 사람에게 가까이 있거나 말하는 사람이 생각하고 있는 대상을 가리킬 때 쓰는 말.

этот; это

Слово, указывающее на что-либо, находящееся возле говорящего, или на то, о чём он думает.

• **옷 (имя существительное)** : 사람의 몸을 가리고 더위나 추위 등으로부터 보호하며 멋을 내기 위하여 입는 것.

одежда; платье

То, что одевается для того, чтобы закрывать тело человека, защищать от жары (стужи) или щеголять этим.

• **한번 (наречие)** : 어떤 일을 시험 삼아 시도함을 나타내는 말.

нет эквивалента

Слово, употребляемое при совершении попыток сделать что-либо для пробы.

• **입다 (глагол)** : 옷을 몸에 걸치거나 두르다.

надевать; одевать[ся]

Натягивать или накидывать одежду на тело.

• -어 보다 : 앞의 말이 나타내는 행동을 시험 삼아 함을 나타내는 표현.

нет эквивалента

Выражение, указывающее на пробу или попытку совершить какое-либо действие.

• -아도 되다 : 어떤 행동에 대한 허락이나 허용을 나타낼 때 쓰는 표현.
нет эквивалента
Выражение, указывающее на согласие или разрешение совершить какое-либо действие.

• -죠 : (두루높임으로) 말하는 사람이 듣는 사람에게 친근함을 나타내며 물을 때 쓰는 종결 어미.
нет эквивалента
(нейтрально-вежливый стиль) Финитное окончание предиката, показывающее доверительный тон в разговоре между говорящим и слушающим.

그럼+요, 손님.

탈의실+은 이쪽+이+ㅂ니다.
이쪽입니다

• **그럼 (восклицание)** : 말할 것도 없이 당연하다는 뜻으로 대답할 때 쓰는 말.
конечно; разумеется; несомненно
Слово, используемое при ответе, когда что-либо и без слов само собой разумеется.

• 요 : 높임의 대상인 상대방에게 존대의 뜻을 나타내는 조사.
нет эквивалента
Частица, показывающая вежливое отношение к противоположной стороне, являющейся объектом уважения.

• **손님 (имя существительное)** : (높임말로) 여관이나 음식점 등의 가게에 찾아온 사람.
клиент
(вежл.) Человек, посетивший какую-либо гостиницу или ресторан.

• **탈의실 (имя существительное)** : 옷을 벗거나 갈아입는 방.
раздевалка
Комната, где снимают или переодевают одежду.

• 은 : 문장 속에서 어떤 대상이 화제임을 나타내는 조사.
нет эквивалента
Частица, показывающая то, что какой-то объект является главной темой в предложении.

• **이쪽 (местоимение)** : 말하는 사람에게 가까운 곳이나 방향을 가리키는 말.
эта сторона
Слово, указывающее на место, близко расположенное к говорящему, либо на направление.

• 이다 : 주어가 지시하는 대상의 속성이나 부류를 지정하는 뜻을 나타내는 서술격 조사.
нет эквивалента
Суффикс повествовательного падежа, выражающий смысл наименования свойства или разряда объекта, на который указывает подлежащее.

• -ㅂ니다 : (아주높임으로) 현재의 동작이나 상태, 사실을 정중하게 설명함을 나타내는 종결 어미.
нет эквивалента
(формально-вежливый стиль) Финитное окончание предиката, употребляемое при описании событий, действий или состояний в форме настоящего времени в ситуациях вежливого общения.

< 대화(разговор) > - 78

많이 취하신 거 같아요. 제가 택시 잡아 드릴게요.
마니 취하신 거 가타요. 제가 택씨 자바 드릴께요.
mani chwihasin geo gatayo. jega taeksi jaba deurilgeyo.

괜찮아요. 좀 걷다가 지하철 타고 가면 됩니다.
괜차나요. 좀 걷따가 지하철 타고 가면 됩니다.
gwaenchanayo. jom geotdaga jihacheol tago gamyeon doemnida.

< 설명(объяснение) / 번역(перевод) >

많이 취하+시+[ㄴ 것(거) 같]+아요.

취하신 거 같아요

제+가 택시 잡+[아 드리]+ㄹ게요.

잡아 드릴게요

- **많이 (наречие)** : 수나 양, 정도 등이 일정한 기준보다 넘게.
  много
  Превышая определённую норму (о числе, количестве, степени и т.п.).

- **취하다 (глагол)** : 술이나 약 등의 기운으로 정신이 흐려지고 몸을 제대로 움직일 수 없게 되다.
  опьянеть
  Потерять способность нормально двигаться или здраво мыслить под влиянием алкоголя или каких-либо медикаментов.

- -시- : 어떤 동작이나 상태의 주체를 높이는 뜻을 나타내는 어미.
  нет эквивалента
  Гонорифический глагольный суффикс, указывающий на почтительное отношение к субъекту какого-либо состояния или действия.

- -ㄴ 것 같다 : 추측을 나타내는 표현.
  кажется, что …; вероятно; похоже
  Выражение предположения.

• -아요 : (두루높임으로) 어떤 사실을 서술하거나 질문, 명령, 권유함을 나타내는 종결 어미.
нет эквивалента
(нейтрально-вежливый стиль) Финитное окончание предиката в повествовательном, вопросительном или побудительном предложении. **<изложение>**

• **제 (местоимение)** : 말하는 사람이 자신을 낮추어 가리키는 말인 '저'에 조사 '가'가 붙을 때의 형태.
я
Форма, когда к '저' (вежливая форма '나') присоединяется падежное окончание '가'.

• 가 : 어떤 상태나 상황에 놓인 대상이나 동작의 주체를 나타내는 조사.
нет эквивалента
Окончание, указывающее на объект какой-либо ситуации, состояния или на лицо, выполняющее какое-либо действие.

• **택시 (имя существительное)** : 돈을 받고 손님이 원하는 곳까지 태워 주는 일을 하는 승용차.
такси
Автомобиль для перевозки пассажиров до желаемого ими места с оплатой проезда.

• **잡다 (глагол)** : 자동차 등을 타기 위하여 세우다.
ловить
Останавливать машину и т.п. для того, чтобы сесть.

• -아 드리다 : (높임말로) 남을 위해 앞의 말이 나타내는 행동을 함을 나타내는 표현.
нет эквивалента
(вежл.) Выражение, указывающее на то, что данное действие выполняется в интересах старшего по возрасту или вышестоящего лица.

• -ㄹ게요 : (두루높임으로) 말하는 사람이 어떤 행동을 할 것을 듣는 사람에게 약속하거나 의지를 나타내는 표현.
нет эквивалента
(нейтрально-вежливый стиль) Выражение, употребляемое, когда говорящий обещает сделать что-либо или сообщает слушателю о своих будущих действиях.

괜찮+아요.

좀 걷+다가 지하철 타+고 가+[면 되]+ㅂ니다.
가면 됩니다

• **괜찮다 (имя прилагательное)** : 별 문제가 없다.
нормальный; сносный; благополучный; хороший; удовлетворительный; приемлемый
Не имеющий особых проблем.

• -아요 : (두루높임으로) 어떤 사실을 서술하거나 질문, 명령, 권유함을 나타내는 종결 어미.
нет эквивалента
(нейтрально-вежливый стиль) Финитное окончание предиката в повествовательном, вопросительном или побудительном предложении. **<изложение>**

• **좀 (наречие)** : 시간이 짧게.
немного; недолго
Незначительное время.

• **걷다 (глагол)** : 바닥에서 발을 번갈아 떼어 옮기면서 움직여 위치를 옮기다.
идти пешком; шагать
Двигаться и переходить в другое место, по очереди передвигая ноги по полу, .

• -다가 : 어떤 행동이나 상태 등이 중단되고 다른 행동이나 상태로 바뀜을 나타내는 연결 어미.
нет эквивалента
Соединительное окончание предиката, указывающее на резкую смену действия или состояния.

• **지하철 (имя существительное)** : 지하 철도로 다니는 전동차.
метрополитен; метро
Электропоезд, передвигающийся по подземным железным путям.

• **타다 (глагол)** : 탈것이나 탈것으로 이용하는 짐승의 몸 위에 오르다.
садиться на что-либо; ехать на чём-либо
Подниматься на транспортное средство либо взбираться на животное, которое служит средством передвижения.

• -고 : 앞의 말이 나타내는 행동이나 그 결과가 뒤에 오는 행동이 일어나는 동안에 그대로 지속됨을 나타내는 연결 어미.
нет эквивалента
Соединительное окончание предиката, указывающее на продолжение действия, описанного в первой части предложения, или на сохранение результата данного действия в течение времени выполнения действия, описанного во второй части предложения.

• **가다 (глагол)** : 한 곳에서 다른 곳으로 장소를 이동하다.
ходить; уходить; идти
Передвигаться с одного места на другое.

• -면 되다 : 조건이 되는 어떤 행동을 하거나 어떤 상태만 갖추어지면 문제가 없거나 충분함을 나타내는 표현.
нет эквивалента
Выражение с условной конструкцией, обозначающее, что некое действие или событие, о котором говорится в придаточном условия, является достаточным, допустимым, удовлетворительным.

• -ㅂ니다 : (아주높임으로) 현재의 동작이나 상태, 사실을 정중하게 설명함을 나타내는 종결 어미.

нет эквивалента

(формально-вежливый стиль) Финитное окончание предиката, употребляемое при описании событий, действий или состояний в форме настоящего времени в ситуациях вежливого общения.

< 대화(разговор) > - 79

책상 위에 있는 쓰레기 같은 것들은 좀 치워 버려라.
책쌍 위에 인는 쓰레기 가튼 걷뜨른 좀 치워 버려라.
chaeksang wie inneun sseuregi gateun geotdeureun jom chiwo beoryeora.

아냐. 다 필요한 것들이니까 버리면 안 돼.
아냐. 다 피료한 걷뜨리니까 버리면 안 돼.
anya. da piryohan geotdeurinikka beorimyeon an dwae.

< 설명(объяснение) / 번역(перевод) >

책상 위+에 있+는 쓰레기 같+[은 것]+들+은 좀 치우+[어 버리]+어라.
치워 버려라

• **책상 (имя существительное)** : 책을 읽거나 글을 쓰거나 사무를 볼 때 앞에 놓고 쓰는 상.
стол; письменный стол; рабочий стол
Стол, за которым читают книги, что-либо пишут или работают.

• **위 (имя существительное)** : 어떤 것의 겉면이나 평평한 표면.
поверхность; верхний слой
Верхний слой чего-либо или ровная поверхность.

• 에 : 앞말이 어떤 장소나 자리임을 나타내는 조사.
нет эквивалента
Окончание, указывающее на какое-либо место или пространство.

• **있다 (имя прилагательное)** : 무엇이 어떤 곳에 자리나 공간을 차지하고 존재하는 상태이다.
нет эквивалента
Пребывать или занимать какое-либо место или пространство.

• -는 : 앞의 말이 관형어의 기능을 하게 만들고 사건이나 동작이 현재 일어남을 나타내는 어미.
нет эквивалента
Окончание, которое указывает на действие или событие в настоящем, преобразуя впередистоящее слово, словосочетание или придаточное предложение в определение.

• **쓰레기 (имя существительное)** : 쓸어 낸 먼지, 또는 못 쓰게 되어 내다 버릴 물건이나 내다 버린 물건.

мусор; отбросы; отходы

Сметённая пыль или негодные остатки чего-либо.

• **같다 (имя прилагательное)** : 무엇과 비슷한 종류에 속해 있음을 나타내는 말.

такой как

Слово, употребляемое для обозначения принадлежности к одному и тому же виду, классу.

• -은 것 : 명사가 아닌 것을 문장에서 명사처럼 쓰이게 하거나 '이다' 앞에 쓰일 수 있게 할 때 쓰는 표현.

нет эквивалента

Выражение, субстантивирующее предшествующее слово неименной части речи или группу слов, которое также может употребляться с глаголом-связкой '이다'.

• 들 : '복수'의 뜻을 더하는 접미사.

нет эквивалента

Суффикс со значением множественного числа.

• 은 : 문장 속에서 어떤 대상이 화제임을 나타내는 조사.

нет эквивалента

Частица, показывающая то, что какой-то объект является главной темой в предложении.

• **좀 (наречие)** : 주로 부탁이나 동의를 구할 때 부드러운 느낌을 주기 위해 넣는 말.

нет эквивалента

Выражение, употребляющееся для придания мягкости при обращении к кому-либо с просьбой или в поисках согласия, одобрения.

• **치우다 (глагол)** : 청소하거나 정리하다.

убирать

Наводить чистоту и порядок.

• -어 버리다 : 앞의 말이 나타내는 행동이 완전히 끝났음을 나타내는 표현.

нет эквивалента

Выражение, указывающее на исчерпывающую завершённость действия.

• -어라 : (아주낮춤으로) 명령을 나타내는 종결 어미.

нет эквивалента

(простой стиль) Финитное окончание предиката, выражающее повеление.

아니야. 다 필요하+[ㄴ 것]+들+이+니까 버리+[면 안 되]+어.

아냐 필요한 것들이니까 버리면 안 돼

• **아니야 (восклицание)** : 묻는 말에 대하여 강조하며, 또는 단호하게 부정하며 대답할 때 쓰는 말.
нет; да нет же
Слова, использующееся в ситуации, когда, отвечая на вопрос, подчёркивается отрицательный ответ.

• **다 (наречие)** : 남거나 빠진 것이 없이 모두.
всё; все
Весь, полный, без изъятия, целиком.

• **필요하다 (имя прилагательное)** : 꼭 있어야 하다.
нужный; необходимый; надобный
Такой, в котором имеется нужда, необходимость, надобность.

• -ㄴ 것 : 명사가 아닌 것을 문장에서 명사처럼 쓰이게 하거나 '이다' 앞에 쓰일 수 있게 할 때 쓰는 표현.
нет эквивалента
Выражение, позволяющее использовать в качестве существительного слово неименной части речи, которое также может употребляться перед глаголом-связкой '이다'.

• 들 : '복수'의 뜻을 더하는 접미사.
нет эквивалента
Суффикс со значением множественного числа.

• 이다 : 주어가 지시하는 대상의 속성이나 부류를 지정하는 뜻을 나타내는 서술격 조사.
нет эквивалента
Суффикс повествовательного падежа, выражающий смысл наименования свойства или разряда объекта, на который указывает подлежащее.

• -니까 : 뒤에 오는 말에 대하여 앞에 오는 말이 원인이나 근거, 전제가 됨을 강조하여 나타내는 연결 어미.
нет эквивалента
Соединительное окончание, указывающее на то, что содержание первой части предложения является причиной, обоснованием, предпосылкой того, о чём говорится во второй части предложения.

• **버리다 (глагол)** : 가지고 있을 필요가 없는 물건을 내던지거나 쏟거나 하다.
бросать; избавляться (от кого-чего)
Выкидывать или высыпать ненужные предметы.

• -면 안 되다 : 어떤 행동이나 상태를 금지하거나 제한함을 나타내는 표현.
нет эквивалента
Выражение, обозначающее запрет или ограничение какого-либо действия или состояния.

• -어 : (두루낮춤으로) 어떤 사실을 서술하거나 물음, 명령, 권유를 나타내는 종결 어미.
нет эквивалента
(нейтральный стиль) Финитное окончание предиката в повествовательном, вопросительном или побудительном предложении. **<изложение>**

< 대화(разговор) > - 80

좋은 일 있었나 봐? 기분이 좋아 보이네.
조은 일 이썬나 봐? 기부니 조아 보이네.
joeun il isseonna bwa? gibuni joa boine.

아, 어제 남자 친구한테 반지를 선물로 받았거든요.
아, 어제 남자 친구한테 반지를 선물로 바닫꺼드뇨.
a, eoje namja chinguhante banjireul seonmullo badatgeodeunyo.

< 설명(объяснение) / 번역(перевод) >

좋+은 일 있+었+[나 보]+아?
있었나 봐

기분+이 좋+[아 보이]+네.

- **좋다 (имя прилагательное)** : 어떤 일이나 대상이 마음에 들고 만족스럽다.
  нет эквивалента
  Приходящийся по душе, удовлетворительный (о каком-либо деле или объекте).

- -은 : 앞의 말이 관형어의 기능을 하게 만들고 현재의 상태를 나타내는 어미.
  нет эквивалента
  Окончание, которое указывает на состояние лица или предмета в настоящем, преобразуя впередистоящее слово, словосочетание или придаточное предложение в определение.

- **일 (имя существительное)** : 어떤 내용을 가진 상황이나 사실.
  дело
  Ситуация или условия с определённым содержанием.

- **있다 (имя прилагательное)** : 어떤 사람에게 무슨 일이 생긴 상태이다.
  нет эквивалента
  Случиться.

- -었- : 사건이 과거에 일어났음을 나타내는 어미.
  нет эквивалента
  Окончание прошедшего времени.

• -나 보다 : 앞의 말이 나타내는 사실을 추측함을 나타내는 표현.
наверное; видимо; по-видимому
Выражение, указывающее на предположение о неком действии или состоянии.

• -아 : (두루낮춤으로) 어떤 사실을 서술하거나 물음, 명령, 권유를 나타내는 종결 어미.
нет эквивалента
(нейтральный стиль) Финитное окончание предиката в повествовательном, вопросительном или побудительном предложении. **<вопрос>**

• **기분 (имя существительное)** : 불쾌, 유쾌, 우울, 분노 등의 감정 상태.
настроение
Эмоциональное состояние (радость, неприязнь, уныние, злость и т.п.), которое вызывает какой-либо объект или окружающая обстановка.

• 이 : 어떤 상태나 상황의 대상이나 동작의 주체를 나타내는 조사.
нет эквивалента
Частица, показывающая какое-либо состояние, объект ситуации или субъект действия.

• **좋다 (имя прилагательное)** : 감정 등이 기쁘고 흐뭇하다.
нет эквивалента
Радостный и удовлетворительный (о чувстве и т.п.)

• -아 보이다 : 겉으로 볼 때 앞의 말이 나타내는 것처럼 느껴지거나 추측됨을 나타내는 표현.
выглядеть
Выражение, указывающее на предположение, догадку о чём-либо на основании внешних признаков ситуации.

• -네 : (아주낮춤으로) 지금 깨달은 일에 대하여 말함을 나타내는 종결 어미.
нет эквивалента
(простой стиль) Финитное окончание, указывающее на обнаружение или осознание нового факта.

아, 어제 남자 친구+한테 반지+를 선물+로 받+았+거든요.

• **아 (восклицание)** : 기쁨이나 감동의 느낌을 나타낼 때 내는 소리.
а!
Звук, издаваемый при проявлении растроганности или радости.

• **어제 (наречие)** : 오늘의 하루 전날에.
вчера
За день до сегодня.

• **남자 친구 (имя существительное)** : 여자가 사랑하는 감정을 가지고 사귀는 남자.
близкий друг; парень; любимый человек; молодой человек; бойфренд
Мужчина, состоящий в близких отношениях с любящей его женщиной (девушкой).

• 한테 : 어떤 행동의 주체이거나 비롯되는 대상임을 나타내는 조사.
нет эквивалента
Окончание, указывающее на лицо, выполняющее какое-либо действие или предмет, являющийся началом чего-либо.

• **반지 (имя существительное)** : 손가락에 끼는 동그란 장신구.
кольцо
Украшение круглой формы, надеваемое на палец руки.

• 를 : 동작이 직접적으로 영향을 미치는 대상을 나타내는 조사.
нет эквивалента
Частица, указывающая на объект, на который непосредственно распространяется влияние действия.

• **선물 (имя существительное)** : 고마움을 표현하거나 어떤 일을 축하하기 위해 다른 사람에게 물건을 줌. 또는 그 물건.
подарок
Вещь, подаренная в знак благодарности или как поздравление с каким-либо событием. Или преподнесение подобной вещи.

• 로 : 신분이나 자격을 나타내는 조사.
нет эквивалента
Частица, указывающая на общественное положение или квалификацию.

• **받다 (глагол)** : 다른 사람이 주거나 보내온 것을 가지다.
получать; принимать
Брать то, что дает или присылает другой человек.

• -았- : 사건이 과거에 일어났음을 나타내는 어미.
нет эквивалента
Окончание прошедшего времени.

• -거든요 : (두루높임으로) 앞의 내용에 대해 말하는 사람이 생각한 이유나 원인, 근거를 나타내는 표현.
нет эквивалента
(нейтрально-вежливый стиль) Финитное окончание, указывающее на причину, фактор, аргумент говорящего, которые касаются содержания, описанного в первой части высказывания.

< 대화(разговор) > - 81

저는 한국에 온 지 일 년쯤 됐어요.
저는 한구게 온 지 일 년쯤 돼써요.
jeoneun hanguge on ji il nyeonjjeum dwaesseoyo.

일 년밖에 안 됐는데도 한국어를 정말 잘하시네요.
일 년바께 안 됀는데도 한구거를 정말 잘하시네요.
il nyeonbakke an dwaenneundedo hangugeoreul jeongmal jalhasineyo.

< 설명(объяснение) / 번역(перевод) >

저+는 한국+에 오+[ㄴ 지] 일 년+쯤 되+었+어요.
온 지 됐어요

• **저 (местоимение)** : 말하는 사람이 듣는 사람에게 자신을 낮추어 가리키는 말.
я
Употребляется для обозначения говорящим самого себя, принижая себя перед слушающим.

• 는 : 문장 속에서 어떤 대상이 화제임을 나타내는 조사.
нет эквивалента
Частица, указывающая на то, что какой-либо объект является основной темой в предложении.

• **한국 (имя существительное)** : 아시아 대륙의 동쪽에 있는 나라. 한반도와 그 부속 섬들로 이루어져 있으며, 대한민국이라고도 부른다. 1950년에 일어난 육이오 전쟁 이후 휴전선을 사이에 두고 국토가 둘로 나뉘었다. 언어는 한국어이고, 수도는 서울이다.
Корея
Государство, расположенное в восточной части Азии, состоящее из полуострова и прилегающих островов. Официальное название - Республика Корея. В результате войны Корейской войны, начавшейся в 1950 году, территория полуострова разделена на две части, северную и южную. Официальный язык- корейский, столица- город Сеул.

• 에 : 앞말이 목적지이거나 어떤 행위의 진행 방향임을 나타내는 조사.
нет эквивалента
Окончание, указывающее на направленность какого-либо действия или цели.

• **오다 (глагол)** : 무엇이 다른 곳에서 이곳으로 움직이다.
приходить; приезжать
Передвигаться с одного места в другое.

• -ㄴ 지 : 앞의 말이 나타내는 행동을 한 후 시간이 얼마나 지났는지를 나타내는 표현.
нет эквивалента
Выражение, указывающее на промежуток времени после совершения действия, указанного в начале предложения.

• **일 (атрибутивное слово)** : 하나의.
нет эквивалента
Один.

• **년 (имя существительное)** : 한 해를 세는 단위.
год
Единица измерения для промежутка времени, равного 12 месяцам.

• 쯤 : '정도'의 뜻을 더하는 접미사.
около; примерно; настолько
Суффикс со значением "приблизительно, примерно" (о мере, степени, количестве).

• **되다 (глагол)** : 어떤 때나 시기, 상태에 이르다.
становиться; наступать
Достичь какого-либа времени, периода, состояния.

• -었- : 어떤 사건이 과거에 완료되었거나 그 사건의 결과가 현재까지 지속되는 상황을 나타내는 어미.
нет эквивалента
Окончание, указывающее на полное завершение какого-либо события в прошлом и сохранения данного результата до настоящего времени.

• -어요 : (두루높임으로) 어떤 사실을 서술하거나 질문, 명령, 권유함을 나타내는 종결 어미.
нет эквивалента
(нейтрально-вежливый стиль) Финитное окончание предиката в повествовательном, вопросительном или побудительном предложении. **<изложение>**

일 년+밖에 안 되+었+는데도 한국어+를 정말 잘하+시+네요.

됐는데도

• **일 (атрибутивное слово)** : 하나의.
нет эквивалента
Один.

• **녇 (имя существительное)** : 한 해를 세는 단위.
год
Единица измерения для промежутка времени, равного 12 месяцам.

• 밖에 : '그것을 제외하고는', '그것 말고는'의 뜻을 나타내는 조사.
кроме; только
Окончание, содержащее смысл "исключая это", "не это".

• **안 (наречие)** : 부정이나 반대의 뜻을 나타내는 말.
не; нет; ни
Выражение, означающее отрицание или противоположность.

• **되다 (глагол)** : 어떤 때나 시기, 상태에 이르다.
становиться; наступать
Достичь какого-либа времени, периода, состояния.

• -었- : 어떤 사건이 과거에 완료되었거나 그 사건의 결과가 현재까지 지속되는 상황을 나타내는 어미.
нет эквивалента
Окончание, указывающее на полное завершение какого-либо события в прошлом и сохранения данного результата до настоящего времени.

• -는데도 : 앞에 오는 말이 나타내는 상황에 상관없이 뒤에 오는 말이 나타내는 상황이 일어남을 나타내는 표현.
нет эквивалента
Выражение со значением уступки, указывающее на то, что описанная в главном предложении ситуация возникает вопреки или независимо от ситуации, описанной в придаточном предложении.

• **한국어 (имя существительное)** : 한국에서 사용하는 말.
корейский язык
Язык, который используют в Республике Корея.

• 를 : 동작이 직접적으로 영향을 미치는 대상을 나타내는 조사.
нет эквивалента
Частица, указывающая на объект, на который непосредственно распространяется влияние действия.

• **정말 (наречие)** : 거짓이 없이 진짜로.
действительно; вправду; честно
Правда, без лжи.

• **잘하다 (глагол)** : 익숙하고 솜씨가 있게 하다.
хорошо делать; быть умелым; быть искусным; быть способным
Выполнять что-либо с умением или иметь талант к чему-либо.

- -시- : 어떤 동작이나 상태의 주체를 높이는 뜻을 나타내는 어미.

  нет эквивалента

  Гонорифический глагольный суффикс, указывающий на почтительное отношение к субъекту какого-либо состояния или действия.

- -네요 : (두루높임으로) 말하는 사람이 직접 경험하여 새롭게 알게 된 사실에 대해 감탄함을 나타낼 때 쓰는 표현.

  нет эквивалента

  (нейтрально-вежливый стиль) Выражение, указывающее на восклицание при личном обнаружении какого-либо факта.

< 대화(разговор) > - 82

지우가 결혼하더니 많이 밝아졌지?
지우가 결혼하더니 마니 발가절찌?
jiuga gyeolhonhadeoni mani balgajeotji?

맞아. 지우를 십 년 동안 봐 왔지만 요새처럼 행복해 보일 때가 없었어.
마자. 지우를 십 년 동안 봐 왇찌만 요새처럼 행보캐 보일 때가 업써써.
maja. jiureul sip nyeon dongan bwa watjiman yosaecheoreom haengbokae boil ttaega eopseosseo.

< 설명(объяснение) / 번역(перевод) >

지우+가 결혼하+더니 많이 밝아지+었+지?
밝아졌지

• **지우 (имя существительное)** : имя человека

• 가 : 어떤 상태나 상황에 놓인 대상이나 동작의 주체를 나타내는 조사.
нет эквивалента
Окончание, указывающее на объект какой-либо ситуации, состояния или на лицо, выполняющее какое-либо действие.

• **결혼하다 (глагол)** : 남자와 여자가 법적으로 부부가 되다.
вступать в брак; жениться; выйти замуж
Становиться супругами по закону (о мужчине и женщине).

• -더니 : 과거의 사실이나 상황에 뒤이어 어떤 사실이나 상황이 일어남을 나타내는 연결 어미.
нет эквивалента
Соединительное окончание, указывающее на проявление какого-либо факта или события вслед за каким-либо прошедшим фактом или событием.

• **많이 (наречие)** : 수나 양, 정도 등이 일정한 기준보다 넘게.
много
Превышая определённую норму (о числе, количестве, степени и т.п.).

• **밝아지다 (глагол)** : 밝게 되다.
посветлеть; становиться ярким
Становиться светлым.

• -었- : 어떤 사건이 과거에 완료되었거나 그 사건의 결과가 현재까지 지속되는 상황을 나타내는 어미.
нет эквивалента
Окончание, указывающее на полное завершение какого-либо события в прошлом и сохранения данного результата до настоящего времени.

• -지 : (두루낮춤으로) 이미 알고 있는 것을 다시 확인하듯이 물을 때 쓰는 종결 어미.
нет эквивалента
(нейтральный стиль) Финитное окончание предиката, употребляемое в вопросительных предложениях со значением уточнения и перепроверки уже известного говорящему факта.

맞+아.

지우+를 십 년 동안 보+[아 오]+았+지만
봐 왔지만

요새+처럼 행복하+[여 보이]+[ㄹ 때]+가 없+었+어.
행복해 보일 때가

• **맞다 (глагол)** : 그렇거나 옳다.
быть правильным
Быть верным.

• -아 : (두루낮춤으로) 어떤 사실을 서술하거나 물음, 명령, 권유를 나타내는 종결 어미.
нет эквивалента
(нейтральный стиль) Финитное окончание предиката в повествовательном, вопросительном или побудительном предложении. **<изложение>**

• **지우 (имя существительное)** : имя человека

• 를 : 동작이 직접적으로 영향을 미치는 대상을 나타내는 조사.
нет эквивалента
Частица, указывающая на объект или цель, на которые косвенно распространяется влияния действия.

• **십 (атрибутивное слово)** : 열의.
нет эквивалента
Десять.

• **년 (имя существительное)** : 한 해를 세는 단위.
год
Единица измерения для промежутка времени, равного 12 месяцам.

• **동안 (имя существительное)** : 한때에서 다른 때까지의 시간의 길이.
промежуток времени
Отрезок с какого-либо по какой-либо момент времени.

• **보다 (глагол)** : 사람을 만나다.
встречаться
Видеться с людьми.

• -아 오다 : 앞의 말이 나타내는 행동이나 상태가 어떤 기준점으로 가까워지면서 계속 진행됨을 나타내는 표현.
нет эквивалента
Выражение, указывающее на действие или состояние, которое непрерывно длится, приближаясь к какой-либо контрольной точке.

• -았- : 어떤 사건이 과거에 완료되었거나 그 사건의 결과가 현재까지 지속되는 상황을 나타내는 어미.
нет эквивалента
Окончание, указывающее на полное завершение какого-либо события в прошлом и сохранения данного результата до настоящего времени.

• -지만 : 앞에 오는 말을 인정하면서 그와 반대되거나 다른 사실을 덧붙일 때 쓰는 연결 어미.
нет эквивалента
Соединительное окончание, при котором в оформленной им придаточной части содержится допущение либо признание некого факта, а в последующей главной части следует противоречащий или не соответствующий ему факт.

• **요새 (имя существительное)** : 얼마 전부터 이제까지의 매우 짧은 동안.
недавно; на днях
На протяжении очень короткого срока с недавнего времени по настоящий момент.

• 처럼 : 모양이나 정도가 서로 비슷하거나 같음을 나타내는 조사.
как; подобно
Окончание, указывающее на схожесть или одинаковость чего-либо между собой.

• **행복하다 (имя прилагательное)** : 삶에서 충분한 만족과 기쁨을 느껴 흐뭇하다.
счастливый
Чувствующий высшее удовлетворение и радость в жизни.

• -여 보이다 : 겉으로 볼 때 앞의 말이 나타내는 것처럼 느껴지거나 추측됨을 나타내는 표현.
выглядеть каким-либо
Выражение, указывающее на предположение, догадку о чём-либо на основании внешних признаков ситуации.

• -ㄹ 때 : 어떤 행동이나 상황이 일어나는 동안이나 그 시기 또는 그러한 일이 일어난 경우를 나타내는 표현.

нет эквивалента

Выражение, указывающее на момент или период во времени, когда происходит некое событие, либо случай возникновения такого события.

• 가 : 어떤 행동이나 상황이 일어나는 동안이나 그 시기 또는 그러한 일이 일어난 경우를 나타내는 표현.

нет эквивалента

Окончание, указывающее на объект какой-либо ситуации, состояния или на лицо, выполняющее какое-либо действие.

• **없다 (имя прилагательное)** : 어떤 사실이나 현상이 현실로 존재하지 않는 상태이다.

не быть

Состояние несуществования какого-либо факта или явления в действительности.

• -었- : 사건이 과거에 일어났음을 나타내는 어미.

нет эквивалента

Окончание прошедшего времени.

• -어 : (두루낮춤으로) 어떤 사실을 서술하거나 물음, 명령, 권유를 나타내는 종결 어미.

нет эквивалента

(нейтральный стиль) Финитное окончание предиката в повествовательном, вопросительном или побудительном предложении. **<изложение>**

< 대화(разговор) > - 83

나는 먼저 가 있을 테니까 너도 빨리 와.
나는 먼저 가 이쓸 테니까 너도 빨리 와.
naneun meonjeo ga isseul tenikka neodo ppalli wa.

응. 알았어. 금방 따라갈게.
응. 아라써. 금방 따라갈께.
eung. arasseo. geumbang ttaragalge.

< 설명(объяснение) / 번역(перевод) >

나+는 먼저 가+[(아) 있]+[을 테니까] 너+도 빨리 오+아.
가 있을 테니까 와

• **나 (местоимение)** : 말하는 사람이 친구나 아랫사람에게 자기를 가리키는 말.
я
Выражение, которым называют себя в разговоре с ровесниками или младшими людьми.

• 는 : 어떤 대상이 다른 것과 대조됨을 나타내는 조사.
нет эквивалента
Частица, указывающая на то, что какой-либо объект сравнивают с другим.

• **먼저 (наречие)** : 시간이나 순서에서 앞서.
прежде; раньше
Ранее; заранее.

• **가다 (глагол)** : 한 곳에서 다른 곳으로 장소를 이동하다.
ходить; уходить; идти
Передвигаться с одного места на другое.

• -아 있다 : 앞의 말이 나타내는 상태가 계속됨을 나타내는 표현.
нет эквивалента
Выражение, указывающее на длительность какого-либо состояния.

• -을 테니까 : 뒤에 오는 말에 대한 조건임을 강조하여 앞에 오는 말에 대한 말하는 사람의 의지를 나타내는 표현.
нет эквивалента
Выражение, используемое для передачи намерения или стремления говорящего совершить некое действие, которое является условием для действия, на которое указывает последующая часть предложения.

• **너 (местоимение)** : 듣는 사람이 친구나 아랫사람일 때, 그 사람을 가리키는 말.
ты
Употребляется при указании на собеседника, если он является ровесником или человеком, младшим по возрасту или статусу.

• 도 : 이미 있는 어떤 것에 다른 것을 더하거나 포함함을 나타내는 조사.
нет эквивалента
Частица, указывающая на прибавление или включение чего-либо во что-либо уже имеющееся.

• **빨리 (наречие)** : 걸리는 시간이 짧게.
быстро
За короткий срок.

• **오다 (глагол)** : 무엇이 다른 곳에서 이곳으로 움직이다.
приходить; приезжать
Передвигаться с одного места в другое.

• -아 : (두루낮춤으로) 어떤 사실을 서술하거나 물음, 명령, 권유를 나타내는 종결 어미.
нет эквивалента
(нейтральный стиль) Финитное окончание предиката в повествовательном, вопросительном или побудительном предложении. **<приказ>**

응.

알+았+어.

금방 따라가+ㄹ게.
따라갈게

• **응 (восклицание)** : 상대방의 물음이나 명령 등에 긍정하여 대답할 때 쓰는 말.
да
Слово, используемое при положительном ответе на вопрос или приказ собеседника.

• **알다 (глагол)** : 상대방의 어떤 명령이나 요청에 대해 그대로 하겠다는 동의의 뜻을 나타내는 말.
понятно; я понял
Слово, выражающее согласие с приказом или требованием другого человека и намерение поступить согласно их содержанию.

• -았- : 어떤 사건이 과거에 완료되었거나 그 사건의 결과가 현재까지 지속되는 상황을 나타내는 어미.
нет эквивалента
Окончание, указывающее на полное завершение какого-либо события в прошлом и сохранения данного результата до настоящего времени.

• -어 : (두루낮춤으로) 어떤 사실을 서술하거나 물음, 명령, 권유를 나타내는 종결 어미.
нет эквивалента
(нейтральный стиль) Финитное окончание предиката в повествовательном, вопросительном или побудительном предложении. **<изложение>**

• **금방 (наречие)** : 시간이 얼마 지나지 않아 곧바로.
тут же; сейчас же; сразу
Не прошло и времени, как тут же.

• **따라가다 (глагол)** : 앞에서 가는 것을 뒤에서 그대로 쫓아가다.
следовать за; идти за
Идти следом за кем-либо, идущим спереди.

• -ㄹ게 : (두루낮춤으로) 말하는 사람이 어떤 행동을 할 것을 듣는 사람에게 약속하거나 의지를 나타내는 종결 어미.
нет эквивалента
(нейтральный стиль) Финитное окончание, указывающее на обещание или сообщение говорящим слушающему о своих будущих действиях.

< 대화(разговор)) > - 84

오늘 정말 잘 먹고 갑니다. 초대해 주셔서 감사합니다.
오늘 정말 잘 먹꼬 감니다. 초대해 주셔서 감사함니다.
oneul jeongmal jal meokgo gamnida. chodaehae jusyeoseo gamsahamnida.

아니에요. 바쁜데 이렇게 먼 곳까지 와 줘서 고마워요.
아니에요. 바쁜데 이러케 먼 곧까지 와 줘서 고마워요.
anieyo. bappeunde ireoke meon gotkkaji wa jwoseo gomawoyo.

< 설명(объяснение) / 번역(перевод) >

오늘 정말 잘 먹+고 가+ㅂ니다.
갑니다

초대하+[여 주]+시+어서 감사하+ㅂ니다.
초대해 주셔서 감사합니다

- **오늘 (наречие)** : 지금 지나가고 있는 이날에.
  сегодня
  В этот текущий день.

- **정말 (наречие)** : 거짓이 없이 진짜로.
  действительно; вправду; честно
  Правда, без лжи.

- **잘 (наречие)** : 충분히 만족스럽게.
  нет эквивалента
  Достаточно, довольно.

- **먹다 (глагол)** : 음식 등을 입을 통하여 배 속에 들여보내다.
  есть; кушать
  Принимать пищу во внутрь посредством ротовой полости.

- -고 : 앞의 말과 뒤의 말이 차례대로 일어남을 나타내는 연결 이미.
  нет эквивалента
  Соединительное окончание предиката, указывающее на последовательность действий.

• **가다 (глагол)** : 한 곳에서 다른 곳으로 장소를 이동하다.
ходить; уходить; идти
Передвигаться с одного места на другое.

• -ㅂ니다 : (아주높임으로) 현재의 동작이나 상태, 사실을 정중하게 설명함을 나타내는 종결 어미.
нет эквивалента
(формально-вежливый стиль) Финитное окончание предиката, употребляемое при описании событий, действий или состояний в форме настоящего времени в ситуациях вежливого общения.

• **초대하다 (глагол)** : 다른 사람에게 어떤 자리, 모임, 행사 등에 와 달라고 요청하다.
приглашать
Просить кого-либо прийти куда-либо, на какое-либо собрание, мероприятие и т.п.

• -여 주다 : 남을 위해 앞의 말이 나타내는 행동을 함을 나타내는 표현.
нет эквивалента
Выражение, указывающее на то, что описанное действие выполняется в интересах другого лица.

• -시- : 어떤 동작이나 상태의 주체를 높이는 뜻을 나타내는 어미.
нет эквивалента
Гонорифический глагольный суффикс, указывающий на почтительное отношение к субъекту какого-либо состояния или действия.

• -어서 : 이유나 근거를 나타내는 연결 어미.
нет эквивалента
Соединительное окончание предиката, указывающее на причину или обоснование чего-либо.

• **감사하다 (глагол)** : 고맙게 여기다.
быть благодарным; быть признательным ; приносить благодарность; выражать признательность
Иметь в душе чувство благодарности.

• -ㅂ니다 : (아주높임으로) 현재의 동작이나 상태, 사실을 정중하게 설명함을 나타내는 종결 어미.
нет эквивалента
(формально-вежливый стиль) Финитное окончание предиката, употребляемое при описании событий, действий или состояний в форме настоящего времени в ситуациях вежливого общения.

아니+에요.

바쁘+ㄴ데 이렇+게 멀+ㄴ 곳+까지 오+[아 주]+어서 고맙(고마우)+어요.
바쁜데 먼 와 줘서 고마워요

• **아니다 (имя прилагательное)** : 어떤 사실이나 내용을 부정하는 뜻을 나타내는 말.
не (быть)
Слово, выражающее отрицание какого-либо факта или содержания.

• -에요 : (두루높임으로) 어떤 사실을 서술하거나 질문함을 나타내는 종결 어미.
нет эквивалента
(нейтрально-вежливый стиль) Финитное окончание предиката в повествовательном или вопросительном предложении. **<изложение>**

• **바쁘다 (имя прилагательное)** : 할 일이 많거나 시간이 없어서 다른 것을 할 여유가 없다.
очень занятой; очень спешный
Не имеющий свободного времени по причине большого количества дел или отсутствия времени.

• -ㄴ데 : 뒤의 말을 하기 위하여 그 대상과 관련이 있는 상황을 미리 말함을 나타내는 연결 어미.
нет эквивалента
Соединительное окончание, вводящее некую предварительную информацию об объекте, о котором говорится в последующей части предложения.

• **이렇다 (имя прилагательное)** : 상태, 모양, 성질 등이 이와 같다.
такой
Подобный; следующий (о состоянии, виде, качестве и т.п.).

• -게 : 앞의 말이 뒤에서 가리키는 일의 목적이나 결과, 방식, 정도 등이 됨을 나타내는 연결 어미.
нет эквивалента
Соединительное окончание предиката, указывающее на то, описанное в первой части предложения действие или состояние является целью, результатом, образом действия, степенью и т.п. того, о чём говорится в последующей главной части предложения.

• **멀다 (имя прилагательное)** : 두 곳 사이의 떨어진 거리가 길다.
далёкий; отдалённый; дальний
Находящийся на большом расстоянии от чего-либо.

• -ㄴ : 앞의 말이 관형어의 기능을 하게 만들고 현재의 상태를 나타내는 어미.
нет эквивалента
Окончание, указывающее на состояние лица или предмета в настоящий момент, при котором впередистоящее слово, словосочетание или придаточное предложение выполняет функцию определения.

• **곳 (имя существительное)** : 일정한 장소나 위치.
Место
определённое пространство, специально отведённое, предназначенное для кого-, чего-л. или расположение.

• 까지 : 어떤 범위의 끝임을 나타내는 조사.
нет эквивалента
Окончание, указывающее на завершение какой-либо области.

• **오다 (глагол)** : 무엇이 다른 곳에서 이곳으로 움직이다.
приходить; приезжать
Передвигаться с одного места в другое.

• -아 주다 : 남을 위해 앞의 말이 나타내는 행동을 함을 나타내는 표현.
нет эквивалента
Выражение, указывающее на то, что описанное действие выполняется в интересах другого лица.

• -어서 : 이유나 근거를 나타내는 연결 어미.
нет эквивалента
Соединительное окончание предиката, указывающее на причину или обоснование чего-либо.

• **고맙다 (имя прилагательное)** : 남이 자신을 위해 무엇을 해주어서 마음이 흐뭇하고 보답하고 싶다.
благодарный
Чувствующий признательность за оказанное ему добро, выражающий признательность.

• -어요 : (두루높임으로) 어떤 사실을 서술하거나 질문, 명령, 권유함을 나타내는 종결 어미.
нет эквивалента
(нейтрально-вежливый стиль) Финитное окончание предиката в повествовательном, вопросительном или побудительном предложении. **<изложение>**

< 대화(разговор) > - 85

백화점에는 왜 다시 가려고?
배콰저메는 왜 다시 가려고?
baekwajeomeneun wae dasi garyeogo?

어제 산 옷이 맞는 줄 알았더니 작아서 교환해야 해.
어제 산 오시 만는 줄 아랃떠니 자가서 교환해야 해.
eoje san osi manneun jul aratdeoni jagaseo gyohwanhaeya hae.

< 설명(объяснение) / 번역(перевод) >

백화점+에+는 왜 다시 가+려고?

• **백화점 (имя существительное)** : 한 건물 안에 온갖 상품을 종류에 따라 나누어 벌여 놓고 판매하는 큰 상점.
универмаг; универсальный магазин
Большой магазин, в котором продаются разнообразные товары, выставленные по категориям.

• 에 : 앞말이 목적지이거나 어떤 행위의 진행 방향임을 나타내는 조사.
нет эквивалента
Окончание, указывающее на направленность какого-либо действия или цели.

• 는 : 문장 속에서 어떤 대상이 화제임을 나타내는 조사.
нет эквивалента
Частица, указывающая на то, что какой-либо объект является основной темой в предложении.

• **왜 (наречие)** : 무슨 이유로. 또는 어째서.
почему; зачем
По какой причине.

• **다시 (наречие)** : 같은 말이나 행동을 반복해서 또.
ещё; опять
Снова повторяя одни и те же слова или действия.

• **가다 (глагол)** : 한 곳에서 다른 곳으로 장소를 이동하다.
ходить; уходить; идти
Передвигаться с одного места на другое.

• -려고 : (두루낮춤으로) 어떤 주어진 상황에 대하여 의심이나 반문을 나타내는 종결 어미.
нет эквивалента
(нейтральный стиль) Окончание предиката, указывающее на сомнение или встречный вопрос по поводу сложившегося положения дел.

어제 사+ㄴ 옷+이 맞+[는 줄] 알+았더니 작+아서 교환하+[여야 하]+여.
산 교환해야 해

• **어제 (наречие)** : 오늘의 하루 전날에.
вчера
За день до сегодня.

• **사다 (глагол)** : 돈을 주고 어떤 물건이나 권리 등을 자기 것으로 만들다.
покупать
Приобретать что-либо за деньги.

• -ㄴ : 앞의 말이 관형어의 기능을 하게 만들고 사건이나 동작이 과거에 일어났음을 나타내는 어미.
нет эквивалента
Окончание, которое указывает на действие или событие в прошлом, преобразуя впередистоящее слово, словосочетание или придаточное предложение в определение.

• **옷 (имя существительное)** : 사람의 몸을 가리고 더위나 추위 등으로부터 보호하며 멋을 내기 위하여 입는 것.
одежда; платье
То, что одевается для того, чтобы закрывать тело человека, защищать от жары (стужи) или щеголять этим.

• 이 : 어떤 상태나 상황의 대상이나 동작의 주체를 나타내는 조사.
нет эквивалента
Частица, показывающая какое-либо состояние, объект ситуации или субъект действия.

• **맞다 (глагол)** : 크기나 규격 등이 어떤 것과 일치하다.
соответствовать; быть подходящим
Соответствовать какой-либо величине, стандарту и т.п.

• -는 줄 : 어떤 사실이나 상태에 대해 알고 있거나 모르고 있음을 나타내는 표현.
нет эквивалента
Выражение, указывающее на наличие или отсутствие какого-либо знания или умения.

• **알다 (глагол)** : 어떤 사실을 그러하다고 여기거나 생각하다.
принимать за; считать за
Думать о чём-либо подобным образом.

• -았더니 : 과거의 사실이나 상황과 다른 새로운 사실이나 상황이 있음을 나타내는 표현.
нет эквивалента
Выражение, соединяющее две части предложения, где первая часть указывает на действие или событие в прошлом, а во второй части следует отличный от него или противоречащий ему факт.

• **작다 (имя прилагательное)** : 정해진 크기에 모자라서 맞지 아니하다.
маленький
Неподходящий по размеру.

• -아서 : 이유나 근거를 나타내는 연결 어미.
нет эквивалента
Соединительное окончание предиката, указывающее на причину или обоснование чего-либо.

• **교환하다 (глагол)** : 무엇을 다른 것으로 바꾸다.
Менять, заменять
заменять, замещать одно другим.

• -여야 하다 : 앞에 오는 말이 어떤 일을 하거나 어떤 상황에 이르기 위한 의무적인 행동이거나 필수적인 조건임을 나타내는 표현.
нет эквивалента
Выражение, указывающее на то, что некое действие или состояние является долгом или обязательным условием для осуществления того, о чём говорится в последующей части предложения.

• -여 : (두루낮춤으로) 어떤 사실을 서술하거나 물음, 명령, 권유를 나타내는 종결 어미.
нет эквивалента
(нейтральный стиль) Финитное окончание предиката в повествовательном, вопросительном или побудительном предложении. **<изложение>**

< 대화(разговор) > - 86

물을 계속 틀어 놓은 채 설거지를 하지 마세요.
무를 게속 트러 노은 채 설거지를 하지 마세요.
mureul gesok teureo noeun chae seolgeojireul haji maseyo.

방금 잠갔어요. 앞으로는 헹굴 때만 물을 틀어 놓을게요.
방금 잠가써요. 아프로는 헹굴 때만 무를 트러 노을께요.
banggeum jamgasseoyo. apeuroneun henggul ttaeman mureul teureo noeulgeyo.

< 설명(объяснение) / 번역(перевод) >

물+을 계속 틀+[어 놓]+[은 채] 설거지+를 하+[지 말(마)]+세요.

하지 마세요

• **물 (имя существительное)** : 강, 호수, 바다, 지하수 등에 있으며 순수한 것은 빛깔, 냄새, 맛이 없고 투명한 액체.
вода
Прозрачная жидкость, не имеющая цвета, запаха, вкуса и образующая реки, озёра, моря и т.п.

• 을 : 동작이 직접적으로 영향을 미치는 대상을 나타내는 조사.
нет эквивалента
Частица, указывающая на объект, на который действие оказывает непосредственное влияние.

• **계속 (наречие)** : 끊이지 않고 잇따라.
непрерывно; постоянно
Без перерыва, не прекращая.

• **틀다 (глагол)** : 수도와 같은 장치를 작동시켜 물이 나오게 하다.
открывать
Откручивать (что-либо как водопроводный кран), чтобы текла вода.

• -어 놓다 : 앞의 말이 나타내는 행동을 끝내고 그 결과를 유지함을 나타내는 표현.
нет эквивалента
Выражение, указывающее на завершение какого-либо действия и сохранение его результатов.

• -은 채 : 앞의 말이 나타내는 어떤 행위를 한 상태 그대로 있음을 나타내는 표현.
нет эквивалента
Выражение, указывающее на пребывание в состоянии, наступившем в результате совершения действия, описанного в предшествующей части высказывания.

• **설거지 (имя существительное)** : 음식을 먹고 난 뒤에 그릇을 씻어서 정리하는 일.
мытьё посуды
Очищение от грязи посуды после еды.

• 를 : 동작이 직접적으로 영향을 미치는 대상을 나타내는 조사.
нет эквивалента
Частица, указывающая на объект, на который непосредственно распространяется влияние действия.

• **하다 (глагол)** : 어떤 행동이나 동작, 활동 등을 행하다.
делать
Выполнять какое-либо действие, движение, работу и т.п.

• -지 말다 : 앞의 말이 나타내는 행동을 하지 못하게 함을 나타내는 표현.
нет эквивалента
Выражение со значением "препятствовать совершению чего-либо, не давать сделать что-либо".

• -세요 : (두루높임으로) 설명, 의문, 명령, 요청의 뜻을 나타내는 종결 어미.
нет эквивалента
(нейтрально-вежливый стиль) Финитное окончание предиката в повествовательном, вопросительном или побудительном предложении. **<приказ>**

방금 잠그(잠ㄱ)+았+어요.
잠갔어요

앞+으로+는 헹구+[ㄹ 때]+만 물+을 틀+[어 놓]+을게요.
헹굴 때만

• **방금 (наречие)** : 말하고 있는 시점보다 바로 조금 전에.
недавно; незадолго; только что
Незадолго до момента речи.

• **잠그다 (глагол)** : 물, 가스 등이 나오지 않도록 하다.
закрывать
Перекрывать доступ воды, газа и т.п.

• -았- : 어떤 사건이 과거에 완료되었거나 그 사건의 결과가 현재까지 지속되는 상황을 나타내는 어미.
нет эквивалента
Окончание, указывающее на полное завершение какого-либо события в прошлом и сохранения данного результата до настоящего времени.

• -어요 : (두루높임으로) 어떤 사실을 서술하거나 질문, 명령, 권유함을 나타내는 종결 어미.
нет эквивалента
(нейтрально-вежливый стиль) Финитное окончание предиката в повествовательном, вопросительном или побудительном предложении. **<изложение>**

• **앞 (имя существительное)** : 다가올 시간.
впереди
В будущем.

• 으로 : 시간을 나타내는 조사.
нет эквивалента
Частица, указывающая на время.

• 는 : 어떤 대상이 다른 것과 대조됨을 나타내는 조사.
нет эквивалента
Частица, указывающая на то, что какой-либо объект сравнивают с другим.

• **헹구다 (глагол)** : 깨끗한 물에 넣어 비눗물이나 더러운 때가 빠지도록 흔들어 씻다.
полоскать; промывать
Мыть что-либо в чистой воде, чтобы смыть грязь, мыльную пену.

• -ㄹ 때 : 어떤 행동이나 상황이 일어나는 동안이나 그 시기 또는 그러한 일이 일어난 경우를 나타내는 표현.
нет эквивалента
Выражение, указывающее на момент или период во времени, когда происходит некое событие, либо случай возникновения такого события.

• 만 : 다른 것은 제외하고 어느 것을 한정함을 나타내는 조사.
только; просто; исключительно; единственно
Частица, указывающая на ограничение в чём-либо и исключение чего-либо.

• **물 (имя существительное)** : 강, 호수, 바다, 지하수 등에 있으며 순수한 것은 빛깔, 냄새, 맛이 없고 투명한 액체.
вода
Прозрачная жидкость, не имеющая цвета, запаха, вкуса и образующая реки, озёра, моря и т.п.

• 을 : 동작이 직접적으로 영향을 미치는 대상을 나타내는 조사.
нет эквивалента
Частица, указывающая на объект, на который действие оказывает непосредственное влияние.

• **틀다 (глагол)** : 수도와 같은 장치를 작동시켜 물이 나오게 하다.
открывать
Откручивать (что-либо как водопроводный кран), чтобы текла вода.

• -어 놓다 : 앞의 말이 나타내는 행동을 끝내고 그 결과를 유지함을 나타내는 표현.
нет эквивалента
Выражение, указывающее на завершение какого-либо действия и сохранение его результатов.

• -을게요 : (두루높임으로) 말하는 사람이 어떤 행동을 할 것을 듣는 사람에게 약속하거나 의지를 나타내는 표현.
нет эквивалента
(нейтрально-вежливый стиль) Выражение, используемое, когда говорящий обещает сделать что-либо или сообщает слушателю о своих будущих действиях.

< 대화(разговор) > - 87

작년에 갔던 그 바닷가에 또 가고 싶다.
장녀네 갇떤 그 바닫까에 또 가고 십따.
jangnyeone gatdeon geu badatgae tto gago sipda.

나도 그래. 그때 우리 참 재밌게 놀았었지.
나도 그래. 그때 우리 참 재믿께 노라썯찌.
nado geurae. geuttae uri cham jaemitge norasseotji.

< 설명(объяснение) / 번역(перевод) >

작년+에 가+았던 그 바닷가+에 또 가+[고 싶]+다.
갔던

• **작년 (имя существительное)** : 지금 지나가고 있는 해의 바로 전 해.
прошлый год
Год, бывший ранее нынешнего года.

• 에 : 앞말이 시간이나 때임을 나타내는 조사.
нет эквивалента
Окончание, указывающее на время или период времени.

• **가다 (глагол)** : 한 곳에서 다른 곳으로 장소를 이동하다.
ходить; уходить; идти
Передвигаться с одного места на другое.

• -았던 : 과거의 사건이나 상태를 다시 떠올리거나 그 사건이나 상태가 완료되지 않고 중단되었다는 의미를 나타내는 표현.
нет эквивалента
Выражение, указывающее на событие или состояние в прошлом по воспоминаниям говорящего или же то, что то событие или состояние было прервано и осталось незавершённым.

• **그 (атрибутивное слово)** : 듣는 사람에게 가까이 있거나 듣는 사람이 생각하고 있는 대상을 가리킬 때 쓰는 말.
тот
Указывает на предмет, находящийся близко к слушающему, или на предмет, о котором думает слушающий.

• **바닷가 (имя существительное)** : 바다와 육지가 맞닿은 곳이나 그 근처.
берег моря
Окрестность или место взаимодействия между сушей и морем.

• 에 : 앞말이 목적지이거나 어떤 행위의 진행 방향임을 나타내는 조사.
нет эквивалента
Окончание, указывающее на направленность какого-либо действия или цели.

• **또 (наречие)** : 어떤 일이나 행동이 다시.
опять; заново; снова; ещё раз; вновь
Повторение кого-либо события, действия.

• **가다 (глагол)** : 한 곳에서 다른 곳으로 장소를 이동하다.
ходить; уходить; идти
Передвигаться с одного места на другое.

• -고 싶다 : 앞의 말이 나타내는 행동을 하기를 원함을 나타내는 표현.
хотеть (что-либо делать)
Выражение, указывающее на желание говорящего совершить какое-либо действие.

• -다 : (아주낮춤으로) 어떤 사건이나 사실, 상태를 서술함을 나타내는 종결 어미.
нет эквивалента
(простой стиль) Финитное окончание, выражающее изложение события или факта в настоящем времени.

나+도 그렇+어.
그래

그때 우리 참 재밌+게 놀+았었+지.

• **나 (местоимение)** : 말하는 사람이 친구나 아랫사람에게 자기를 가리키는 말.
я
Выражение, которым называют себя в разговоре с ровесниками или младшими людьми.

• 도 : 이미 있는 어떤 것에 다른 것을 더하거나 포함함을 나타내는 조사.
нет эквивалента
Частица, указывающая на прибавление или включение чего-либо во что-либо уже имеющееся.

• **그렇다 (имя прилагательное)** : 상태, 모양, 성질 등이 그와 같다.
такой
Имеющий подобное состояние, вид, свойства и т.п.

• -어 : (두루낮춤으로) 어떤 사실을 서술하거나 물음, 명령, 권유를 나타내는 종결 어미.
нет эквивалента
(нейтральный стиль) Финитное окончание предиката в повествовательном, вопросительном или побудительном предложении. **<изложение>**

• **그때 (имя существительное)** : 앞에서 이야기한 어떤 때.
в то время; тогда
В какое-то время, о котором упоминалось ранее.

• **우리 (местоимение)** : 말하는 사람이 자기와 듣는 사람 또는 이를 포함한 여러 사람들을 가리키는 말.
мы; наш
Слово, указывающее на несколько человек, включая говорящего и собеседника.

• **참 (наречие)** : 사실이나 이치에 조금도 어긋남이 없이 정말로.
истинно; правдиво; справедливо; реалистично; откровенно
Правдиво, без малейших расхождений с реальностью или фактом.

• **재밌다 (имя прилагательное)** : 즐겁고 유쾌한 느낌이 있다.
интересный; занимательный
Вызывающий интерес, внимание; увлекательный.

• -게 : 앞의 말이 뒤에서 가리키는 일의 목적이나 결과, 방식, 정도 등이 됨을 나타내는 연결 어미.
нет эквивалента
Соединительное окончание предиката, указывающее на то, описанное в первой части предложения действие или состояние является целью, результатом, образом действия, степенью и т.п. того, о чём говорится в последующей главной части предложения.

• **놀다 (глагол)** : 놀이 등을 하면서 재미있고 즐겁게 지내다.
играть; гулять; отдыхать
Интересно и весело проводить время за игрой и т.п.

• -았었- : 현재와 비교하여 다르거나 현재로 이어지지 않는 과거의 사건을 나타내는 어미.
нет эквивалента
Окончание прошедшего времени, указывающее на действие или состояние, которое завершилось в прошлом и не имеет отношения к настоящему или не имеет продолжения в настоящем.

• -지 : (두루낮춤으로) 말하는 사람이 듣는 사람이 이미 알고 있다고 생각하는 것을 확인하며 말할 때 쓰는 종결 어미.

нет эквивалента

(нейтральный стиль) Финитное окончание предиката, используемое при обращении с вопросом к слушающему о том, что слушающему уже известно, с целью уточнения и получения подтверждения.

< 대화(разговор) > - 88

계속 돌아다녔더니 배고프다. 점심은 뭘 먹을까?
계속 도라다녇떠니 배고프다. 점시믄 뭘 머글까?
gesok doradanyeotdeoni baegopeuda. jeomsimeun mwol meogeulkka?

전주에 왔으면 비빔밥을 먹어야지.
전주에 와쓰면 비빔빠블 머거야지.
jeonjue wasseumyeon bibimbabeul meogeoyaji.

< 설명(объяснение) / 번역(перевод) >

계속 돌아다니+었더니 배고프+다.
돌아다녔더니

점심+은 뭐+를 먹+을까?
뭘

• **계속 (наречие)** : 끊이지 않고 잇따라.
непрерывно; постоянно
Без перерыва, не прекращая.

• **돌아다니다 (глагол)** : 여기저기를 두루 다니다.
прогуливаться; ездить; бродить
Ходить не спеша, взад и вперед.

• -었더니 : 과거의 사실이나 상황이 뒤에 오는 말의 원인이나 이유가 됨을 나타내는 표현.
нет эквивалента
Выражение, указывающее на факт или событие в прошлом, которые являются причиной или обоснованием того, о чём говорится в последующей части предложения.

• **배고프다 (имя прилагательное)** : 배 속이 빈 것을 느껴 음식이 먹고 싶다.
голодный
Испытывающий острую потребность в пище, сильное желание есть.

• -다 : (아주낮춤으로) 어떤 사건이나 사실, 상태를 서술함을 나타내는 종결 어미.
нет эквивалента
(простой стиль) Финитное окончание, выражающее изложение события или факта в настоящем времени.

• **점심 (имя существительное)** : 아침과 저녁 식사 중간에, 낮에 하는 식사.
обед
Приём пищи в середине дня между завтраком и ужином; дневной приём пищи.

• 은 : 문장 속에서 어떤 대상이 화제임을 나타내는 조사.
нет эквивалента
Частица, показывающая то, что какой-то объект является главной темой в предложении.

• **뭐 (местоимение)** : 모르는 사실이나 사물을 가리키는 말.
что
Используется для указания на неизвестный предмет или факт.

• 를 : 동작이 직접적으로 영향을 미치는 대상을 나타내는 조사.
нет эквивалента
Частица, указывающая на объект, на который непосредственно распространяется влияние действия.

• **먹다 (глагол)** : 음식 등을 입을 통하여 배 속에 들여보내다.
есть; кушать
Принимать пищу во внутрь посредством ротовой полости.

• -을까 : (두루낮춤으로) 듣는 사람의 의사를 물을 때 쓰는 종결 어미.
нет эквивалента
(нейтральный стиль) Финитное окончание, употребляемое при выражении мыслей или предположения говорящего или при обращении к слушающему с вопросом о намерении и желании совершить что-то.

전주+에 오+았으면 비빔밥+을 먹+어야지.
왔으면

• **전주 (имя существительное)** : 한국의 전라북도 중앙부에 있는 시. 전라북도의 도청 소재지이며, 창호지, 장판지의 생산과 전주비빔밥 등으로 유명하다.

Чонджу

Город, расположенный в центральной части провинции Чоллабукто Республики Корея. В городе расположено административное управление провинции. Здесь производится бумага для оклейки окон и толстая промасленная бумага для покрытия полов. Город также знаменит корейским блюдом под названием 'чонджу пибимбап' (рис, перемешанный с различными ингредиентами).

• 에 : 앞말이 목적지이거나 어떤 행위의 진행 방향임을 나타내는 조사.

нет эквивалента

Окончание, указывающее на направленность какого-либо действия или цели.

• **오다 (глагол)** : 가고자 하는 곳에 이르다.

доезжать; прибывать; доходить

Достигать желаемого места.

• -았으면 : 앞의 말이 나타내는 과거의 상황이 뒤의 내용의 조건이 됨을 나타내는 표현.

нет эквивалента

Выражение, указывающее на действие или состояние в прошлом, которое является условием для того, о чём говорится во второй части предложения.

• **비빔밥 (имя существительное)** : 고기, 버섯, 계란, 나물 등에 여러 가지 양념을 넣고 비벼 먹는 밥.

пибимбап

Блюдо корейской кухни из риса, перемешанного с овощами, мясом, яйцом и пр.

• 을 : 동작이 직접적으로 영향을 미치는 대상을 나타내는 조사.

нет эквивалента

Частица, указывающая на объект, на который действие оказывает непосредственное влияние.

• **먹다 (глагол)** : 음식 등을 입을 통하여 배 속에 들여보내다.

есть; кушать

Принимать пищу во внутрь посредством ротовой полости.

• -어야지 : (두루낮춤으로) 말하는 사람의 결심이나 의지를 나타내는 종결 어미.

нет эквивалента

(нейтральный стиль) Финитное окончание предиката, указывающее на волю или намерение говорящего совершить какое-либо действие.

< 대화(разговор) > - 89

내일이 소풍인데 비가 너무 많이 오네.
내이리 소풍인데 비가 너무 마니 오네.
naeiri sopunginde biga neomu mani one.

그러게. 내일은 날씨가 맑았으면 좋겠다.
그러게. 내이른 날씨가 말가쓰면 조켇따.
geureoge. naeireun nalssiga malgasseumyeon joketda.

< 설명(объяснение) / 번역(перевод) >

내일+이 소풍+이+ㄴ데 비+가 너무 많이 오+네.
소풍인데

• **내일 (имя существительное)** : 오늘의 다음 날.
завтра; завтрашний день
День, следующий после сегодняшнего.

• 이 : 어떤 상태나 상황의 대상이나 동작의 주체를 나타내는 조사.
нет эквивалента
Частица, показывающая какое-либо состояние, объект ситуации или субъект действия.

• **소풍 (имя существительное)** : 경치를 즐기거나 놀이를 하기 위하여 야외에 나갔다 오는 일.
прогулка; экскурсия; пикник
Прогулка (поездка) в место, находящееся не очень далеко, для того, чтобы насладиться пейзажем или отдыхом.

• 이다 : 주어가 지시하는 대상의 속성이나 부류를 지정하는 뜻을 나타내는 서술격 조사.
нет эквивалента
Суффикс повествовательного падежа, выражающий смысл наименования свойства или разряда объекта, на который указывает подлежащее.

• -ㄴ데 : 뒤의 말을 하기 위하여 그 대상과 관련이 있는 상황을 미리 말함을 나타내는 연결 어미.
нет эквивалента
Соединительное окончание, вводящее некую предварительную информацию об объекте, о котором говорится в последующей части предложения.

• **비 (имя существительное)** : 높은 곳에서 구름을 이루고 있던 수증기가 식어서 뭉쳐 떨어지는 물방울.
дождь
Атмосферные осадки, выпадающие из облаков в виде капель воды.

• 가 : 어떤 상태나 상황에 놓인 대상이나 동작의 주체를 나타내는 조사.
нет эквивалента
Окончание, указывающее на объект какой-либо ситуации, состояния или на лицо, выполняющее какое-либо действие.

• **너무 (наречие)** : 일정한 정도나 한계를 훨씬 넘어선 상태로.
очень; чересчур
Состояние чрезмерного превышения определенного уровня или рубежа.

• **많이 (наречие)** : 수나 양, 정도 등이 일정한 기준보다 넘게.
много
Превышая определённую норму (о числе, количестве, степени и т.п.).

• **오다 (глагол)** : 비, 눈 등이 내리거나 추위 등이 닥치다.
нет эквивалента
Идти (о дожде, снеге и т. п.) или наступать (о холодах).

• -네 : (아주낮춤으로) 지금 깨달은 일에 대하여 말함을 나타내는 종결 어미.
нет эквивалента
(простой стиль) Финитное окончание, указывающее на обнаружение или осознание нового факта.

그러게.

내일+은 날씨+가 맑+[았으면 좋겠]+다.

• **그러게 (восклицание)** : 상대방의 말에 찬성하거나 동의하는 뜻을 나타낼 때 쓰는 말.
и не говори; да
Выражение, употребляемое при поддержке или полном согласии со словами собеседника.

• **내일 (имя существительное)** : 오늘의 다음 날.
завтра; завтрашний день
День, следующий после сегодняшнего.

• 은 : 어떤 대상이 다른 것과 대조됨을 나타내는 조사.
нет эквивалента
Частица, указывающая на сопоставляемость какого-либо объекта с чем-либо другим.

• **날씨 (имя существительное)** : 그날그날의 기온이나 공기 중에 비, 구름, 바람, 안개 등이 나타나는 상태.
погода
Общее состояние атмосферы, включающее такие характеристики, как облачность, влажность, осадки, температура воздуха и т.п.

• 가 : 어떤 상태나 상황에 놓인 대상이나 동작의 주체를 나타내는 조사.
нет эквивалента
Окончание, указывающее на объект какой-либо ситуации, состояния или на лицо, выполняющее какое-либо действие.

• **맑다 (имя прилагательное)** : 구름이나 안개가 끼지 않아 날씨가 좋다.
ясный
Ясный, безоблачный, не окутанный туманом (о погоде).

• -았으면 좋겠다 : 말하는 사람의 소망이나 바람을 나타내거나 현실과 다르게 되기를 바라는 것을 나타내는 표현.
нет эквивалента
Выражение, указывающее на желание или мечту говорящего или же пожелание перемены действительности.

• -다 : (아주낮춤으로) 어떤 사건이나 사실, 상태를 서술함을 나타내는 종결 어미.
нет эквивалента
(простой стиль) Финитное окончание, выражающее изложение события или факта в настоящем времени.

< 대화(разговор) > - 90

교수님, 오늘 수업 내용에 대한 질문이 있습니다.
교수님, 오늘 수업 내용에 대한 질무니 읻씀니다.
gyosunim, oneul sueop naeyonge daehan jilmuni itseumnida.

이해가 안 되는 부분이 있으면 편하게 얘기하세요.
이해가 안 되는 부부니 이쓰면 편하게 얘기하세요.
ihaega an doeneun bubuni isseumyeon pyeonhage yaegihaseyo.

< 설명(объяснение) / 번역(перевод) >

교수+님, 오늘 수업 내용+[에 대한] 질문+이 있+습니다.

• **교수 (имя существительное)** : 대학에서 학문을 연구하고 가르치는 일을 하는 사람. 또는 그 직위.
преподаватель вуза
Тот, кто занимается научно-исследовательской и преподавательской деятельностью в высшем учебном заведении. Или подобная должность.

• 님 : '높임'의 뜻을 더하는 접미사.
нет эквивалента
Суффикс, передающий уважительное отношение при обращении к людям.

• **오늘 (имя существительное)** : 지금 지나가고 있는 이날.
сегодня
Этот текущий день.

• **수업 (имя существительное)** : 교사가 학생에게 지식이나 기술을 가르쳐 줌.
урок
Обучение педагогом учеников знаниям или технике.

• **내용 (имя существительное)** : 사물이나 일의 속을 이루는 사정이나 형편.
содержание; контекст
То, что составляет внутренюю форму какого-либо дела или предмета, а так же содержащийся внутри смысл или положение дел.

• 에 대한 : 뒤에 오는 명사를 수식하며 앞에 오는 명사를 뒤에 오는 명사의 대상으로 함을 나타내는 표현.
о; относительно; что касается
Выражение, являющееся обстоятельством к последующему имени существительному, которое указывает на то, что предыдущее существительное является объектом последующего существительного.

• **질문 (имя существительное)** : 모르는 것이나 알고 싶은 것을 물음.
вопрос; спрос; запрос
Вопрос о чем-либо, чего не знаешь или хочешь узнать.

• 이 : 어떤 상태나 상황의 대상이나 동작의 주체를 나타내는 조사.
нет эквивалента
Частица, показывающая какое-либо состояние, объект ситуации или субъект действия.

• **있다 (имя прилагательное)** : 사실이나 현상이 존재하다.
иметься
Существовать (о факте или явлении).

• -습니다 : (아주높임으로) 현재의 동작이나 상태, 사실을 정중하게 설명함을 나타내는 종결 어미.
нет эквивалента
(формально-вежливый стиль) Финитное окончание предиката, употребляемое при описании события, действия или состояния в форме настоящего времени в ситуациях вежливого общения.

이해+가 안 되+는 부분+이 있+으면 편하+게 얘기하+세요.

• **이해 (имя существительное)** : 무엇을 깨달아 앎. 또는 잘 알아서 받아들임.
понимание
Постижение чего-либо. Осознание или принятие чего-либо.

• 가 : 바뀌게 되는 대상이나 부정하는 대상임을 나타내는 조사.
нет эквивалента
Окончание, указывающее на неопределённый предмет или на предмет, заменяющий что-либо.

• **안 (наречие)** : 부정이나 반대의 뜻을 나타내는 말.
не; нет; ни
Выражение, означающее отрицание или противоположность.

• **되다 (глагол)** : 어떠한 심리적인 상태에 있다.
быть
Быть в каком-либо психологическом состоянии.

• -는 : 앞의 말이 관형어의 기능을 하게 만들고 사건이나 동작이 현재 일어남을 나타내는 어미.
нет эквивалента
Окончание, которое указывает на действие или событие в настоящем, преобразуя впередистоящее слово, словосочетание или придаточное предложение в определение.

• **부분 (имя существительное)** : 전체를 이루고 있는 작은 범위. 또는 전체를 여러 개로 나눈 것 가운데 하나.
часть
Небольшая область, из которой образуется что-либо целое. Или одна из единиц, на которые разделено что-либо целое.

• 이 : 어떤 상태나 상황의 대상이나 동작의 주체를 나타내는 조사.
нет эквивалента
Частица, показывающая какое-либо состояние, объект ситуации или субъект действия.

• **있다 (имя прилагательное)** : 사실이나 현상이 존재하다.
иметься
Существовать (о факте или явлении).

• -으면 : 뒤에 오는 말에 대한 근거나 조건이 됨을 나타내는 연결 어미.
нет эквивалента
Соединительное окончание предиката, присоединяющее придаточное условия, указывающее на то, что является обоснованием или условием того, о чем говорится во второй части предложения.

• **편하다 (имя прилагательное)** : 몸이나 마음이 괴롭지 않고 좋다.
спокойный; благополучный; лёгкий; удобный
Лишённый мучений, чувствующий лёгкость в теле и душе.

• -게 : 앞의 말이 뒤에서 가리키는 일의 목적이나 결과, 방식, 정도 등이 됨을 나타내는 연결 어미.
нет эквивалента
Соединительное окончание предиката, указывающее на то, описанное в первой части предложения действие или состояние является целью, результатом, образом действия, степенью и т.п. того, о чём говорится в последующей главной части предложения.

• **얘기하다 (глагол)** : 어떠한 사실이나 상태, 현상, 경험, 생각 등에 관해 누군가에게 말을 하다.
рассказывать
Говорить кому-либо о каком-либо факте, состоянии, явлении, опыте, мысли и т.п.

• -세요 : (두루높임으로) 설명, 의문, 명령, 요청의 뜻을 나타내는 종결 어미.
нет эквивалента
(нейтрально-вежливый стиль) Финитное окончание предиката в повествовательном, вопросительном или побудительном предложении. **<приказ>**

< 대화(разговор) > - 91

어디 아프니? 안색이 안 좋아 보여.
어디 아프니? 안새기 안 조아 보여.
어디 아프니? 안색이 안 좋아 보여.

배가 고파서 빵을 급하게 먹었더니 체한 것 같아요.
배가 고파서 빵을 그파게 머걷떠니 체한 걷 가타요.
baega gopaseo ppangeul geupage meogeotdeoni chehan geot gatayo.

< 설명(объяснение) / 번역(перевод) >

어디 아프+니?

안색+이 안 좋+[아 보이]+어.
좋아 보여

• **어디 (местоимение)** : 모르는 곳을 가리키는 말.
где; куда
Выражение, используемое при расспрашивании о неизвестном месте.

• **아프다 (имя прилагательное)** : 다치거나 병이 생겨 통증이나 괴로움을 느끼다.
болеть
Чувствовать боль или мучение в результате полученной травмы или заболевания.

• -니 : (아주낮춤으로) 물음을 나타내는 종결 어미.
нет эквивалента
(простой стиль) Финитное окончание предиката, указывающее на вопрос.

• **안색 (имя существительное)** : 얼굴에 나타나는 표정이나 빛깔.
цвет лица; выражение лица, вид
Цвет лица или внешний вид, выражение лица.

• 이 : 어떤 상태나 상황의 대상이나 동작의 주체를 나타내는 조사.
нет эквивалента
Частица, показывающая какое-либо состояние, объект ситуации или субъект действия.

• **안 (наречие)** : 부정이나 반대의 뜻을 나타내는 말.
не; нет; ни
Выражение, означающее отрицание или противоположность.

• **좋다 (имя прилагательное)** : 신체적 조건이나 건강 상태 등이 보통보다 낫다.
удовлетворительный
Обладающий более лучшими телесными качествами или состоянием здоровья, чем обычные.

• -아 보이다 : 겉으로 볼 때 앞의 말이 나타내는 것처럼 느껴지거나 추측됨을 나타내는 표현.
выглядеть
Выражение, указывающее на предположение, догадку о чём-либо на основании внешних признаков ситуации.

• -어 : (두루낮춤으로) 어떤 사실을 서술하거나 물음, 명령, 권유를 나타내는 종결 어미.
нет эквивалента
(нейтральный стиль) Финитное окончание предиката в повествовательном, вопросительном или побудительном предложении. **<изложение>**

배+가 고파(고ㅍ)+아서 빵+을 급하+게 먹+었더니 체하+[ㄴ 것 같]+아요.

고파서 **체한 것 같아요**

• **배 (имя существительное)** : 사람이나 동물의 몸에서 음식을 소화시키는 위장, 창자 등의 내장이 있는 곳.
живот; утроба; брюхо; желудок
Часть тела человека или животного, где расположены такие органы пищеварения, как желудок, кишечник и т.п.

• 가 : 어떤 상태나 상황에 놓인 대상이나 동작의 주체를 나타내는 조사.
нет эквивалента
Окончание, указывающее на объект какой-либо ситуации, состояния или на лицо, выполняющее какое-либо действие.

• **고프다 (имя прилагательное)** : 뱃속이 비어 음식을 먹고 싶다.
голодный; проголодавшийся
Имеющий желание поесть из-за пустоты в желудке.

• -아서 : 이유나 근거를 나타내는 연결 어미.
нет эквивалента
Соединительное окончание предиката, указывающее на причину или обоснование чего-либо.

• **빵 (имя существительное)** : 밀가루를 반죽하여 발효시켜 찌거나 구운 음식.
хлеб
Пищевой продукт, выпекаемый из теста.

• 을 : 동작이 직접적으로 영향을 미치는 대상을 나타내는 조사.
нет эквивалента
Частица, указывающая на объект, на который действие оказывает непосредственное влияние.

• **급하다 (имя прилагательное)** : 시간적 여유 없이 일을 서둘러 매우 빠르다.
срочный; торопливый
Очень быстро, не имея лишнего времени.

• -게 : 앞의 말이 뒤에서 가리키는 일의 목적이나 결과, 방식, 정도 등이 됨을 나타내는 연결 어미.
нет эквивалента
Соединительное окончание предиката, указывающее на то, описанное в первой части предложения действие или состояние является целью, результатом, образом действия, степенью и т.п. того, о чём говорится в последующей главной части предложения.

• **먹다 (глагол)** : 음식 등을 입을 통하여 배 속에 들여보내다.
есть; кушать
Принимать пищу во внутрь посредством ротовой полости.

• -었더니 : 과거의 사실이나 상황이 뒤에 오는 말의 원인이나 이유가 됨을 나타내는 표현.
нет эквивалента
Выражение, указывающее на факт или событие в прошлом, которые являются причиной или обоснованием того, о чём говорится в последующей части предложения.

• **체하다 (глагол)** : 먹은 음식이 잘 소화되지 않아 배 속에 답답하게 남아 있다.
иметь несварение желудка; получить расстройство желудка; иметь диспепсию
Иметь неприятное чувство в желудке и проблемы с пищеварительным процессом.

• -ㄴ 것 같다 : 추측을 나타내는 표현.
кажется, что …; вероятно; похоже
Выражение предположения.

• -아요 : (두루높임으로) 어떤 사실을 서술하거나 질문, 명령, 권유함을 나타내는 종결 어미.
нет эквивалента
(нейтрально-вежливый стиль) Финитное окончание предиката в повествовательном, вопросительном или побудительном предложении. **<изложение>**

< 대화(разговор) > - 92

배가 좀 아픈데 우리 잠깐 쉬었다 가자.
배가 좀 아픈데 우리 잠깐 쉬얻따 가자.
baega jom apeunde uri jamkkan swieotda gaja.

음식을 먹은 다음에 바로 운동을 해서 그런가 보다.
음시글 머근 다으메 바로 운동을 해서 그런가 보다.
eumsigeul meogeun daeume baro undongeul haeseo geureonga boda.

< 설명(объяснение) / 번역(перевод) >

배+가 좀 아프+ㄴ데 우리 잠깐 쉬+었+다 가+자.
아픈데

• **배 (имя существительное)** : 사람이나 동물의 몸에서 음식을 소화시키는 위장, 창자 등의 내장이 있는 곳.
живот; утроба; брюхо; желудок
Часть тела человека или животного, где расположены такие органы пищеварения, как желудок, кишечник и т.п.

• 가 : 어떤 상태나 상황에 놓인 대상이나 동작의 주체를 나타내는 조사.
нет эквивалента
Окончание, указывающее на объект какой-либо ситуации, состояния или на лицо, выполняющее какое-либо действие.

• **좀 (наречие)** : 분량이나 정도가 적게.
немного
В небольшом объёме, в незначительной степени.

• **아프다 (имя прилагательное)** : 다치거나 병이 생겨 통증이나 괴로움을 느끼다.
болеть
Чувствовать боль или мучение в результате полученной травмы или заболевания.

• -ㄴ데 : 뒤의 말을 하기 위하여 그 대상과 관련이 있는 상황을 미리 말함을 나타내는 연결 어미.
нет эквивалента
Соединительное окончание, вводящее некую предварительную информацию об объекте, о котором говорится в последующей части предложения.

• **우리 (местоимение)** : 말하는 사람이 자기와 듣는 사람 또는 이를 포함한 여러 사람들을 가리키는 말.
мы; наш
Слово, указывающее на несколько человек, включая говорящего и собеседника.

• **잠깐 (наречие)** : 아주 짧은 시간 동안에.
на минутку; на секунду
На очень короткий промежуток времени.

• **쉬다 (глагол)** : 피로를 없애기 위해 몸을 편안하게 하다.
отдыхать
Привести тело в удобное положение для того, чтобы избавиться от усталости.

• -었- : 어떤 사건이 과거에 완료되었거나 그 사건의 결과가 현재까지 지속되는 상황을 나타내는 어미.
нет эквивалента
Окончание, указывающее на полное завершение какого-либо события в прошлом и сохранения данного результата до настоящего времени.

• -다 : 어떤 행동이나 상태 등이 중단되고 다른 행동이나 상태로 바뀜을 나타내는 연결 어미.
нет эквивалента
Соединительное окончание предиката, указывающее на прекращение действия или состояния, которое сменяется другим действием или состоянием.

• **가다 (глагол)** : 한 곳에서 다른 곳으로 장소를 이동하다.
ходить; уходить; идти
Передвигаться с одного места на другое.

• -자 : (아주낮춤으로) 어떤 행동을 함께 하자는 뜻을 나타내는 종결 어미.
нет эквивалента
(простой стиль) Окончание предиката, указывающее на приглашение к совместному действию.

음식+을 먹+[은 다음에] 바로 운동+을 하+여서 그렇(그러)+[ㄴ가 보]+다.
해서 그런가 보다

• **음식 (имя существительное)** : 사람이 먹거나 마시는 모든 것.
пища
Всё то, что человек ест или пьёт.

• 을 : 동작이 직접적으로 영향을 미치는 대상을 나타내는 조사.
нет эквивалента
Частица, указывающая на объект, на который действие оказывает непосредственное влияние.

• **먹다 (глагол)** : 음식 등을 입을 통하여 배 속에 들여보내다.
есть; кушать
Принимать пищу во внутрь посредством ротовой полости.

• -은 다음에 : 앞에 오는 말이 가리키는 일이나 과정이 끝난 뒤임을 나타내는 표현.
нет эквивалента
Выражение, обозначающее следование чего-либо после окончания описанного впереди действия, события или процесса.

• **바로 (наречие)** : 시간 차를 두지 않고 곧장.
сразу
Не задерживаясь, не затягивая.

• **운동 (имя существительное)** : 몸을 단련하거나 건강을 위하여 몸을 움직이는 일.
спорт; физическая культура
Движение телом для закалки или здоровья организма.

• 을 : 동작이 직접적으로 영향을 미치는 대상을 나타내는 조사.
нет эквивалента
Частица, указывающая на объект, на который действие оказывает непосредственное влияние.

• **하다 (глагол)** : 어떤 행동이나 동작, 활동 등을 행하다.
делать
Выполнять какое-либо действие, движение, работу и т.п.

• -여서 : 이유나 근거를 나타내는 연결 어미.
нет эквивалента
Соединительное окончание предиката, указывающее на причину или обоснование чего-либо.

• **그렇다 (имя прилагательное)** : 상태, 모양, 성질 등이 그와 같다.
такой
Имеющий подобное состояние, вид, свойства и т.п.

• -ㄴ가 보다 : 앞의 말이 나타내는 사실을 추측함을 나타내는 표현.
наверно; наверное; видимо; по-видимому; вероятно
Выражение, указывающее на предположение и догадку говорящего чём-либо.

• -다 : (아주낮춤으로) 어떤 사건이나 사실, 상태를 서술함을 나타내는 종결 어미.
нет эквивалента
(простой стиль) Финитное окончание, выражающее изложение события или факта в настоящем времени.

< 대화(разговор) > - 93

우리 저기 보이는 카페에 가서 같이 커피 마실까요?
우리 저기 보이는 카페에 가서 가치 커피 마실까요?
uri jeogi boineun kapee gaseo gachi keopi masilkkayo?

좋아요. 오늘은 제가 살게요.
조아요. 오느른 제가 살께요.
joayo. oneureun jega salgeyo.

< 설명(объяснение) / 번역(перевод) >

우리 저기 보이+는 카페+에 가+(아)서 같이 커피 마시+ㄹ까요?

가서 **마실까요**

- **우리 (местоимение)** : 말하는 사람이 자기와 듣는 사람 또는 이를 포함한 여러 사람들을 가리키는 말.
  мы; наш
  Слово, указывающее на несколько человек, включая говорящего и собеседника.

- **저기 (местоимение)** : 말하는 사람이나 듣는 사람으로부터 멀리 떨어져 있는 곳을 가리키는 말.
  вон там
  Выражение, употребляемое для указания на какой-либо объект, находящийся вдалеке от говорящего и слушающего.

- **보이다 (глагол)** : 눈으로 대상의 존재나 겉모습을 알게 되다.
  быть видным; виднеться
  Ознакамливаться зрительно (о существовании какого-либо объекта или формы).

- -는 : 앞의 말이 관형어의 기능을 하게 만들고 사건이나 동작이 현재 일어남을 나타내는 어미.
  нет эквивалента
  Окончание, которое указывает на действие или событие в настоящем, преобразуя впередистоящее слово, словосочетание или придаточное предложение в определение.

- **카페 (имя существительное)** : 주로 커피와 차, 가벼운 간식거리 등을 파는 가게.
  кафе
  Небольшой ресторан, где подают кофе, чай, сладости и т.п.

• 에 : 앞말이 목적지이거나 어떤 행위의 진행 방향임을 나타내는 조사.
нет эквивалента
Окончание, указывающее на направленность какого-либо действия или цели.

• **가다 (глагол)** : 한 곳에서 다른 곳으로 장소를 이동하다.
ходить; уходить; идти
Передвигаться с одного места на другое.

• -아서 : 앞의 말과 뒤의 말이 순차적으로 일어남을 나타내는 연결 어미.
нет эквивалента
Соединительное окончание предиката, указывающее на последовательность действий.

• **같이 (наречие)** : 둘 이상이 함께.
все вместе
Вдвоём и более.

• **커피 (имя существительное)** : 독특한 향기가 나고 카페인이 들어 있으며 약간 쓴, 커피나무의 열매로 만든 진한 갈색의 차.
кофе
Напиток тёмно-коричневого цвета, приготовленный из плодов кофейного дерева, содержащий кофеин, имеющий специфический запах и горьковатый вкус.

• **마시다 (глагол)** : 물 등의 액체를 목구멍으로 넘어가게 하다.
пить
Глотать, поглощать воду или какую-либо жидкость.

• -ㄹ까요 : (두루높임으로) 듣는 사람에게 의견을 묻거나 제안함을 나타내는 표현.
нет эквивалента
(нейтрально-вежливый стиль) Выражение, употребляемое, когда говорящий спрашивает мнение слушающего или предлагает сделать что-либо.

좋+아요.

오늘+은 제+가 사+ㄹ게요.
살게요

• **좋다 (имя прилагательное)** : 어떤 일이나 대상이 마음에 들고 만족스럽다.
нет эквивалента
Приходящийся по душе, удовлетворительный (о каком-либо деле или объекте).

• -아요 : (두루높임으로) 어떤 사실을 서술하거나 질문, 명령, 권유함을 나타내는 종결 어미.
нет эквивалента
(нейтрально-вежливый стиль) Финитное окончание предиката в повествовательном, вопросительном или побудительном предложении. **<изложение>**

• **오늘 (имя существительное)** : 지금 지나가고 있는 이날.
сегодня
Этот текущий день.

• 은 : 어떤 대상이 다른 것과 대조됨을 나타내는 조사.
нет эквивалента
Частица, указывающая на сопоставляемость какого-либо объекта с чем-либо другим.

• **제 (местоимение)** : 말하는 사람이 자신을 낮추어 가리키는 말인 '저'에 조사 '가'가 붙을 때의 형태.
я
Форма, когда к '저' (вежливая форма '나') присоединяется падежное окончание '가'.

• 가 : 어떤 상태나 상황에 놓인 대상이나 동작의 주체를 나타내는 조사.
нет эквивалента
Окончание, указывающее на объект какой-либо ситуации, состояния или на лицо, выполняющее какое-либо действие.

• **사다 (глагол)** : 다른 사람과 함께 먹은 음식의 값을 치르다.
покупать что-то съедобное кому-то; угощать
Накормить, напоить кого-либо чем-либо в столовой, кафе, ресторане и т.п., полностью оплатив все расходы.

• -ㄹ게요 : (두루높임으로) 말하는 사람이 어떤 행동을 할 것을 듣는 사람에게 약속하거나 의지를 나타내는 표현.
нет эквивалента
(нейтрально-вежливый стиль) Выражение, употребляемое, когда говорящий обещает сделать что-либо или сообщает слушателю о своих будущих действиях.

< 대화(разговор) > - 94

어떻게 공부를 했길래 하나도 안 틀렸어요?
어떠케 공부를 핻낄래 하나도 안 틀려써요?
eotteoke gongbureul haetgillae hanado an teullyeosseoyo?

전 그저 학교에서 배운 것을 빠짐없이 복습했을 뿐이에요.
전 그저 학꾜에서 배운 거슬 빠짐업씨 복쓰패쓸 뿌니에요.
jeon geujeo hakgyoeseo baeun geoseul ppajimeopsi bokseupaesseul ppunieyo.

< 설명(объяснение) / 번역(перевод) >

어떻게 공부+를 하+였+길래 하나+도 안 틀리+었+어요?
했길래 **틀렸어요**

- **어떻게 (наречие)** : 어떤 방법으로. 또는 어떤 방식으로.
  как
  Каким способом. Или каким образом.

- **공부 (имя существительное)** : 학문이나 기술을 배워서 지식을 얻음.
  учёба
  Процесс овладения знаниями, освоением науки или техникой.

- 를 : 동작이 직접적으로 영향을 미치는 대상을 나타내는 조사.
  нет эквивалента
  Частица, указывающая на объект, на который непосредственно распространяется влияние действия.

- **하다 (глагол)** : 어떤 행동이나 동작, 활동 등을 행하다.
  делать
  Выполнять какое-либо действие, движение, работу и т.п.

- -였- : 어떤 사건이 과거에 완료되었거나 그 사건의 결과가 현재까지 지속되는 상황을 나타내는 어미.
  нет эквивалента
  Окончание, указывающее на полное завершение какого-либо события в прошлом и сохранения данного результата до настоящего времени.

• -길래 : 뒤에 오는 말의 원인이나 근거를 나타내는 연결 어미.
нет эквивалента
Соединительное окончание предиката, указывающее на причину или основание действия, описанного во второй части предложения.

• **하나 (имя существительное)** : 전혀, 조금도.
никто; ничто; ничего; ни единого; даже чего-то одного; совсем не; абсолютно не
Совсем, абсолютно; нисколько не, ничуть не.

• 도 : 극단적인 경우를 들어 다른 경우는 말할 것도 없음을 나타내는 조사.
нет эквивалента
Частица, указывающая на крайний случай и на его примере - на бессмысленность говорить о других.

• **안 (наречие)** : 부정이나 반대의 뜻을 나타내는 말.
не; нет; ни
Выражение, означающее отрицание или противоположность.

• **틀리다 (глагол)** : 계산이나 답, 사실 등이 맞지 않다.
неверный; неправильный; ошибочный; не совпадать; не соответствовать
Быть неверным (о подсчёте, ответе, факте или пр.).

• -었- : 어떤 사건이 과거에 완료되었거나 그 사건의 결과가 현재까지 지속되는 상황을 나타내는 어미.
нет эквивалента
Окончание, указывающее на полное завершение какого-либо события в прошлом и сохранения данного результата до настоящего времени.

• -어요 : (두루높임으로) 어떤 사실을 서술하거나 질문, 명령, 권유함을 나타내는 종결 어미.
нет эквивалента
(нейтрально-вежливый стиль) Финитное окончание предиката в повествовательном, вопросительном или побудительном предложении. **<вопрос>**

저+는 그저 학교+에서 배우+[ㄴ 것]+을 빠짐없이 복습하+였+[을 뿐이]+에요.
전 배운 것을 복습했을 뿐이에요

• **저 (местоимение)** : 말하는 사람이 듣는 사람에게 자신을 낮추어 가리키는 말.
я
Употребляется для обозначения говорящим самого себя, принижая себя перед слушающим.

• 는 : 문장 속에서 어떤 대상이 화제임을 나타내는 조사.
нет эквивалента
Частица, указывающая на то, что какой-либо объект является основной темой в предложении.

• **그저 (наречие)** : 다른 일은 하지 않고 그냥.
только лишь
Просто так, не делая ничего другого.

• **학교 (имя существительное)** : 일정한 목적, 교과 과정, 제도 등에 의하여 교사가 학생을 가르치는 기관.
школа
Учебное заведение, где учитель обучает учащихся с определённой целью согласно предметному курсу, системе и т.п.

• 에서 : 앞말이 행동이 이루어지고 있는 장소임을 나타내는 조사.
в; на
Окончание, указывающее на место, где происходит указанное действие.

• **배우다 (глагол)** : 새로운 지식을 얻다.
выучить
Завладеть или обрести новые знания.

• -ㄴ 것 : 명사가 아닌 것을 문장에서 명사처럼 쓰이게 하거나 '이다' 앞에 쓰일 수 있게 할 때 쓰는 표현.
нет эквивалента
Выражение, позволяющее использовать в качестве существительного слово неименной части речи, которое также может употребляться перед глаголом-связкой '이다'.

• 을 : 동작이 직접적으로 영향을 미치는 대상을 나타내는 조사.
нет эквивалента
Частица, указывающая на объект, на который действие оказывает непосредственное влияние.

• **빠짐없이 (наречие)** : 하나도 빠뜨리지 않고 다.
все; всё; полностью; без исключения
Всё без исключения.

• **복습하다 (глагол)** : 배운 것을 다시 공부하다.
повторять (пройденное)
Закреплять пройденный материал.

• -였- : 어떤 사건이 과거에 완료되었거나 그 사건의 결과가 현재까지 지속되는 상황을 나타내는 어미.
нет эквивалента
Окончание, указывающее на полное завершение какого-либо события в прошлом и сохранения данного результата до настоящего времени.

• -을 뿐이다 : 앞에 오는 말이 나타내는 상태나 상황 이외에 다른 어떤 것도 없음을 나타내는 표현.
нет эквивалента
Выражение, указывающее на отсутствие какой-либо альтернативы данному действию или состоянию и отсутствие возможности другого выбора.

• -에요 : (두루높임으로) 어떤 사실을 서술하거나 질문함을 나타내는 종결 어미.
нет эквивалента
(нейтрально-вежливый стиль) Финитное окончание предиката в повествовательном или вопросительном предложении. **<изложение>**

< 대화(разговор) > - 95

듣기 좋은 노래 좀 추천해 주세요.
듣끼 조은 노래 좀 추천해 주세요.
deutgi joeun norae jom chucheonhae juseyo.

신나는 노래 위주로 듣는다면 이건 어때요?
신나는 조용한 노래 위주로 듣는다면 이건 어때요?
sinnaneun norae wijuro deunneundamyeon igeon eottaeyo?

< 설명(объяснение) / 번역(перевод) >

듣+기 좋+은 노래 좀 추천하+[여 주]+세요.
추천해 주세요

• **듣다 (глагол)** : 귀로 소리를 알아차리다.
слышать; слушать
Распознавать звуки ушами.

• -기 : 앞의 말이 명사의 기능을 하게 하는 어미.
нет эквивалента
Окончание, позволяющее впередистоящему слову или выражению выполнять функцию имени существительного.

• **좋다 (имя прилагательное)** : 어떤 것의 성질이나 내용 등이 훌륭하여 만족할 만하다.
хороший; отличный
Обладающий выдающимся и удовлетворительным качеством или содержанием чего-либо и т.п.

• -은 : 앞의 말이 관형어의 기능을 하게 만들고 현재의 상태를 나타내는 어미.
нет эквивалента
Окончание, которое указывает на состояние лица или предмета в настоящем, преобразуя впередистоящее слово, словосочетание или придаточное предложение в определение.

• **노래 (имя существительное)** : 운율에 맞게 지은 가사에 곡을 붙인 음악. 또는 그런 음악을 소리 내어 부름.
песня
Сочетание слов и музыки; а также напевание этой мелодии вслух.

• **좀 (наречие)** : 주로 부탁이나 동의를 구할 때 부드러운 느낌을 주기 위해 넣는 말.
нет эквивалента
Выражение, употребляющееся для придания мягкости при обращении к кому-либо с просьбой или в поисках согласия, одобрения.

• **추천하다 (глагол)** : 어떤 조건에 알맞은 사람이나 물건을 책임지고 소개하다.
рекомендовать
Советовать или представлять какого-либо человека или какой-либо предмет, отвечающий каким-либо условиям, требованиям.

• -여 주다 : 남을 위해 앞의 말이 나타내는 행동을 함을 나타내는 표현.
нет эквивалента
Выражение, указывающее на то, что описанное действие выполняется в интересах другого лица.

• -세요 : (두루높임으로) 설명, 의문, 명령, 요청의 뜻을 나타내는 종결 어미.
нет эквивалента
(нейтрально-вежливый стиль) Финитное окончание предиката в повествовательном, вопросительном или побудительном предложении. **<просьба>**

신나+는 노래 위주+로 듣+는다면 이것(이거)+은 어떻+어요?
이건 어때요

• **신나다 (глагол)** : 흥이 나고 기분이 아주 좋아지다.
радоваться; развеселиться
Улучшаться (о настроении).

• -는 : 앞의 말이 관형어의 기능을 하게 만들고 사건이나 동작이 현재 일어남을 나타내는 어미.
нет эквивалента
Окончание, которое указывает на действие или событие в настоящем, преобразуя впередистоящее слово, словосочетание или придаточное предложение в определение.

• **노래 (имя существительное)** : 운율에 맞게 지은 가사에 곡을 붙인 음악. 또는 그런 음악을 소리 내어 부름.
песня
Сочетание слов и музыки; а также напевание этой мелодии вслух.

• **위주 (имя существительное)** : 무엇을 가장 중요한 것으로 삼음.
признание приоритетным
Признание чего-либо самым главным.

• 로 : 어떤 일의 방법이나 방식을 나타내는 조사.
нет эквивалента
Частица, указывающая на способ или метод для выполнения какой-либо работы.

• **듣다 (глагол)** : 귀로 소리를 알아차리다.
слышать; слушать
Распознавать звуки ушами.

• -는다면 : 어떠한 사실이나 상황을 가정하는 뜻을 나타내는 연결 어미.
нет эквивалента
Соединительное окончание, указывающее на предположение или допущение какой-либо ситуации или факта в условных предложениях.

• **이것 (местоимение)** : 말하는 사람에게 가까이 있거나 말하는 사람이 생각하고 있는 것을 가리키는 말.
это
Указывает на то, что находится в непосредственной близости от говорящего или на то, о чём думает говорящий.

• 은 : 문장 속에서 어떤 대상이 화제임을 나타내는 조사.
нет эквивалента
Частица, показывающая то, что какой-то объект является главной темой в предложении.

• **어떻다 (имя прилагательное)** : 생각, 느낌, 상태, 형편 등이 어찌 되어 있다.
нет эквивалента
Быть в каком-то состоянии, проходить некоторым образом (о мыслях, чувствах, состоянии, положении и т.п.).

• -어요 : (두루높임으로) 어떤 사실을 서술하거나 질문, 명령, 권유함을 나타내는 종결 어미.
нет эквивалента
(нейтрально-вежливый стиль) Финитное окончание предиката в повествовательном, вопросительном или побудительном предложении. **<вопрос>**

< 대화(разговор) > - 96

너 모자를 새로 샀구나. 잘 어울린다.
너 모자를 새로 삳꾸나. 잘 어울린다.
neo mojareul saero satguna. jal eoullinda.

고마워. 가게에서 보자마자 마음에 들어서 바로 사 버렸지.
고마워. 가게에서 보자마자 마으메 드러서 바로 사 버렫찌.
gomawo. gageeseo bojamaja maeume deureoseo baro sa beoryeotji.

< 설명(объяснение) / 번역(перевод) >

너 모자+를 새로 사+았+구나.
샀구나

잘 어울리+ㄴ다.
어울린다

• **너 (местоимение)** : 듣는 사람이 친구나 아랫사람일 때, 그 사람을 가리키는 말.
ты
Употребляется при указании на собеседника, если он является ровесником или человеком, младшим по возрасту или статусу.

• **모자 (имя существительное)** : 예의를 차리거나 추위나 더위 등을 막기 위해 머리에 쓰는 물건.
головной убор; шапка; шляпа; кепка; берет; фуражка
Элемент одежды, который надевается на голову в целях защиты от холода или жары, а также для соблюдения этикета.

• **를** : 동작이 직접적으로 영향을 미치는 대상을 나타내는 조사.
нет эквивалента
Частица, указывающая на объект, на который непосредственно распространяется влияние действия.

• **새로 (наречие)** : 전과 달리 새롭게. 또는 새것으로.
заново; снова; вновь; на новое; по-новому
Заново, в отличии от того, что было прежде. На что-либо новое.

• **사다 (глагол)** : 돈을 주고 어떤 물건이나 권리 등을 자기 것으로 만들다.
покупать
Приобретать что-либо за деньги.

• -았- : 어떤 사건이 과거에 완료되었거나 그 사건의 결과가 현재까지 지속되는 상황을 나타내는 어미.
нет эквивалента
Окончание, указывающее на полное завершение какого-либо события в прошлом и сохранения данного результата до настоящего времени.

• -구나 : (아주낮춤으로) 새롭게 알게 된 사실에 어떤 느낌을 실어 말함을 나타내는 종결 어미.
нет эквивалента
(простой стиль) Финитное окончание, выражающее эмоциональную реакцию говорящего на обнаружение какого-либо факта.

• **잘 (наречие)** : 아주 멋지고 예쁘게.
нет эквивалента
Очень красиво.

• **어울리다 (глагол)** : 자연스럽게 서로 조화를 이루다.
гармонировать
Естественно подходить друг другу.

• -ㄴ다 : (아주낮춤으로) 현재 사건이나 사실을 서술함을 나타내는 종결 어미.
нет эквивалента
(простой стиль) Финитное окончание, выражающее изложение события или факта в настоящем времени.

고맙(고마우)+어.
고마워

가게+에서 보+자마자 [마음에 들]+어서 바로 사+[(아) 버리]+었+지.
사 버렸지

• **고맙다 (имя прилагательное)** : 남이 자신을 위해 무엇을 해주어서 마음이 흐뭇하고 보답하고 싶다.
благодарный
Чувствующий признательность за оказанное ему добро, выражающий признательность.

• -어 : (두루낮춤으로) 어떤 사실을 서술하거나 물음, 명령, 권유를 나타내는 종결 어미.
нет эквивалента
(нейтральный стиль) Финитное окончание предиката в повествовательном, вопросительном или побудительном предложении. **<изложение>**

- **가게 (имя существительное)** : 작은 규모로 물건을 펼쳐 놓고 파는 집.
  магазин; лавка; ларек
  Здание или помещение для мелкой розничной торговли.

- 에서 : 앞말이 어떤 일의 출처임을 나타내는 조사.
  в; на
  Окончание, указывающее на источник дела.

- **보다 (глагол)** : 눈으로 대상의 존재나 겉모습을 알다.
  смотреть; осматривать; видеть
  Направить взгляд, чтобы узнать о существовании или внешнем виде объекта.

- -자마자 : 앞의 말이 나타내는 사건이나 상황이 일어나고 곧바로 뒤의 말이 나타내는 사건이나 상황이 일어남을 나타내는 연결 어미.
  нет эквивалента
  Соединительное окончание, показывающее то, что после завершения одного действия или события сразу происходит следующее.

- 마음에 들다 (идиома) : 자신의 느낌이나 생각과 맞아 좋게 느껴지다.
  прийтись по душе; быть по душе; нравиться
  Чувствовать себя хорошо, так как это совпадает с собственными чувствами и мыслями.

- -어서 : 이유나 근거를 나타내는 연결 어미.
  нет эквивалента
  Соединительное окончание предиката, указывающее на причину или обоснование чего-либо.

- **바로 (наречие)** : 시간 차를 두지 않고 곧장.
  сразу
  Не задерживаясь, не затягивая.

- **사다 (глагол)** : 돈을 주고 어떤 물건이나 권리 등을 자기 것으로 만들다.
  покупать
  Приобретать что-либо за деньги.

- -아 버리다 : 앞의 말이 나타내는 행동이 완전히 끝났음을 나타내는 표현.
  нет эквивалента
  Выражение, указывающее на исчерпывающую завершённость действия.

- -었- : 어떤 사건이 과거에 완료되었거나 그 사건의 결과가 현재까지 지속되는 상황을 나타내는 어미.
  нет эквивалента
  Окончание, указывающее на полное завершение какого-либо события в прошлом и сохранения данного результата до настоящего времени.

• -지 : (두루낮춤으로) 말하는 사람이 자신에 대한 이야기나 자신의 생각을 친근하게 말할 때 쓰는 종결 어미.

нет эквивалента

(нейтральный стиль) Финитное окончание предиката, используемое в речи говорящего о самом себе или выражении своей мысли.

< 대화(разговор) > - 97

엄마, 약속 시간에 늦어서 밥 먹을 시간 없어요.
엄마, 약쏙 시가네 느저서 밥 머글 시간 업써요.
eomma, yaksok sigane neujeoseo bap meogeul sigan eopseoyo.

조금 늦더라도 밥은 먹고 가야지.
조금 늗떠라도 바븐 먹꼬 가야지.
jogeum neutdeorado babeun meokgo gayaji.

< 설명(объяснение) / 번역(перевод) >

엄마, 약속 시간+에 늦+어서 밥 먹+을 시간 없+어요.

- **엄마 (имя существительное)** : 격식을 갖추지 않아도 되는 상황에서 어머니를 이르거나 부르는 말.
  мама; мамочка; мамуля
  Слово, употребляемое при обращении к матери или её упоминании в ситуации, не требующей соблюдения формальностей.

- **약속 (имя существительное)** : 다른 사람과 어떤 일을 하기로 미리 정함. 또는 그렇게 정한 내용.
  договор; договорённость; обещание
  Соглашение с кем-либо о выполнении чего-либо. Или содержание такого соглашения.

- **시간 (имя существительное)** : 어떤 일을 하도록 정해진 때. 또는 하루 중의 어느 한 때.
  пора; время
  Подходящее время для выполнения какой-либо работы, а так же определённая часть дня.

- 에 : 앞말이 시간이나 때임을 나타내는 조사.
  нет эквивалента
  Окончание, указывающее на время или период времени.

- **늦다 (глагол)** : 정해진 때보다 지나다.
  запаздывать; опаздывать
  Проходить (о назначенном времени).

• -어서 : 이유나 근거를 나타내는 연결 어미.
нет эквивалента
Соединительное окончание предиката, указывающее на причину или обоснование чего-либо.

• **밥 (имя существительное)** : 매일 일정한 때에 먹는 음식.
пища; хлеб (насущный)
Еда, принимаемая каждый день в определённое время.

• **먹다 (глагол)** : 음식 등을 입을 통하여 배 속에 들여보내다.
есть; кушать
Принимать пищу во внутрь посредством ротовой полости.

• -을 : 앞의 말이 관형어의 기능을 하게 만들고 추측, 예정, 의지, 가능성 등을 나타내는 어미.
нет эквивалента
Окончание, которое указывает на предполагаемое, возможное, планируемое или желаемое действие, преобразуя впередистоящее слово, словосочетание или придаточное предложение в определение. **<заранее установленная дата>**

• **시간 (имя существительное)** : 어떤 일을 할 여유.
свободное время
Время для выполнения какой-либо работы.

• **없다 (имя прилагательное)** : 어떤 사실이나 현상이 현실로 존재하지 않는 상태이다.
не быть
Состояние несуществования какого-либо факта или явления в действительности.

• -어요 : (두루높임으로) 어떤 사실을 서술하거나 질문, 명령, 권유함을 나타내는 종결 어미.
нет эквивалента
(нейтрально-вежливый стиль) Финитное окончание предиката в повествовательном, вопросительном или побудительном предложении. **<изложение>**

조금 늦+더라도 밥+은 먹+고 가+(아)야지.
가야지

• **조금 (наречие)** : 시간이 짧게.
немного
В течение короткого времени.

• **늦다 (глагол)** : 정해진 때보다 지나다.
запаздывать; опаздывать
Проходить (о назначенном времени).

• -더라도 : 앞에 오는 말을 가정하거나 인정하지만 뒤에 오는 말에는 관계가 없거나 영향을 끼치지 않음을 나타내는 연결 어미.
нет эквивалента
Соединительное окончание со значением уступки, указывающее на то, что некий факт или обстоятельство, признание, допущение или предположение которого содержится в первой части предложения, не влияет или не имеет отношения к тому, о чём говорится во второй части.

• **밥 (имя существительное)** : 매일 일정한 때에 먹는 음식.
пища; хлеб (насущный)
Еда, принимаемая каждый день в определённое время.

• 은 : 강조의 뜻을 나타내는 조사.
нет эквивалента
Частица, выражающая смысл акцентирования.

• **먹다 (глагол)** : 음식 등을 입을 통하여 배 속에 들여보내다.
есть; кушать
Принимать пищу во внутрь посредством ротовой полости.

• -고 : 앞의 말과 뒤의 말이 차례대로 일어남을 나타내는 연결 어미.
нет эквивалента
Соединительное окончание предиката, указывающее на последовательность действий.

• **가다 (глагол)** : 한 곳에서 다른 곳으로 장소를 이동하다.
ходить; уходить; идти
Передвигаться с одного места на другое.

• -아야지 : (두루낮춤으로) 듣는 사람이나 다른 사람이 어떤 일을 해야 하거나 어떤 상태여야 함을 나타내는 종결 어미.
нет эквивалента
(нейтральный стиль) Финитное окончание предиката, указывающее на необходимость какого-либо действия или состояния второго или третьего лица.

< 대화(разговор) > - 98

너 오늘 많이 피곤해 보인다.
너 오늘 마니 피곤해 보인다.
neo oneul mani pigonhae boinda.

어제 늦게까지 술을 마셔 가지고 컨디션이 안 좋아.
어제 늗께까지 수를 마셔 가지고 컨디셔니 안 조아.
eoje neutgekkaji sureul masyeo gajigo keondisyeoni an joa.

< 설명(объяснение) / 번역(перевод) >

너 오늘 많이 피곤하+[여 보이]+ㄴ다.
피곤해 보인다

• **너 (местоимение)** : 듣는 사람이 친구나 아랫사람일 때, 그 사람을 가리키는 말.
ты
Употребляется при указании на собеседника, если он является ровесником или человеком, младшим по возрасту или статусу.

• **오늘 (наречие)** : 지금 지나가고 있는 이날에.
сегодня
В этот текущий день.

• **많이 (наречие)** : 수나 양, 정도 등이 일정한 기준보다 넘게.
много
Превышая определённую норму (о числе, количестве, степени и т.п.).

• **피곤하다 (имя прилагательное)** : 몸이나 마음이 지쳐서 힘들다.
усталый; утомлённый
Состояние физической и душевной усталости, не позволяющее чем-либо заниматься.

• -여 보이다 : 겉으로 볼 때 앞의 말이 나타내는 것처럼 느껴지거나 추측됨을 나타내는 표현.
выглядеть каким-либо
Выражение, указывающее на предположение, догадку о чём-либо на основании внешних признаков ситуации.

• -ㄴ다 : (아주낮춤으로) 현재 사건이나 사실을 서술함을 나타내는 종결 어미.
нет эквивалента
(простой стиль) Финитное окончание, выражающее изложение события или факта в настоящем времени.

어제 늦+게+까지 술+을 마시+[어 가지고] 컨디션+이 안 좋+아.
마셔 가지고

• **어제 (наречие)** : 오늘의 하루 전날에.
вчера
За день до сегодня.

• **늦다 (имя прилагательное)** : 적당한 때를 지나 있다. 또는 시기가 한창인 때를 지나 있다.
поздний
Представляющий конечный этап какого-либо отрезка времени.

• -게 : 앞의 말이 뒤에서 가리키는 일의 목적이나 결과, 방식, 정도 등이 됨을 나타내는 연결 어미.
нет эквивалента
Соединительное окончание предиката, указывающее на то, описанное в первой части предложения действие или состояние является целью, результатом, образом действия, степенью и т.п. того, о чём говорится в последующей главной части предложения.

• 까지 : 어떤 범위의 끝임을 나타내는 조사.
нет эквивалента
Окончание, указывающее на завершение какой-либо области.

• **술 (имя существительное)** : 맥주나 소주 등과 같이 알코올 성분이 들어 있어서 마시면 취하는 음료.
алкоголь; ликёр
Алкогольный напиток типа вина, водки, пива и т.п., от которого приходят в опьянение.

• 을 : 동작이 직접적으로 영향을 미치는 대상을 나타내는 조사.
нет эквивалента
Частица, указывающая на объект, на который действие оказывает непосредственное влияние.

• **마시다 (глагол)** : 물 등의 액체를 목구멍으로 넘어가게 하다.
пить
Глотать, поглощать воду или какую-либо жидкость.

• -어 가지고 : 앞의 말이 나타내는 행동이나 상태가 뒤의 말의 원인이나 이유임을 나타내는 표현.
нет эквивалента
Выражение, указывающее на то, что данное действие или состояние является причиной, средством или обоснованием того, о чём говорится далее.

• **컨디션 (имя существительное)** : 몸이나 건강, 마음 등의 상태.
самочувствие
Состояние здоровья, физическое и душевное состояние человека.

• 이 : 어떤 상태나 상황의 대상이나 동작의 주체를 나타내는 조사.
нет эквивалента
Частица, показывающая какое-либо состояние, объект ситуации или субъект действия.

• **안 (наречие)** : 부정이나 반대의 뜻을 나타내는 말.
не; нет; ни
Выражение, означающее отрицание или противоположность.

• **좋다 (имя прилагательное)** : 신체적 조건이나 건강 상태 등이 보통보다 낫다.
удовлетворительный
Обладающий более лучшими телесными качествами или состоянием здоровья, чем обычные.

• -아 : (두루낮춤으로) 어떤 사실을 서술하거나 물음, 명령, 권유를 나타내는 종결 어미.
нет эквивалента
(нейтральный стиль) Финитное окончание предиката в повествовательном, вопросительном или побудительном предложении. **<изложение>**

< 대화(разговор) > - 99

요리 학원에 가서 수업이라도 들을까 봐.
요리 하궈네 가서 수어비라도 드를까 봐.
yori hagwone gaseo sueobirado deureulkka bwa.

갑자기 왜? 요리를 해야 할 일이 있어?
갑짜기 왜? 요리를 해야 할 이리 이써?
gapjagi wae? yorireul haeya hal iri isseo?

< 설명(объяснение) / 번역(перевод) >

요리 학원+에 가+(아)서 수업+이라도 듣(들)+[을까 보]+아.

가서 들을까 봐

- **요리 (имя существительное)** : 음식을 만듦.
  приготовление пищи
  Приготовление блюда.

- **학원 (имя существительное)** : 학생을 모집하여 지식, 기술, 예체능 등을 가르치는 사립 교육 기관.
  частное образовательное учреждение; учебные курсы
  Частное образовательное учреждение, которое набирает учащихся на обучение в области образования, техники, физического образования и т.п.

- **에** : 앞말이 목적지이거나 어떤 행위의 진행 방향임을 나타내는 조사.
  нет эквивалента
  Окончание, указывающее на направленность какого-либо действия или цели.

- **가다 (глагол)** : 한 곳에서 다른 곳으로 장소를 이동하다.
  ходить; уходить; идти
  Передвигаться с одного места на другое.

- **-아서** : 앞의 말과 뒤의 말이 순차적으로 일어남을 나타내는 연결 어미.
  нет эквивалента
  Соединительное окончание предиката, указывающее на последовательность действий.

- **수업 (имя существительное)** : 교사가 학생에게 지식이나 기술을 가르쳐 줌.
  урок
  Обучение педагогом учеников знаниям или технике.

• 이라도 : 그것이 최선은 아니나 여럿 중에서는 그런대로 괜찮음을 나타내는 조사.
нет эквивалента
Частица, показывающая, что что-то не является наилучшим, но более или менее пригодно среди других.

• **듣다 (глагол)** : 다른 사람의 말이나 소리 등에 귀를 기울이다.
слушать; выслушивать; прислушиваться
Прислушиваться к словам или голосу другого человека.

• -을까 보다 : 앞에 오는 말이 나타내는 행동을 할 의도가 있음을 나타내는 표현.
думать, не сделать ли
Выражение, указывающее на наличие намерения совершить действие, описанное в предшествующей части высказывания.

• -아 : (두루낮춤으로) 어떤 사실을 서술하거나 물음, 명령, 권유를 나타내는 종결 어미.
нет эквивалента
(нейтральный стиль) Финитное окончание предиката в повествовательном, вопросительном или побудительном предложении. **<изложение>**

갑자기 왜?

요리+를 하+[여야 하]+ㄹ 일+이 있+어?
해야 할

• **갑자기 (наречие)** : 미처 생각할 틈도 없이 빨리.
внезапно; вдруг
Настолько быстро и неожиданно, что даже не успел подумать.

• **왜 (наречие)** : 무슨 이유로. 또는 어째서.
почему; зачем
По какой причине.

• **요리 (имя существительное)** : 음식을 만듦.
приготовление пищи
Приготовление блюда.

• 를 : 동작이 직접적으로 영향을 미치는 대상을 나타내는 조사.
нет эквивалента
Частица, указывающая на объект, на который непосредственно распространяется влияние действия.

• **하다 (глагол)** : 어떤 행동이나 동작, 활동 등을 행하다.
делать
Выполнять какое-либо действие, движение, работу и т.п.

• -여야 하다 : 앞에 오는 말이 어떤 일을 하거나 어떤 상황에 이르기 위한 의무적인 행동이거나 필수적인 조건임을 나타내는 표현.
нет эквивалента
Выражение, указывающее на то, что некое действие или состояние является долгом или обязательным условием для осуществления того, о чём говорится в последующей части предложения.

• -ㄹ : 앞의 말이 관형어의 기능을 하게 만들고 추측, 예정, 의지, 가능성 등을 나타내는 어미.
нет эквивалента
Окончание, которое указывает на предполагаемое, возможное, планируемое или желаемое действие, преобразуя впередистоящее слово, словосочетание или придаточное предложение в определение.

• **일 (имя существительное)** : 해결하거나 처리해야 할 문제나 사항.
дело; инцидент
Проблема или задача, которую необходимо разрешить.

• 이 : 어떤 상태나 상황의 대상이나 동작의 주체를 나타내는 조사.
нет эквивалента
Частица, показывающая какое-либо состояние, объект ситуации или субъект действия.

• **있다 (имя прилагательное)** : 어떤 사람에게 무슨 일이 생긴 상태이다.
нет эквивалента
Случиться.

• -어 : (두루낮춤으로) 어떤 사실을 서술하거나 물음, 명령, 권유를 나타내는 종결 어미.
нет эквивалента
(нейтральный стиль) Финитное окончание предиката в повествовательном, вопросительном или побудительном предложении. **<вопрос>**

< 대화(разговор) > - 100

이 옷 사이즈도 맞고 너무 예뻐요.
이 옫 사이즈도 맏꼬 너무 예뻐요.
i ot saijeudo matgo neomu yeppeoyo.

다행이네. 너한테 작을까 봐 조금 걱정했는데.
다행이네. 너한테 자글까 봐 조금 걱쩡핸는데.
dahaengine. neohante jageulkka bwa jogeum geokjeonghaenneunde.

< 설명(объяснение) / 번역(перевод) >

이 옷 사이즈+도 맞+고 너무 예쁘(예ㅃ)+어요.
예뻐요

• **이 (атрибутивное слово)** : 말하는 사람에게 가까이 있거나 말하는 사람이 생각하고 있는 대상을 가리킬 때 쓰는 말.
этот; это
Слово, указывающее на что-либо, находящееся возле говорящего, или на то, о чём он думает.

• **옷 (имя существительное)** : 사람의 몸을 가리고 더위나 추위 등으로부터 보호하며 멋을 내기 위하여 입는 것.
одежда; платье
То, что одевается для того, чтобы закрывать тело человека, защищать от жары (стужи) или щеголять этим.

• **사이즈 (имя существительное)** : 옷이나 신발 등의 크기나 치수.
размер
Размер одежды или обуви.

• 도 : 이미 있는 어떤 것에 다른 것을 더하거나 포함함을 나타내는 조사.
нет эквивалента
Частица, указывающая на прибавление или включение чего-либо во что-либо уже имеющееся.

• **맞다 (глагол)** : 크기나 규격 등이 어떤 것과 일치하다.
соответствовать; быть подходящим
Соответствовать какой-либо величине, стандарту и т.п.

• -고 : 두 가지 이상의 대등한 사실을 나열할 때 쓰는 연결 어미.
нет эквивалента
Соединительное окончание предиката, используемое при перечислении двух и более равноправных фактов.

• **너무 (наречие)** : 일정한 정도나 한계를 훨씬 넘어선 상태로.
очень; чересчур
Состояние чрезмерного превышения определенного уровня или рубежа.

• **예쁘다 (имя прилагательное)** : 생긴 모양이 눈으로 보기에 좋을 만큼 아름답다.
красивый
Приятный на вид (о внешнем виде).

• -어요 : (두루높임으로) 어떤 사실을 서술하거나 질문, 명령, 권유함을 나타내는 종결 어미.
нет эквивалента
(нейтрально-вежливый стиль) Финитное окончание предиката в повествовательном, вопросительном или побудительном предложении. **<изложение>**

다행+이+네.

너+한테 작+[을까 보]+아 조금 걱정하+였+는데.

작을 까봐 걱정했는데

• **다행 (имя существительное)** : 뜻밖에 운이 좋음.
удача; везение; счастье
Благоприятное стечение обстоятельств.

• 이다 : 주어가 지시하는 대상의 속성이나 부류를 지정하는 뜻을 나타내는 서술격 조사.
нет эквивалента
Суффикс повествовательного падежа, выражающий смысл наименования свойства или разряда объекта, на который указывает подлежащее.

• -네 : (아주낮춤으로) 지금 깨달은 일에 대하여 말함을 나타내는 종결 어미.
нет эквивалента
(простой стиль) Финитное окончание, указывающее на обнаружение или осознание нового факта.

• **너 (местоимение)** : 듣는 사람이 친구나 아랫사람일 때, 그 사람을 가리키는 말.
ты
Употребляется при указании на собеседника, если он является ровесником или человеком, младшим по возрасту или статусу.

• 한테 : 앞말이 기준이 되는 대상이나 단위임을 나타내는 조사.
нет эквивалента
Окончание, указывающее на объект или единицу измерения, которые являются стандартом.

• **작다 (имя прилагательное)** : 정해진 크기에 모자라서 맞지 아니하다.
маленький
Неподходящий по размеру.

• -을까 보다 : 앞에 오는 말이 나타내는 상황이 될 것을 걱정하거나 두려워함을 나타내는 표현.
бояться, что
Выражение, указывающее на опасение или беспокойство из-за возможности возникновения определённой ситуации.

• -아 : 앞에 오는 말이 뒤에 오는 말에 대한 원인이나 이유임을 나타내는 연결 어미.
нет эквивалента
Соединительное окончание, указывающее на то, что действие первой части предложения является причиной или основанием действия, описанного во второй части предложения.

• **조금 (наречие)** : 분량이나 정도가 적게.
немного; чуть-чуть
В малом количестве или степени.

• **걱정하다 (глагол)** : 좋지 않은 일이 있을까 봐 두려워하고 불안해하다.
беспокоиться; тревожиться; переживать; заботиться
Испытывать сильное душевное волнение, смятение в ожидании опасности, чего-нибудь неизвестного.

• -였- : 어떤 사건이 과거에 완료되었거나 그 사건의 결과가 현재까지 지속되는 상황을 나타내는 어미.
нет эквивалента
Окончание, указывающее на полное завершение какого-либо события в прошлом и сохранения данного результата до настоящего времени.

• -는데 : (두루낮춤으로) 듣는 사람의 반응을 기대하며 어떤 일에 대해 감탄함을 나타내는 종결 어미.
нет эквивалента
(нейтральный стиль) Окончание, передающее восклицание или удивление в ожидании отклика слушающего.

< 참고(справка) 문헌(Библиография) >

고려대학교 한국어대사전, 고려대학교 민족문화연구원, 2009
우리말샘, 국립국어원, 2016
표준국어대사전, 국립국어원, 1999
한국어교육 문법 자료편, 한글파크, 2016
한국어 교육학 사전, 하우, 2014
한국어기초사전, 국립국어원, 2016
한국어 문법 총론 Ⅰ, 집문당, 2015

대화로 배우는 한국어 русский язык(перевод)

발　행 | 2024년 6월 20일
저　자 | 주식회사 한글2119연구소
펴낸이 | 한건희
펴낸곳 | 주식회사 부크크
출판사등록 | 2014.07.15.(제2014-16호)
주　소 | 서울특별시 금천구 가산디지털1로 119 SK트윈타워 A동 305호
전　화 | 1670-8316
이메일 | info@bookk.co.kr

ISBN | 979-11-410-9054-8

www.bookk.co.kr